Anne Bacus

L'école maternelle

La propreté

Le doudou

Les jouets

Les activités parascolaires

le livre de bord de
votre enfant
de 3 à 6 ans

• MARABOUT •

Crédit photographique : Zefa.

Sommaire

Introduction

Ne croyez pas ceux qui vous affirment que tout est joué à un an, à trois ans, ou à six ans. C'est une idée vieille d'une vingtaine d'années dont les pédiatres et les psychologues sont revenus. On sait maintenant que l'être humain est d'une grande plasticité et que son cerveau reste malléable longtemps. Dieu merci, on peut encore changer à dix ans, quinze ans, et même à l'âge adulte. Mais il n'en reste pas moins qu'aucune période n'a davantage d'influence sur la vie de chacun que ce qu'il a vécu au cours de ses six ou sept premières années, et cela dans tous les domaines, mais surtout en matière psychologique. Aussi est-il très important, pour les parents d'un enfant de cet âge, de bien connaître les étapes qu'il traverse afin de pouvoir au mieux le faire bénéficier de tout l'amour et l'expérience qui sont les leurs. Il est aussi déterminant que cette période soit le plus positive possible.

Tous les parents veulent un enfant heureux et épanoui, mais personne n'est à l'abri des petits problèmes éducatifs qui ne manquent pas de surgir et face auxquels on est mieux armé lorsque l'on connaît bien l'avancée de son enfant dans tous les grands domaines de son développement (physique, psychique, affectif, social et intellectuel). À chaque étape, tant de questions se posent : « Mon enfant est-il trop timide ? », « Est-il normal qu'il suce encore son pouce ? », « Comment lui annoncer que sa chienne est morte ? », « Puis-je lui apprendre à lire moi-même ? », « Comment l'empêcher de dire des gros mots ? », « Quel jouet lui offrir ? », « Pourquoi invente-t-il toujours des histoires incroyables ? », etc. Comme parent, on se voudrait calme, aimant, ferme, plein de bon sens et disponible. On se retrouve souvent fatigué, tendu, un peu perdu et sans autre possibilité que de confier son enfant à l'école huit à dix heures par jour.

Ce livre, qui s'appuie sur une connaissance approfondie du développement normal du jeune enfant, n'a d'autre but que d'aider les parents et les enfants dans leur cheminement commun en offrant des idées et des pistes de réflexion, ainsi qu'une nouvelle manière d'être à l'écoute de leur enfant et d'ouvrir le dialogue. C'est un livre de suggestions plutôt que de recettes. Chaque enfant est unique, chaque parent a son histoire, chaque famille a sa culture et ses habitudes. Un simple livre ne peut répondre à tout ni à tous. Aussi est-ce à chaque parent de déterminer finalement ses propres choix éducatifs et d'inclure, à sa manière propre, l'enfant dans une relation de confiance, de respect, de sécurité et d'amour. Un enfant ne peut avoir, sauf rarissimes exceptions, de meilleurs parents que les siens.

À trois ans, l'enfant est déjà une vraie petite personne. Il a un passé, des connaissances, des expériences. Mais ses centres d'intérêt tournent essentiellement autour de lui-même, du foyer, dont il est un peu le roi, et de ceux qui y vivent. Dans les trois années qui viennent, qui couvrent en fait les années de l'école maternelle, l'enfant va s'ouvrir au monde extérieur. Il va se faire des copains avec qui il apprendra à faire des compromis, il va vivre à l'école des moments qu'il ne voudra pas raconter, il posera mille questions sur les gens et les choses et il apprendra qu'il n'est qu'un enfant parmi beaucoup d'autres. Pour toutes ces découvertes, il va s'appuyer sur une énergie débordante, un langage de plus en plus performant et un désir jamais satisfait de nouvelles connaissances et aventures.

Les besoins de l'enfant au cours de ces trois années sont relativement simples : amour, sécurité affective, fermeté, écoute, ouverture sur le monde. Ce qu'il va apprendre est vaste : contrôler son comportement, tenir compte des autres, s'identifier à un sexe, s'éloigner de sa mère, mûrir et développer ses connaissances.

Rien de tout cela n'est simple et il est fréquent que de petits problèmes de comportement apparaissent. De trois à six ans, l'enfant parle encore avec son corps, et c'est un langage particulier que les parents doivent apprendre à décoder. Tout symptôme (mal au ventre sans cause médicale, terreurs nocturnes, agressivité excessive, refus de l'école, etc.) est un message que l'enfant adresse et qui s'exprime de plus en plus fort tant qu'il n'est pas entendu. Les parents, selon leur propre histoire, vont mieux comprendre telle difficulté, grossir ou occulter telle autre. Souvent ces manifestations passagères témoignent seulement du franchissement d'une étape et disparaissent seules. Mais il peut être parfois utile aux parents de se faire aider par un psychologue afin que l'enfant ne soit pas bloqué dans son épanouissement.

Des parents attentifs et sereins trouveront dans cet ouvrage de quoi mieux comprendre les petites difficultés quotidiennes qui peuvent survenir et y faire face. Sa seule ambition est de les accompagner, au fil des mois, le long du chemin, semé d'immenses joies, de grandes découvertes et de quelques embûches, qui va du petit enfant collé à leurs jambes au « grand » qui part, sac au dos, à l'école primaire avec ses copains.

Introduction

Avertissement

Tous les enfants sont différents. Ils n'ont ni le même tempérament, ni le même goût des choses et les domaines de leur développement ne suivent pas une progression linéaire. Plus avancés dans un domaine, ils peuvent l'être moins dans un autre. Des bonds en avant dans un secteur peuvent s'accompagner d'une régression dans un autre ou être suivis d'une période un peu « désordonnée ». L'enfant moyen décrit dans les ouvrages n'est qu'un leurre bien pratique.

Aussi les parents ne devraient-ils avoir ni orgueil ni inquiétude si les acquisitions ou le développement de leur enfant ne coïncident pas précisément avec les âges avancés dans ce livre. Ces variations, parfois importantes, n'ont, dans l'immense majorité des cas, aucune incidence sur le devenir de l'enfant. Ayons donc à cœur de respecter et de soutenir chaque enfant dans son rythme, son devenir et selon ses besoins.

Un livre qui s'adresse au plus grand nombre ne peut être exhaustif ni permettre de résoudre des problèmes trop spécifiques, ne concernant qu'un petit nombre de parents. Les questions purement médicales, psychiatriques ou sociales ne sont pas traitées dans cet ouvrage : trop complexes, elles ne pourraient pas être abordées ici de façon utile au lecteur. De même, les problèmes de comportement suivants ne peuvent être réglés par la lecture d'un livre et doivent être rapidement pris en compte avec l'aide d'un spécialiste :

L'enfant qui a des attitudes autodestructrices (soit par automutilation, soit en prenant des risques physiques manifestement excessifs) ou dépressives, qui semble en permanence triste et communique peu, que rien n'intéresse.

L'enfant qui a des comportements très destructeurs envers les êtres ou les objets, qui fait mal à autrui ou qui torture les animaux.

L'enfant dont les petits troubles, normaux dans la petite enfance, ne disparaissent pas avec l'âge : pipi au lit, phobie des animaux ou des insectes, déficit d'attention et hyperactivité, timidité inhibante, bégaiement ou tics nerveux, refus scolaire, etc.

N'hésitez pas non plus à consulter un psychologue chaque fois que vous avez besoin de parler, de vous faire expliquer, d'être rassuré, ou d'être aidé dans un passage difficile pour la famille, donc pour l'enfant.

Quand, dans ce livre, j'écris « vous », c'est bien au pluriel qu'il faut l'entendre. Je m'adresse aux deux parents. La période qui va de trois à six ans est déterminante pour la constitution de l'identité sexuelle de l'enfant. Dans ce cadre, il a absolument besoin de relations suivies avec ses deux parents (ou ceux qui tiennent cette place). Père et mère ont chacun des rôles spécifiques, irremplaçables et complémentaires à jouer auprès de leur enfant, rôles qu'ils s'engagent à tenir à vie lorsqu'ils deviennent parents.

Dans la langue française, « enfant » s'accorde au masculin. J'ai donc, tout au long de cet ouvrage, employé le pronom personnel « il ». Que les parents de filles ne s'en offusquent pas et sachent qu'ils n'étaient nullement absents de mes pensées.

De 3 ans à 3 ans 1/2

Qui est l'enfant de trois ans* ?

L'enfant de trois ans est un petit être généralement délicieux qui ressemble de moins en moins au bébé coléreux et systématiquement opposant qu'il était l'année d'avant. Moins tyrannique, il commence à apprendre la patience, mais supporte encore bien mal les frustrations. Ses réactions peuvent encore être vives et les émotions de peur ou de jalousie sont nombreuses. Les nuits et les repas ne sont pas toujours de tout repos, les changements dans sa vie pas toujours bien acceptés. Mais la maîtrise du langage aide à pacifier les rapports. Globalement, pas de doute : c'est un âge adorable.

DÉVELOPPEMENT PHYSIQUE

L'enfant, en moyenne, mesure entre 90 et 96 cm et pèse entre 13 et 16 kg. Il a acquis un bon sens de l'équilibre : il est désormais capable de se tenir sur un pied, de taper dans un ballon, de marcher droit le long d'une ligne ou bien à reculons. Il aime sauter au son de la musique et se laisser glisser le long des toboggans. Il se sert également mieux de ses mains pour découper et maîtriser son crayon et son pinceau.

CARACTÈRE ET PERSONNALITÉ

L'enfant désire faire plaisir à ses parents et rendre service, mais il démontre moins spontanément son affection. Découvrant l'humour et le pouvoir des mots, il aime poser des devinettes et rire tout seul dans ses jeux. Bien qu'il connaisse les différences entre garçons et filles et s'y intéresse, il joue volontiers avec les enfants des deux sexes. Il pose des questions sur les bébés et se montre jaloux de son (sa) petit(e) frère (sœur). Encore très centré sur lui-même, il a du mal à imaginer que tout le monde ne partage pas son point de vue et souffre s'il se sent incompris.

La peur de l'obscurité s'installe, ainsi que des frayeurs soudaines face à des gens différents (races, vieillards), grimés (masques, personnages télévisés) ou présentés à l'enfant comme dangereux.

VIE QUOTIDIENNE

L'appétit de l'enfant est plutôt bon et se régularise. Les repas préférés sont souvent le petit déjeuner et le goûter, repas moins structurés, plus rapides

* Tous les enfants sont uniques et leurs développements différents. L'enfant normal ou moyen n'existe pas. Aussi, soyez sans inquiétude si vous ne reconnaissez pas toujours le vôtre dans ce portrait.

que les deux repas principaux et le plus souvent à base d'aliments sucrés. Il arrive encore que l'enfant se serve du refus alimentaire pour attirer l'attention, mais le plus souvent il mange seul et se sert relativement proprement de ses couverts, de son verre et de son bol.

Il savait déjà se déshabiller si l'on défaisait les boutons ou des fermetures difficiles : il commence à savoir s'habiller et peut mettre sans aide les habits les plus faciles.

La majorité des enfants ne se réveillent plus la nuit et continuent à faire la sieste l'après-midi. S'il se réveille, l'enfant peut jouer calmement dans son lit en attendant de se rendormir ou qu'on vienne le chercher. Mais un grand nombre d'entre eux pleurent, appellent ou se lèvent.

La plupart des enfants de trois ans sont propres le jour mais peu le sont également la nuit. Une fois les habitudes bien installées, les accidents sont rares. Ils aiment prendre leur bain, jouer dans l'eau et détestent en sortir.

Ils sucent encore beaucoup leur pouce, une sucette ou un biberon et ne s'éloignent jamais vraiment de leur « doudou » favori (peluche, tissu, etc.). Côté santé, ils sont d'autant plus souvent sujets aux rhumes qu'ils commencent leur vie en collectivité (ceux qui sont allés en crèche sont déjà bien immunisés). En revanche, les otites s'espacent.

LANGAGE

La plupart des enfants parlent bien, de manière fluide et avec un vocabulaire étendu (de 800 à 1000 mots). Ils emploient les pluriels des noms et des verbes ainsi que les pronoms personnels, mais la grammaire laisse encore à désirer. Les rimes sans signification et les jeux avec les mots les fascinent. Ils se servent souvent des mots de préférence aux actes et savent y obéir. Ils peuvent accéder à une exigence complexe comme : « Va chercher le ballon et pose-le sur la table. » Face à des images simples, ils savent dire ce qu'ils y voient et ce qu'il s'y passe.

VIE INTELLECTUELLE

L'enfant de cet âge veut regarder les images et les textes des livres qu'on lui lit. Ses livres préférés sont les abécédaires et les imagiers. Il aime les histoires d'animaux et s'identifie facilement au petit ours ou au bébé lapin. Il aime qu'on les lui relise de nombreuses fois sans les modifier et finit par en savoir certaines presque par cœur. Il peut aussi les écouter tout seul sur un lecteur de disques ou de cassettes qu'il fait fonctionner. Il peut reconnaître son nom écrit. Il sait parfois compter par cœur jusqu'à cinq ou dix, mais ne peut dénombrer plus de deux ou trois objets.

JEUX ET JOUETS

L'enfant de trois ans aime ce qui roule : tricycle, petites voitures, chariot, train. Il fabrique des routes et des itinéraires avec obstacles qu'il fait emprunter à ses véhicules. Il aime aussi les jeux d'eau : patouiller, faire la vaisselle, faire des bulles de savon, faire naviguer de petits bateaux sont parmi ses jeux favoris. Y ajouter de la terre ou du sable rend les choses encore plus amusantes : faire des gâteaux de boue ou des châteaux de sable, tracer des routes ou creuser des tunnels, etc.

Il aime peindre avec les doigts ou manier de la pâte à modeler et devient capable d'enfiler de grosses perles ou de faire des puzzles d'encastrement. L'imaginaire tient une grande place dans ses jeux de poupée ou de métiers.

DÉVELOPPEMENT SOCIAL

L'enfant de trois ans place sa mère au centre de sa vie affective (même si le père est préféré pour certaines activités précises) et entretient avec elle des rapports privilégiés : il aime l'aider dans ses tâches ménagères et passer du temps seul avec elle, comme pour l'accompagner au marché par exemple.

Il a en revanche des difficultés avec ses frères et sœurs dont il supporte mal la rivalité : il embête et dérange volontiers ses aînés, mais pleure et se plaint d'eux s'ils en font autant. Il peut se montrer gentil, bien que jaloux, avec un cadet.

À l'école, l'enfant aime sa maîtresse et voudrait bien être son préféré. Il aime parler avec elle ou l'écouter, mais pense rarement à faire appel à elle. Avec les copains, le comportement de l'enfant s'améliore. Il devient capable de plus de coopération et d'attention. Il sait attendre son tour et comprend la nécessité de partager. Le langage devient le mode d'échange privilégié entre les enfants.

« S'il te plaît » s'installe s'il est exigé, « bonjour » ne s'exprime jamais spontanément mais souvent en écho. « Merci » et « au revoir » sont loin d'être automatiques.

L'école maternelle

L'école maternelle accueille tous les enfants de deux à six ans, dans la limite des places disponibles, sans distinction de race, de nationalité ou de classe sociale. Environ 95 % des enfants de trois à quatre ans vont à l'école maternelle. Parmi eux, un tiers y a déjà passé un an… C'est dire si la fréquentation de cette « petite école » que le monde entier nous envie est conséquente, même si elle n'est pas obligatoire.

L'IMPORTANCE DE L'ÉCOLE MATERNELLE

Un lieu d'éveil très riche

Pour un certain nombre de parents qui travaillent, mettre leur enfant à l'école maternelle est une nécessité : à cet âge, il n'existe plus d'autres modes de garde et celui-ci est gratuit. C'est l'un des rôles de l'école, qu'elle remplit d'ailleurs assez mal vu ses horaires d'ouverture, de garder les petits enfants pendant que leurs parents travaillent. Mais ceux-ci y voient une autre utilité, car l'école est avant tout lieu d'éducation (sociale, motrice, langagière, etc.) et accessoirement lieu de préscolarisation (souple, elle prépare les enfants aux contraintes et aux apprentissages de l'école élémentaire).

Dans ces deux derniers rôles, l'école maternelle fait preuve depuis sa création d'un dynamisme pédagogique extraordinaire, qui s'appuie le plus souvent sur un personnel motivé et de haute qualité.

Un rôle d'intégration et de prévention

L'école maternelle, qui s'est fixé pour objet l'épanouissement physique, moral et intellectuel de l'enfant, de tous les enfants présents, se trouve fatalement confrontée aux inégalités de départ des enfants qui la fréquentent. Selon le milieu socioculturel ou familial dont ils sont issus, tous les enfants ne sont pas à même de s'adapter et de bénéficier de la même façon de l'enseignement. Or, c'est à ces enfants-là, issus d'un milieu carencé, ceux qui ont déjà du mal à s'exprimer et à se lier, que l'école maternelle peut faire le plus grand bien. Elle est à tous profitable, mais aux enfants en difficulté sociale ou culturelle, elle est indispensable.

Des études ont montré que plus le nombre d'années passé en maternelle était important (de zéro à quatre), moins l'enfant avait de risques de redoubler au cours du cycle primaire (cette relation est d'autant plus vraie que le milieu d'origine de l'enfant est défavorisé). Aussi ne faut-il jamais perdre de vue le rôle intégrateur et préventif de l'école. Elle doit viser à réduire les inégalités (ensuite il sera bien tard), même si elle n'en a malheureusement pas toujours les moyens en effectif, locaux ou personnel.

Au service de l'épanouissement de l'enfant
L'école maternelle n'a pas pour fonction d'inculquer un savoir aux enfants : ce sera le rôle de l'école primaire. Elle est là pour développer au mieux les facultés de chaque enfant, lui permettre d'épanouir sa personnalité et lui donner les outils de base pour qu'il ait les meilleures chances de réussir. Mais elle va lui permettre aussi de se socialiser, en lui apprenant à établir des relations avec les autres, à partager, à coopérer et à mener à bien des projets de groupe.

ACTIVITÉS À L'ÉCOLE MATERNELLE

Apprendre à s'occuper de soi
Les occupations sont si variées qu'il ne viendrait pas à l'idée de tenter d'en faire ici le catalogue. Une partie des activités, dans les classes de petits surtout, est centrée sur les soins du corps : se déshabiller, aller en rang faire pipi, se rhabiller, se laver les mains, s'habiller et se déshabiller pour aller en récréation (trois fois par jour) et à la sieste (trente paires de lacets !), cela prend un temps fou. L'enfant en maternelle passe une bonne partie de sa journée à apprendre à s'occuper de lui-même et à attendre son tour.

Des activités pédagogiques
À côté de cela, viennent les activités spécifiquement pédagogiques, toutes centrées sur le jeu, que l'on peut regrouper en plusieurs catégories.
• Activités physiques et motrices, avec du gros ou du petit matériel, exercices rythmiques, parcours, gymnastique, etc.
• Activités libres ou suscitées, soit dans la cour, soit dans la classe. Dans ce cas, les enfants se répartissent dans les « coins d'activité » prévus à cet effet : coin poupées, coin dînette, coin puzzles, coin jeux de construction, coin lecture, coin petites voitures, etc.
• Activités de fabrication et de transformation à partir de matériaux divers que les parents sont incités à apporter (listings informatiques, rouleaux de papier de toilette, boîtes à œufs, etc.). L'imagination des enseignants est à cet égard impressionnante.
• Activités de découvertes, dans ou hors de l'école.
• Activités de langage, isolées ou associées à d'autres activités, expression verbale, chant, etc.
• Activités de création graphique, gestuelle, plastique, poétique, etc.

• Activités préparatoires à l'école élémentaire : préparation à la lecture, à l'écriture, aux mathématiques. Cela se fait surtout en dernière section.

• Activités centrées autour du repas, du partage, de la nourriture, avec l'organisation traditionnelle de la collation du matin.

L'ACCUEIL ET LA CANTINE

Contrairement à ceux de la crèche, les horaires de l'école maternelle ne correspondent pas à ceux des parents qui travaillent. Aussi beaucoup de mairies ont-elles mis en place, outre un service de restauration scolaire, un accueil des enfants ouvert généralement de sept heures à neuf heures le matin et de quatre heures et demie à sept heures le soir.

Des journées longues et morcelées

On parle souvent de « milieu morcelé », en faisant allusion à ce que vit l'enfant qui est déposé le matin à l'accueil, qui passe ensuite à l'école, puis va à la cantine, retour à l'école, retour à l'accueil, tout cela dans des lieux différents, avec du personnel différent et des méthodes pédagogiques variées, sans un endroit intime et personnel où se reposer, dans un bruit et une agitation permanents.

On comprend qu'un enfant de trois ans (voire deux) ait du mal à s'y retrouver et qu'il trouve ces journées de neuf à dix heures longues et fatigantes… Des efforts sont faits ici ou là pour rendre la cantine moins sonore et l'accueil plus… accueillant, mais cela ne change rien sur le fond et la fatigue. Bien souvent, nous imposons à nos enfants des rythmes que nous-mêmes ne supporterions pas. Mais qui le dit ? Où sont les porte-parole des enfants ? Où sont les alternatives (car culpabiliser les parents ne résout rien) ?

Des solutions alternatives

Ceux qui le peuvent demanderont à l'assistante maternelle qui gardait leur enfant jusqu'ici de continuer à l'accueillir le mercredi et les fins d'après-midi (on appelle cela la garde en « extra-scolaire »). Mais encore faut-il que cet agrément particulier lui ait été accordé. Un grand nombre de mamans (et quelques papas) profitent de l'entrée de leur enfant à l'école pour demander un « 80 % » à leur employeur, ce qui leur permet de se libérer le mercredi et de garder leur enfant à la maison. Le passage à la semaine de trente-cinq heures permet aussi à certains salariés un aménagement d'horaires afin de se rendre plus disponibles. D'autres, enfin, trouvent un ou une

L'école maternelle

baby-sitter qui passera chercher l'enfant à quatre heures et demie et le gardera à la maison jusqu'à leur retour.

À chacun ses solutions. Certaines sont meilleures que d'autres pour l'enfant, mais toutes doivent tenir compte des réalités de la vie de chaque membre de la famille. L'entrée de l'enfant à l'école, avec ses contraintes d'horaires et de présence, modifie considérablement l'organisation de la maisonnée. Cela peut prendre un peu de temps avant de trouver l'organisation optimale et que chacun voie ses besoins satisfaits.

LES INSTITUTEURS : MAÎTRES ET MAÎTRESSES

Une formation poussée

Les enseignants de maternelle, en grande majorité des femmes, sont environ 70 000. Tous volontaires, ils bénéficient de la même formation que les maîtres du primaire. Maintenant appelés « professeurs des écoles », ils sont formés au sein d'un IUFM (Institut Universitaire de Formation des Maîtres), qu'ils intègrent sur concours, après l'obtention d'une licence universitaire. Motivés pour travailler auprès des petits, ils supportent bien ce qui fait le propre des enfants : leur envie de parler, de bouger, leurs humeurs, leur maladresse, leur énergie. Subissant moins de pression que dans le primaire du fait de l'absence d'un programme rigide, ils se permettent plus souvent d'appliquer des méthodes modernes, actives et des pédagogies plus attentives à chaque enfant et à chaque individualité.

Un travail créatif

Il est important de leur laisser cette liberté de recherche, d'élaboration d'un projet pédagogique et d'action au sein de leur classe, à l'abri des pressions du ministère comme des parents. Ces derniers, parfois peu au fait du développement de l'enfant et pressés de donner des chances au leur dans un monde compétitif, souhaiteraient souvent voir la maternelle se transformer en une « pré-école primaire » qu'elle n'a pas à être. Entrez dans une classe de maternelle en cours de journée : les enfants sont actifs ou attentifs, centrés autour d'un projet commun ou éclatés en petits groupes, silencieux ou bruyants : ils sont comme ils sont dans la vie, comme des enfants qui jouent et apprennent en jouant, seulement en jouant.

LES ASEM

Les ASEM (Agents Spécialisés de l'Éducation Nationale) sont plutôt appelés « Nanie », « Tatie », « Madame Lucie » ou « Nicole » dans les classes.

Présente en permanente dans les classes de petits, l'ASEM a pour fonction de s'occuper, sous l'autorité de la directrice de l'école et en lien avec l'institutrice, des soins corporels à donner aux enfants et de l'entretien du matériel. Ce rôle est très important et bien sûr éducatif au vrai sens du terme, car il s'agit pour l'enfant de mieux s'approprier les gestes de la vie quotidienne. Dame du corps, dame des câlins, présente et consolante, elle est l'agent du bien-être, des petits accidents et du maternel. Un agent chaleureux et attentionné dans une classe est un élément très positif.

LES ASSOCIATIONS DE PARENTS D'ÉLÈVES

Il n'est jamais trop tôt pour s'intéresser de près à la vie de l'école. Adhérer à une association de parents d'élèves est l'un des meilleurs moyens d'y parvenir. Vous pouvez être simple adhérent et assister aux réunions, le plus souvent mensuelles, ou bien devenir représentant des parents d'élèves pour l'établissement, avec possibilité de débattre des questions scolaires au sein du conseil d'école.

Il y a plusieurs fédérations de parents d'élèves, et chacune, si elle est présente à l'école, vous présentera son programme. À vous de choisir celle avec laquelle vous vous sentez en affinité. Mais toutes ont pour souci le bien-être des élèves. Les questions traitées sont celles qui préoccupent les parents au quotidien : le bruit à la cantine, le remplacement d'un enseignant malade, le nombre d'élèves par classe, l'aménagement du dortoir, etc.

La première rentrée en maternelle

Cette fois, ça y est : votre petit entre à l'école. Avec cette première rentrée, plus rien ne sera jamais plus comme avant, ni pour lui ni pour vous. C'est un jour hautement symbolique et déterminant pour la suite. Aussi est-il important de bien vous y préparer.

UNE DATE IMPORTANTE POUR CHACUN

Une épreuve pour tous les enfants ?

L'entrée en maternelle est un changement de vie pour tous les enfants, y compris ceux qui sortent de crèche. On a dit un peu vite que les enfants qui étaient déjà en collectivité n'avaient aucune difficulté pour entrer à l'école. C'est oublier qu'il y a bien des différences entre la crèche et l'école et qu'il s'agit, de toute façon, de s'adapter à une nouvelle vie, un nouvel espace, de nouveaux camarades, une maîtresse, etc.

Ceux qui savent déjà se séparer de leur maman et quitter la maison
Pourtant il est vrai que les difficultés d'adaptation sont plus rares chez les enfants qui ont déjà pris l'habitude de se séparer de leur maman et de leur maison le matin, pour partir à la crèche ou chez leur assistante maternelle. Ceux-là savent déjà de toute certitude que l'on peut quitter ceux que l'on aime pour une longue journée dans l'assurance de les retrouver le soir. Les autres devront l'apprendre au fil des jours.

Ceux qui connaissent déjà la collectivité
Les enfants qui viennent de la crèche ont un autre avantage sur leurs petits camarades de classe. Ils connaissent déjà les joies et les contraintes de la collectivité. Ils savent que, lorsqu'il n'y a qu'un adulte disponible pour plusieurs enfants, on ne peut avoir toute l'attention pour soi tout seul et qu'il faut bien souvent attendre son tour. Il sait que les instructions données au groupe entier (du style : « Les enfants, asseyez-vous ! ») s'adressent à lui aussi. Enfin, il a déjà appris à créer des liens avec ses pairs et à trouver sa place dans un groupe.

Ceux qui ont un aîné
Le petit enfant qui a déjà un frère ou une sœur aînée à l'école est souvent très motivé pour aller à l'école à son tour. C'est un lieu « pour les grands », une promotion dont il entend bien goûter les charmes lui aussi. Bien souvent, il est déjà entré dans les lieux et sait s'y repérer. Finalement, c'est l'enfant unique ou aîné, que sa mère a gardé jusque-là à la maison, qui risque d'avoir le plus de difficultés à s'adapter. Mais là encore, attention aux idées reçues. Certains de ces enfants, parce qu'ils ont eu l'occasion de jouer fréquemment avec d'autres, se sentent bien en sécurité et s'adaptent sans problème. La halte-garderie, par exemple, où l'on peut mettre son enfant quelques demi-journées avant son entrée à l'école, est souvent une étape intermédiaire qui rend la transition plus douce.

Une épreuve aussi pour certains parents…
Un grand nombre de parents, et notamment de mamans, appréhendent autant que leur enfant la rentrée à l'école maternelle. Pour ces mères, ce jour marque la fin d'une époque : celle où leur enfant était un bébé. Ce n'est plus leur petit. Dorénavant, il entre dans un cycle d'où il ne sortira qu'à la fin de son adolescence. Même si leur enfant est déjà allé à la crèche, il va là intégrer un tout autre monde, où les parents ne sont pas toujours les bienvenus. Leur enfant leur échappe. Pour les mamans qui ont gardé leur enfant

La première rentrée en maternelle

avec elles pendant ses premières années, c'est une séparation difficile qui se prépare, même si elles sentent bien que le temps était venu pour chacun. Mais les mères sont aussi inquiètes pour leur enfant. Et s'il était perdu dans la classe ? Et s'il ne parvenait pas à se repérer, à trouver sa place ou à se faire des copains ? Et si l'institutrice ne savait pas s'y prendre avec lui ? Et si elle refusait qu'il garde son doudou ? Le père a sans nul doute un grand rôle à jouer dans cette aventure. Son enfant quitte, de manière symbolique, le registre maternel et familial pour faire son entrée dans le monde social : il peut lui donner confiance et l'y aider.

COMMENT SE PRÉPARER À CETTE PREMIÈRE RENTRÉE ?

Dans les semaines qui précèdent

Il est bon de se donner du temps, afin que l'enfant se fasse doucement à l'idée de cette prochaine rentrée.

- La visite médicale et les derniers vaccins obligatoires peuvent être faits avant l'été, afin que l'enfant n'établisse pas le lien entre l'école et cet aspect « désagréable » de l'inscription.

- Normalement, seuls les enfants propres le jour et à la sieste sont pris, en journées continues, à l'école maternelle. Si le vôtre ne l'est pas tout à fait, sachez que l'été est un bon moment pour ôter définitivement les couches. De plus, les enfants qui ne sont pas tout à fait propres le jour de la rentrée le deviennent souvent dans les jours qui suivent, prenant modèle sur les autres.

- Lors de vos promenades, faites souvent un crochet par l'école, afin que l'enfant s'habitue au lieu et à l'itinéraire. Soyez là quelquefois à midi ou à seize heures trente, pour la sortie des classes, afin de vous trouver au milieu des enfants joyeux qui retrouvent leurs parents.

- Plus l'enfant aura de repères dès le premier jour, et plus il se sentira en sécurité. C'est pourquoi, avant les vacances d'été ou la semaine qui précède la rentrée, vous pouvez aussi demander à la directrice de l'école si vous pouvez visiter les locaux. Le samedi est souvent un jour agréable, où les classes sont peu pleines et le personnel plus disponible. L'enfant peut alors repérer les lieux tranquillement. Le plus souvent, l'abondance de jouets et de matériel lui donne envie de commencer tout de suite.

- Si vous savez déjà quelle maîtresse aura votre enfant, n'hésitez pas à aller vous présenter à elle avec votre enfant. Il sera rassuré de votre échange. Faites-lui part tranquillement de ce qui vous préoccupe ou des petites choses qui concernent votre enfant en particulier, comme une allergie ou une situation familiale difficile.

La première rentrée en maternelle

- Ne manquez pas la réunion des parents qui est souvent organisée dans les jours qui précèdent la rentrée. C'est l'occasion de savoir comment fonctionne l'école, de poser vos questions sur l'organisation ou les activités, et de connaître le projet pédagogique.

- Parlez souvent de l'école avec votre enfant. À vous de la présenter comme un lieu sympathique et accueillant. Racontez-lui qu'il pourra se faire de nouveaux copains, apprendre plein de choses, faire des jeux et des dessins, peindre et chanter.

- Arrangez-vous pour que votre enfant fasse connaissance avec un petit du même âge, habitant dans le voisinage. Invitez-le à la maison avant la rentrée. Il est toujours plus facile de commencer le premier jour lorsque l'on connaît déjà quelqu'un, plutôt que dans une situation d'isolement total. Plus tard, vous pourrez vous organiser avec les autres mamans, afin d'emmener et d'aller rechercher vos enfants à tour de rôle.

- Décidez des horaires de votre enfant. Le premier trimestre, sera-t-il scolarisé à mi-temps ou à plein temps ? Les après-midi, pour les petits, sont surtout remplis par la sieste et la récréation, ce qui ne présente pas un intérêt énorme. Mangera-t-il à la cantine ? Qui le récupérera à la sortie des classes ? Ira-t-il au centre aéré le mercredi ? Toute votre organisation hebdomadaire va découler des décisions que vous allez prendre. Elles sont donc importantes. N'oubliez pas que votre enfant est encore très jeune et les journées, très longues…

UNE SEMAINE AVANT LA RENTRÉE

Changer de rythme

Il est temps d'amener progressivement votre enfant au rythme qu'il aura à suivre : ce qui signifie le lever et le coucher plus tôt.

- Il n'est pas bon que les matins soient trop stressés. Prévoyez donc le temps d'un réveil en douceur, une vingtaine de minutes pour le petit déjeuner (indispensable), un temps de toilette et d'habillage, un temps d'échange et de trajet… Ne comptez pas trop juste : mieux vaut un quart d'heure de sommeil en moins, si cela évite les multiples « dépêche-toi » qui émaillent les petits matins de nos enfants.

- L'heure du coucher est fonction de celle du lever. Il faut en moyenne, à un enfant de cet âge, une douzaine d'heures de sommeil de nuit. N'oubliez pas que l'école est très fatigante et que votre enfant va avoir besoin de « récupérer », même s'il fait de bonnes siestes. Mais vous devez aussi tenir compte des horaires du reste de la famille.

Préparer la garde-robe

C'est aussi le moment de faire le point sur la garde-robe de votre enfant. Si vous devez acheter des vêtements ou des chaussures, pensez avant tout au côté pratique. Vous ne serez plus là pour attacher les pressions ou les bretelles, ni pour nouer les lacets. Or l'institutrice a une trentaine d'enfants à habiller et déshabiller plusieurs fois par jour. Il est donc important que votre enfant puisse être rapidement autonome. En achetant des scratch, des zip et de gros boutons, vous lui facilitez la vie.

Vous allez devoir également marquer les vêtements au nom de votre enfant : manteau, cagoule, gants, chaussons, tout est susceptible d'être égaré et sera d'autant plus vite retrouvé qu'il y aura le nom dessus. Enfin, prévoyez de laisser en permanence un change à l'école. Même un enfant propre n'est pas à l'abri d'un « accident ».

Si votre enfant fait la sieste à l'école et qu'il dort avec un « doudou », il appréciera de pouvoir l'emmener ou d'en laisser un à l'école. Là encore, marquez-le soigneusement : il n'y a rien de plus triste que de ne pas retrouver son doudou à l'heure de la sieste ou de le voir dans les bras d'un copain.

OCCUPEZ-VOUS DE VOS PROPRES ANGOISSES

Si les parents sont à l'aise avec cette rentrée, qu'ils aiment bien cette petite école et qu'eux-mêmes gardent de bons souvenirs de leur scolarité, il y a des chances pour que tout se passe bien pour leur enfant. Si ce dernier sent des parents déterminés, convaincus que l'école est un bon lieu pour lui, il n'a pas de raison d'en douter. Mais il n'est pas rare de rencontrer des mamans plus angoissées que leur enfant à l'idée de cette rentrée. C'est une séparation qui peut être douloureuse si elle réactive des souvenirs pénibles. Or l'enfant jeune sent la vérité des sentiments de sa maman. S'il ressent qu'elle est inquiète, triste, qu'elle a peur pour lui et craint de s'en séparer, il ne la croira pas lorsqu'elle lui dira que « tout ira bien ». Lui-même risque de refuser l'école pour ne pas l'abandonner. Si c'est votre cas, prenez le temps de comprendre d'où vient votre appréhension. Elle n'a sans doute rien à voir avec cet enfant-là et la situation présente. Le réaliser est le seul moyen de tenir votre peur à distance pour ne pas la projeter sur votre enfant. Si votre anxiété manifeste vient contredire un discours rassurant, votre enfant se dira que vous lui cachez quelque chose d'inquiétant, et il aura peur.

Pour faire ses premiers pas dans le monde des grands, il a besoin de sentir que vous lui faites confiance, que vous n'avez pas peur pour lui et que vous n'êtes pas trop malheureuse de son absence.

LE JOUR DE LA RENTRÉE

C'est le jour J. Voici quelques conseils pour que tout se passe au mieux.

- Lorsque c'est possible, il est agréable pour l'enfant que ses deux parents l'accompagnent à l'école le premier jour. Que papa et maman soient là donne de l'importance et de la solennité à l'événement.

- Au moment de partir, glissez dans sa poche un petit objet qui lui rappelle la maison et qu'il pourra serrer dans sa main à l'insu de tous. N'oubliez pas le doudou, merveilleux consolateur des moments difficiles.

- Soyez très clair en lui expliquant à nouveau, et très concrètement, le déroulement de sa journée. Dites-lui à quelle heure vous reviendrez le chercher et ce qu'il se passera ensuite (« Nous passerons ensemble par la boulangerie acheter un pain au chocolat pour ton goûter, puis nous rentrerons à la maison »). Dites-lui également ce que vous ferez pendant ce temps-là, que vous soyez chez vous ou à votre travail.

- Selon ce qu'a prévu l'enseignant, entrez dans la classe avec votre enfant et restez avec lui quelques minutes, le temps de l'aider à s'installer.

- Enfin, sachez lui dire au revoir. Ce qui ne signifie ni déposer l'enfant en vitesse et fuir son chagrin ; ni profiter pour s'en aller d'un moment où il regarde ailleurs ; ni lui dire adieu dix fois comme si vous vous quittiez pour toujours et revenir onze fois sur vos pas. Un baiser tendre, un air calme et convaincu, un mot à l'institutrice, un dernier petit signe d'encouragement depuis la porte en souriant, puis partez.

- Porté par l'ambiance générale, il n'est pas rare que l'enfant pleure au moment où ses parents le quittent. Cela peut durer quelques jours, rarement davantage, et cesse dès que les parents ont le dos tourné.

- Venez le rechercher à l'heure dite, et surtout, soyez à l'heure.

Les difficultés d'adaptation

Certains enfants ont du mal à s'intégrer à l'école. Un refus qui dure les quelques premiers jours est normal, surtout chez un enfant qui n'a jamais encore quitté le foyer familial. Mais des pleurs durables, ou qui reviennent après avoir cessé, demandent à être entendus plus spécifiquement.

COMMENT L'ENFANT MONTRE-T-IL SON MALAISE ?

L'enfant a plusieurs manières de manifester son refus de l'école. Le plus fréquent, ou disons le plus évident, est la colère et les pleurs. Chaque matin, la même scène recommence. À la maison, tout va bien. Mais, plus on approche de l'école et plus l'ambiance se tend. Une fois dans la classe, l'enfant commence à pleurer. Puis il s'agrippe à son père ou à sa mère, refusant de les laisser partir.

D'autres enfants vont manifester leur refus dans leur corps, soit par des plaintes vagues (un mal au ventre sans cause apparente), soit par de petites maladies à répétition (diarrhées, constipation, maux de gorge, otites, etc.). Pour certains, c'est le moyen efficace qu'ils ont trouvé de rester à la maison.

Dans le cadre de l'école, certains enfants expriment leur malaise par une attitude agressive, qui les fait vite rejeter des autres élèves. D'autres resteront au contraire prostrés, indifférents et inactifs.

POURQUOI L'ENFANT SE COMPORTE-T-IL AINSI ?

Les causes de ces refus durables de l'école sont extrêmement variées. En voici quelques exemples :

- Margaux vit ses premières expériences hors de la maison. Jusqu'ici, elle n'a pas quitté sa maman. Surprotégée par ses parents, elle n'a pas acquis les compétences qui lui permettraient de faire face au monde extérieur. Pas encore autonome, elle est convaincue qu'elle ne peut survivre sans sa maman. Au bout de quelques jours où elle va faire de gros progrès, elle découvrira, très fière, qu'elle est tout à fait à même de créer des liens et de se débrouiller.

- Les parents de Maud se disputent souvent. Les mots et les gestes agressifs ne manquent pas. Les menaces de séparation non plus. En étant à l'école la journée, Maud craint ce qu'il peut se passer à la maison en son absence. Et s'ils se disputaient gravement ? Et si l'un des deux profitait de son absence pour disparaître ?

- Le cas de Jérôme est plus banal. Entrant à l'école, il laisse à la maison son petit frère d'un an dont sa mère s'occupe à plein temps. Sa jalousie l'empêche de se sentir bien. Il veut rentrer pour profiter de maman, lui aussi. Pour un enfant angoissé, être mis à l'école peut se comprendre comme une exclusion, un manque d'amour de la part de la mère.

Certains refus de l'école se rencontrent chez des enfants pas assez mûrs pour supporter d'être mis en collectivité pendant de longues journées, dans un milieu morcelé. Pour ceux-là, une solution intermédiaire leur permettant d'aller en classe seulement le matin est souvent la bienvenue pendant trois ou quatre mois.

Enfin le problème peut venir de l'école : manque d'entente avec l'enseignante,

Les difficultés d'adaptation

crainte de l'ASEM, difficultés avec les autres enfants, expérience désagréable...

Il ne sera pas facile de faire parler l'enfant, mais il est pourtant indispensable d'essayer de comprendre, avec l'aide de l'enseignant, ce qu'il se passe dans sa tête et de le lui traduire avec des mots. Rassurer l'enfant, lui montrer qu'on l'aime, qu'on ne l'oublie pas pendant la journée, qu'on est à ses côtés, est la seule façon de l'aider. Il est très rare qu'un enfant ne finisse pas, après quelques jours ou quelques semaines au maximum, par trouver sa place et son plaisir d'aller à l'école.

L'ENFANT QUI N'EST PAS ENCORE PROPRE

Les textes concernant l'école maternelle ne spécifient pas qu'il faille être propre pour y être accueilli. Pourtant bien des institutrices, et on peut les comprendre, sont réticentes à s'occuper d'enfants qui ne sont pas autonomes sur ce plan et dont il faut encore changer les couches. C'est pourquoi cette question peut poser des problèmes d'adaptation à l'enfant. Souvent, il y a une tolérance dans les premiers jours. L'exemple aidant, nombreux sont les petits enfants qui deviennent propres spontanément dans les jours qui suivent la rentrée. Mais les parents ont leur rôle à jouer.

Qui sont ces enfants ?

Soit ils n'ont jamais été propres, soit ils ont été continents un moment mais cela n'a pas duré. Couramment, ils savent très bien ce que l'on attend d'eux mais refusent obstinément de s'asseoir sur le pot ou sur les toilettes. Les parents se sentent alternativement excédés, impuissants et coupables. Qu'ont-ils fait ou qu'ont-ils oublié pour en arriver là ? Toujours est-il que chaque tentative tourne au drame. Dès qu'il s'approche du pot, l'enfant s'agite, se débat, commence à crier et part à toutes jambes...

D'autres enfants s'assoient sur le pot... mais ne font rien dedans. Les parents craignent la constipation et l'occlusion intestinale. Ils mettent une couche, où l'enfant se soulage aussitôt.

Arrivés à ce point, parents et enfants sont bloqués, et la situation aussi.

Que faire ?

- Tout d'abord relâcher la pression et cesser les hostilités. Les conflits et les rapports de force, dans le domaine de la propreté comme dans bien d'autres, ne mènent à rien. Pour peu que l'enfant cherche à être le plus fort et à prendre le dessus sur ses parents, il a trouvé le moyen idéal d'y parvenir.

Comme il est impossible d'obtenir que l'enfant « fasse » dans son pot contre son gré, autant être à ses côtés plutôt que contre lui.

- Essayer de comprendre ce qui le gêne. Certains enfants ne supportent pas le pot mais s'assiéraient volontiers sur les toilettes, si on les équipait d'un marchepied et d'un réducteur. D'autres craignent avant tout la chasse d'eau, qui « avale » bruyamment une partie abandonnée de leur corps. D'autres, enfin, restent sur une impression désagréable due à une mauvaise expérience, dont il se peut qu'ils aient perdu le souvenir (apprentissage trop précoce, selle dans la baignoire, etc.). Quoi qu'il en soit, tous seront heureusement surpris d'un changement de méthode.

- Lui expliquer clairement ce que vous attendez de lui. Certains enfants ne sont pas propres seulement parce qu'on ne le leur a pas clairement demandé. Dites au vôtre que tous les gens, et même les animaux, sont continents et ont une manière à eux de vider leur intestin des déchets de nourriture (un schéma ou un petit livre sur le cycle alimentaire est souvent très utile). C'est ce que vous attendez de lui.

D'autre part, vous voulez qu'il devienne grand, qu'il ait des copains, qu'il apprenne des choses intéressantes, etc. Pour cela, il doit aller à l'école, donc être propre. Et vous serez très fier, alors, de votre petit garçon ou de votre petite fille.

- Montrez votre confiance, d'une manière calme et convaincante. Puis, la paix revenue, commencez très progressivement, en repartant de zéro. D'abord obtenir de l'enfant qu'il s'asseye sur le pot, même tout habillé, même peu de temps. Puis sans le pantalon, sans la couche. Ne commentez pas, n'exigez pas, ne vous moquez pas. Vous pouvez encourager votre enfant, le soutenir dans ses efforts, mais jamais le forcer. À chaque succès, montrez votre joie et votre fierté.

- Agissez parallèlement sur l'aspect social. Vous pouvez inviter à la maison des petits copains de son âge qui demandent les toilettes. Vous pouvez aussi l'emmener dans un magasin choisir des sous-vêtements de grand ou de grande « pour le jour où ».

Au moindre doute, n'hésitez pas à consulter un pédiatre pour vous assurer qu'aucun problème physiologique n'empêche la continence. Puis procédez de cette façon. Il est très probable que le problème va se résoudre rapidement et que la propreté de nuit suivra celle de jour dans quelques semaines.

Les difficultés d'adaptation

Le sommeil de l'enfant

Vous avez eu une longue journée de travail. De retour à la maison, vous vous êtes occupé des enfants, du repas, du courrier, de toute la maison. C'est le moment pour François, trois ans, d'aller au lit, de vous donner un gros baiser, de fermer les yeux et de s'endormir pour la nuit entière, afin de se réveiller, frais et de bonne humeur, à huit heures demain matin. Vous allez pouvoir, à votre tour, vous asseoir et vous détendre...

Beau décor... mais qui ne ressemble pas à ce qui se passe chez vous. Car dès que vous avez refermé la porte de la chambre de François, il vous rappelle : il veut encore un baiser, il a soif, il a envie de faire pipi. Vous vous installez au salon ? Il vient vous y rejoindre et demande à regarder la télévision avec vous. Vous vous fâchez ? Il pleure. Vous le recouchez encore une fois et restez près de lui jusqu'à ce qu'il s'endorme. Ouf ! Mais deux heures plus tard, alors que vous venez juste de vous coucher, il se réveille et vous réclame. À trois heures du matin, il vous appelle avec des pleurs à fendre l'âme. Quand votre réveil sonne, à sept heures, vous le trouvez endormi dans votre lit où il s'est glissé sans vous réveiller...

Quels que soient les problèmes que vous ayez avec le sommeil de votre enfant, sachez que vous n'êtes pas le seul : ces plaintes sont parmi les plus fréquentes pour les enfants de cet âge chez les pédiatres et les psychologues. Dans toutes les familles, il y a eu ou il y aura des refus d'aller se coucher ou des réveils nocturnes, épisodiques ou fréquents, parfois quotidiens.

Pour l'essentiel, ce qui a été développé dans l'ouvrage précédent concernant les enfants de un à trois ans reste valable. Mais certains points, que nous allons approfondir, sont propres à cet âge.

LES BESOINS DE SOMMEIL

Ils sont de dix à treize heures par tranche de vingt-quatre heures, sieste incluse. Mais ces besoins sont très variables d'un enfant à l'autre et propres à chacun. Aussi, avant de se plaindre des problèmes de sommeil de son enfant, faut-il être sûr qu'il a besoin de dormir davantage. Il arrive fréquemment qu'il n'y ait pas de problème pour l'enfant, mais seulement pour le parent ! Un temps de sommeil suffisant est indispensable à une bonne croissance et à une vie d'enfant de bonne qualité. Dormir sert bien sûr à récupérer de sa fatigue physique et nerveuse, mais c'est aussi pendant le sommeil que :
- les informations et les apprentissages de la journée s'organisent ;

- la mémoire se structure ;
- le système nerveux se construit ;
- l'hormone de croissance est principalement sécrétée.

Il existe différents signes permettant de savoir si un enfant, particulièrement un petit dormeur, a son compte de sommeil. Voici les questions à se poser :
- A-t-il toujours moins dormi que les enfants de son âge ?
- Ses horaires sont-ils réguliers ou varient-ils d'un jour à l'autre ?
- Est-il de bonne humeur le matin ? Se traîne-t-il de fatigue avant la sieste ou le coucher ?
Profitez d'une semaine de vacances pour le laisser dormir à son rythme et à ses heures. Vous saurez ainsi plus précisément s'il est du matin ou du soir et combien d'heures de sommeil lui sont nécessaires.

LA SIESTE

Là encore, les différences individuelles sont importantes, mais la plupart des enfants font encore des siestes régulières jusqu'à quatre ans. Cela dépend en partie du nombre d'heures de sommeil de nuit. Les enfants réveillés très tôt du fait des contraintes professionnelles de leurs parents doivent absolument pouvoir dormir dans de bonnes conditions après le déjeuner. Tous doivent pouvoir se reposer.

On ne peut forcer à dormir un enfant qui n'a pas sommeil : mieux vaut le laisser feuilleter tranquillement un petit livre ou manipuler un jouet plutôt que de l'obliger à rester une heure immobile dans le noir. Les problèmes de sommeil viennent souvent du fait que l'on n'a pas respecté les besoins de l'enfant et qu'on ne lui a pas permis de considérer son lit comme un lieu agréable. Ce qui nous amène au point suivant.

PRÉVENIR LES PROBLÈMES DE SOMMEIL

Ces quelques conseils seront utiles aux parents qui n'ont pas de problèmes autres qu'occasionnels avec le sommeil de leur enfant. En effet, il est toujours plus facile de prévenir que de guérir, et de prendre un mal à son début plutôt qu'une fois qu'il s'est transformé en habitude.

- La durée et le rythme du sommeil de l'enfant changent avec le temps.
Y être vigilant permet d'éviter des erreurs qui sont autant d'occasions de

Le sommeil de l'enfant

conflits. Par exemple, exiger d'un enfant qui a passé ce stade qu'il fasse encore la sieste, ou attendre d'un enfant de trois ans qu'il dorme autant qu'un an auparavant.

- Le sommeil est un phénomène naturel et gagne à être traité comme tel.
Tous les humains dorment. Le sommeil se manifeste à nous par certains signes que l'on peut apprendre à son enfant à repérer. Pourquoi alors ne pas laisser l'enfant gérer sa quantité de sommeil ? Une fois mis dans des conditions propices à l'endormissement (au calme, dans son lit ou sa chambre, avec une lumière tamisée), c'est à lui de décider lorsqu'il fermera ses yeux. On ne peut exiger d'un enfant qu'il dorme. Mais qu'il soit tranquille dans sa chambre et n'empêche pas les autres de dormir, oui.

- Le sommeil survient facilement lorsque c'est le bon moment.
Ce bon moment, quand le cerveau est prêt à se mettre au repos, se repère à de petits signes physiologiques : l'enfant bâille, ses yeux le piquent, il ralentit son activité… C'est le passage du marchand de sable, qui a la bonne idée de passer chaque soir à la même heure. Si votre enfant est déjà au lit à cette heure-là, il va s'endormir. S'il est encore à table, devant la télévision ou en train de chahuter avec son papa, il va lutter contre le sommeil par l'énervement. Ce moment passé, il faut attendre le suivant… environ une heure et demie après.

- Si l'enfant a compris, par votre attitude et votre exemple, que dormir est une expérience agréable, il s'opposera moins à aller se coucher que si le lit a été traditionnellement le lieu où on l'envoie lorsqu'il est puni.

- Une attitude rassurante et ferme a toujours aidé les enfants à apaiser leurs craintes, donc à dormir. L'heure d'aller au lit ne doit pas faire partie des choses négociables (sauf exception, bien sûr). Tout le monde se couche : les poupées, le soleil… et lui. Des horaires réguliers accompagnés d'un rituel agréable sont aussi très utiles pour prévenir d'éventuelles difficultés.

LES CONDITIONS QUI FAVORISENT UN BON SOMMEIL
Pour qu'un enfant dorme bien la nuit, il importe de respecter les trois points suivants :

Qu'il ait reçu sa dose d'affection parentale dans la journée

C'est simple : un enfant qui n'a pas assez vu ses parents dans la journée, ou qui n'a pas bénéficié d'une dose suffisante d'échanges et d'attention, cherchera à se rattraper la nuit, lorsque ses parents sont « disponibles ». Par exemple, il ne s'endormira pas tant que son père ne sera pas rentré, ou bien il viendra rejoindre ses parents dans leur chambre, à deux heures du matin, avec un jouet à la main... L'enfant protestera d'autant plus contre le fait d'être mis au lit qu'il se sentira frustré, en manque ou qu'il aura l'impression qu'on se débarrasse de lui. Les petits enfants ont besoin d'échanges intimes, corporels et complices avec les adultes qui comptent pour lui. Quand il n'en a pas assez, il en réclame bruyamment.

Qu'il apprenne à gérer les séparations et moments de solitude de la journée, pour mieux supporter ceux du soir

La capacité d'endormissement est en effet très liée à la sécurité intérieure de l'enfant. Si l'enfant est sécurisé, il sera aisé de rassurer les parents, de leur donner quelques conseils, et les choses s'arrangeront rapidement. Dans ces cas, c'est souvent l'un des parents qui a du mal à se séparer de son enfant. Si l'enfant est insécurisé, la séparation du soir ne peut se faire sans anxiété. Il faut alors comprendre pourquoi. On sera amené à s'interroger sur ce qui se passe la journée et sur l'histoire des parents et de l'enfant.

Qu'il soit accompagné au lit jusqu'à l'âge où il pourra s'en passer

C'est toute la question du rituel sur laquelle nous reviendrons.

LES RITUELS DU SOIR

On nomme ainsi le scénario immuable qui précède le sommeil de l'enfant. À trois ans, le rituel est généralement déjà bien institué. Ne le négligez pas : il est d'une importance déterminante pour rassurer votre enfant et l'amener au sommeil. Si l'habitude est prise que l'on éteint la lumière et que l'on se quitte après avoir bordé l'ours et bu un dernier verre d'eau, les rappels répétés ont beaucoup moins de raisons d'être. Lire une histoire, se faire un câlin, allumer la veilleuse, enlacer son doudou, etc., sont des actes qui calment, aident à se séparer de ceux que l'on aime et amènent au sommeil.

Ces rituels doivent avoir un terme et ce sera bien souvent à vous de le mettre. Il ne faut pas donner l'impression à l'enfant que l'on veut se débarrasser de lui en vitesse, mais il ne faut pas non plus le laisser prolonger les

Le sommeil de l'enfant

choses indéfiniment. Tout cela est une question de souplesse et d'appréciation personnelle.

Ces rituels du sommeil vont évoluer dans leur forme, mais ne vous attendez pas à les voir disparaître. À six ou huit ans, les enfants apprécient encore qu'on leur lise une histoire le soir. Jusque vers dix ou douze ans et au-delà, ils se préparent au sommeil par une suite de gestes rituels qui les rassurent : préparer ses habits du lendemain, border son lit d'une certaine façon, etc. Et vous, n'y a-t-il pas certains gestes ou habitudes que vous faites chaque soir et qui vous aident à mieux vous endormir ?

LA PEUR DU NOIR
Une question d'imagination…

Dans tous les contes, la nuit est synonyme d'obscurité, de mystère et d'effroi. Du trou noir du sommeil peuvent surgir peurs et fantasmes déguisés en monstres et démons.

Jusqu'à deux ans, l'obscurité n'angoisse pas l'enfant. C'est contre le fait d'être séparé de ses parents qu'il proteste, pas contre le noir. À partir de deux ou trois ans, l'imagination prend le pouvoir, et elle peut être terrifiante. L'enfant ne sait pas encore séparer le réel et l'imaginaire, si bien qu'il va projeter sur l'écran noir de la nuit le contenu de ses angoisses intérieures, de ses conflits, de son agressivité. Ses nuits vont alors se peupler de monstres, de voleurs, d'animaux, tous plus effrayants les uns que les autres, qui vont venir le persécuter.

Sur le moment, les parents d'aujourd'hui sont plutôt surpris. Eux qui ont pris soin de ne jamais menacer du croque-mitaine, qui n'ont jamais lu à leur enfant *La Chèvre de Monsieur Seguin* et ne racontent *Le petit Chaperon Rouge* qu'avec un grand luxe de précautions oratoires, se trouvent désarçonnés par ce qu'ils qualifieraient volontiers de sornettes.

Mais si les loups se font rares dans nos banlieues, les peurs, elles, sont restées. Et si les sorcières n'existent que « pour de rire », la peur, elle, est bien là « pour de vrai » ! Rares sont les enfants qui, entre deux et cinq ans, n'ont pas pendant un temps peur de l'obscurité. Anxiété banale, qui va se traduire par un refus du coucher, une crainte de rester seul, des pleurs… et une venue en douce dans le lit parental.

Retrouverai-je mes parents demain ? Ne seront-ils pas absorbés par la nuit ? Et que font-ils, tous les deux dans leur lit ? Les troubles du sommeil peuvent être une manière de chercher une réponse à ces questions.

Comment réagir ?

Les parents doivent essayer de faire la part des choses : l'enfant est-il réellement effrayé ou bien a-t-il trouvé un truc efficace pour faire marcher ses parents ? Dans le premier cas, l'enfant a besoin d'être rassuré par un adulte qui saura dédramatiser la situation. Des mots qui calment, une veilleuse, une porte entrouverte ou les volets qui laissent filtrer la lumière du dehors suffisent souvent à améliorer la situation.

La stratégie peut se résumer en trois points.

- Le soir, laisser un éclairage.

Parmi les conditions qui assurent un sommeil paisible, le fait de pouvoir se repérer dans l'espace lorsque l'on se réveille au milieu de la nuit compte pour beaucoup. S'il fait noir, l'enfant est perdu. Souvent, il va appeler ses parents pour qu'ils viennent le rassurer. Mais s'il voit suffisamment, grâce à une petite lumière qui vient de la veilleuse ou du couloir, il va vite sortir de son rêve en reconnaissant sa chambre, se remettre dans le sens du lit, récupérer nounours et se rendormir. Quand il n'aura plus de couches, il osera, seul, se lever pour se rendre jusqu'à son pot ou aux toilettes, ce qu'il ne fera pas dans le noir complet avant plusieurs années. Laisser une veilleuse à l'enfant ne nuit pas à son autonomie, mais au contraire la renforce. Dès qu'il sait s'en servir, confiez à votre enfant une lampe de poche. Il pourra, depuis son lit, explorer tous les recoins sombres de sa chambre pour faire fuir les monstres.

- La nuit, aider à chasser les cauchemars.

Si votre enfant vous appelle à la suite d'une peur ou d'un cauchemar, commencez par allumer doucement la lumière (le rhéostat, qui permet de contrôler l'intensité lumineuse, est un bon investissement). Aidez-le à se rassurer : retrouver son espace, ses peluches, les objets quotidiens. Montrez-lui qu'il n'y a personne d'autre que vous. Murmurez à ses oreilles quelques phrases positives magiques, qu'il pourra se répéter dans sa solitude : « Tout va bien, papa et maman sont là, rien ne peut t'arriver, tu es en sécurité, tout va bien. » Quittez la chambre quand l'enfant est calmé, mais sans attendre qu'il s'endorme.

- Le jour, lui donner confiance en lui.

On dit que les problèmes de la nuit se résolvent le jour. Comment ? En parlant avec l'enfant de ses peurs, mais sans jamais se moquer de lui ou le ridiculiser. Si l'enfant est assez grand, on peut lui demander de dessiner ses peurs : on combat mieux ce que l'on connaît bien. Jouer avec lui à l'aveugle ou à colin-maillard permet d'apprivoiser les sensations que l'on a dans le noir. Mais le plus important est d'expliquer à l'enfant que ces peurs sont fréquentes à cet âge. Elles signalent qu'il grandit, qu'il doit renoncer à des choses de sa petite enfance : cela, parfois, fait peur. Elles disparaîtront quand il grandira et qu'il se sentira plus fort. En attendant, ses parents sont là pour veiller à sa sécurité.

Cette peur du noir prend fin vers huit ou dix ans, spontanément, si rien ne vient empêcher sa résolution (notamment l'anxiété de parents eux-mêmes inquiets dans l'obscurité).

Le refus des médicaments

Subir l'administration de cachets, gouttes, sirops, suppositoires ou piqûres n'est certes pas une expérience agréable mais elle est parfois nécessaire. Avant six ou sept ans, il est difficile de faire admettre à l'enfant que ces désagréments sont en fait « pour son bien », surtout s'il ne se sent pas malade. Lui ne voit que l'immédiat : vous voulez lui faire avaler un sirop au goût ignoble et il n'a certes pas l'intention de vous faciliter la tâche. Si certains enfants se laissent finalement convaincre, d'autres hurlent et se débattent lorsque vous ou le médecin approchez avec les gouttes ou la seringue : tout ce qui doit faire intrusion dans le corps peut susciter une véritable terreur.

Certaines scènes, impressionnantes et culpabilisantes pour les parents, peuvent se reproduire quotidiennement, voire plusieurs fois par jour selon la posologie. L'enfant serre les dents, recrache, se roule par terre, ou fuit à l'autre bout de l'appartement. On le comprend : s'il n'en voit pas l'aspect positif, pourquoi accepterait-il sereinement de laisser pénétrer en lui gouttes dans le nez ou les oreilles, pilules dans la gorge, suppositoires ou thermomètre dans l'anus ? Le corps de l'enfant est une enceinte bien protégée et il est normal qu'il en soit ainsi.

Si vous souhaitez vivement éviter à tout le monde le traumatisme des grandes scènes à répétition, vous pouvez essayer quelques-unes de ces suggestions.

SE MONTRER POSITIF

Cela signifie que vous devez être sûr de vous. Vous n'avez pas à vous excuser auprès de votre enfant de lui administrer son médicament. Ne lui montrez pas non plus que vous trouvez son sirop effectivement dégoûtant et ce traitement peut-être pas indispensable. Se soigner fait partie de la vie, c'est tout.

Soyez ferme et direct. Votre enfant doit sentir qu'il ne vous vient pas à l'esprit qu'il pourrait ne pas prendre volontiers son médicament. Quand c'est l'heure, c'est l'heure. Il n'y a ni choix ni raisons de discuter.

Ne vous excusez pas d'être le mauvais parent qui lui fait des choses si terribles, mais ne le menacez pas non plus. Simplement, le médecin et vous souhaitez qu'il aille mieux et c'est pourquoi vous considérez qu'il doit suivre son traitement, c'est tout.

FACILITER LES CHOSES

Il est fréquent que les médicaments existent sous plusieurs formes. Discutez-en avec le médecin. Si votre enfant ne supporte pas les suppositoires, demandez si ce médicament, ou l'un équivalent, ne peut être administré sous une autre forme, que l'enfant accepte mieux. Les autres pays s'en passent bien, de ces fameux suppositoires ! Ceci acquis, voyons comment on peut faciliter la prise de médicament à l'enfant, donc à vous également.

Si le médecin n'y voit pas d'inconvénients, mélangez le médicament à prendre par voie orale à quelque chose que l'enfant aime bien. Un comprimé peut être mélangé à une cuillerée de compote ou de confiture. Un sachet ou un sirop peut être dilué dans un peu de jus de fruit ou de lait (pas une trop grande quantité, car si l'enfant ne boit pas tout, il n'aura pas eu la dose prévue de médicament). En revanche, ne faites jamais passer un comprimé pour un petit bonbon, car il s'agit là d'une assimilation dangereuse.

Essayez différentes méthodes et faites preuve d'imagination. Un peu de vaseline sur le bout du thermomètre ou du suppositoire aide à faire glisser. Une seringue sans aiguille peut permettre de placer un produit liquide directement sur le côté de la bouche de l'enfant. Se concentrer sur la télévision aide à mieux supporter les gouttes dans les oreilles, lesquelles sont moins désagréables si elles sont tiédies. Des gouttes pour les yeux ? Cette méthode a fait ses preuves : allongez l'enfant les yeux fermés et déposez la goutte de produit au coin intérieur de l'œil ; quand il ouvrira les yeux, la goutte se répandra sur la cornée.

Expliquez à l'enfant ce que vous lui faites, comment et pourquoi. Expliquez-lui, avec des mots simples, le principe de sa maladie. Il peut comprendre que « les petits combattants » qui se battent à l'intérieur pour chasser les

Le refus des médicaments

vilains virus ont besoin d'un coup de main. Les médicaments trouvent ainsi leur raison d'être (voir chapitre sur les maladies). Au moment du soin, expliquez brièvement à l'enfant ce que vous allez lui faire, puis faites-le sans attendre et sans le plaindre. Pour faire vite oublier le goût du sirop ou du cachet, prévoyez un petit verre de jus d'orange.

Il est bon d'expliquer aussi la durée du traitement. On peut encadrer les jours sur un calendrier et en rayer un, ou dessiner une petite étoile, chaque fois que l'enfant a pris tous les médicaments du jour. Se rendre compte qu'il ne reste plus que tant de jours de traitement aide l'enfant à mieux le supporter. Quant à l'heure du suppositoire, des gouttes ou de la piqûre, elle peut par exemple sonner au réveil chaque soir. À la sonnerie, on y va. C'est le réveil qui devient « le méchant », pas vous.

Amenez votre enfant à coopérer et à devenir acteur de son propre traitement, plutôt que de le subir passivement. Il peut par exemple gérer seul le calendrier, aller chercher la bonne boîte de pilules ou, lorsque c'est possible, prendre seul ses médicaments. Cela marche généralement mieux avec la perspective d'un petit cadeau ou d'une récompense promise pour le jour où toutes les étoiles auront été dessinées sur le calendrier !

Attention ! Les médicaments ne sont pas des bonbons. Soyez clair là-dessus, expliquez les dangers, interdisez la consommation hors de votre présence et fermez l'armoire à pharmacie à clé.

SAVOIR AVALER LES COMPRIMÉS

Du jour où l'enfant en est capable, les médicaments passent beaucoup mieux. D'où l'intérêt d'apprendre à son enfant comment faire. D'abord lui montrer l'exemple sur soi-même (« J'ouvre la bouche, je tire loin la langue, je place le comprimé le plus loin possible et je bois une grande gorgée d'eau. Si le comprimé est toujours là, je recommence »), puis l'encourager à imiter les gestes sans rien dans la bouche. Puis lui faire essayer avec un petits pois ou un petit morceau de carotte cuite (très petit au départ). Augmentez la taille du morceau jusqu'à ce qu'elle atteigne celle du comprimé. Enfin soyez patient : certains enfants y parviennent plus rapidement que d'autres.

Le refus des médicaments

Lire des histoires

Lire des histoires à son enfant, le soir au coucher, est l'un des meilleurs moyens de l'amener au sommeil, de partager un grand moment de plaisir avec lui, de l'ouvrir aux joies de la lecture et de développer son vocabulaire.

Ce n'est pas à huit ou à quinze ans qu'il est facile d'amener un enfant à la lecture : c'est dès ses premières expériences, dès son plus jeune âge, que l'adulte doit intervenir comme médiateur entre le livre et l'enfant et le lui faire aimer. L'expérience émotionnelle que l'enfant va vivre là, non seulement créera une relation spéciale avec l'adulte lecteur, mais laissera une trace profonde dans son esprit. Tous les enfants, sans exception, aiment qu'on leur lise des histoires, qu'on les leur relise, que l'on dialogue avec eux sur ce que l'on a lu. Ne laissez pas cette joie à l'institutrice. Père et mère sont bien plus à même de faire bénéficier leur enfant du plaisir d'une histoire, dans le cadre d'une relation à deux, avec un livre choisi avec lui seul.

DEVENIR CONTEUR

Les premiers livres de l'enfant sont pour lui une manière de passer du langage oral au langage écrit. Le vocabulaire est plus riche, les tournures plus complexes et les conjugaisons inhabituelles (le passé simple apparaît). Mais l'adulte lecteur est libre de lire comme il veut et de réinventer certaines phrases s'il les trouve difficiles à comprendre dans leur formulation. Attention, toutefois : l'enfant aime bien qu'on lui raconte les mêmes histoires plusieurs fois et il va vite repérer les différences apportées au texte d'une fois sur l'autre ! Une autre tâche de l'adulte, outre de rendre le texte compréhensible, est de « mettre le ton » comme on dit aux enfants qui récitent des poésies. Un bon lecteur est capable de faire vibrer son auditeur, de le faire trembler ou de lui amener des larmes, de le faire rire ou de le surprendre, selon la manière dont il lit le texte.

COMMENT CHOISIR LES HISTOIRES ?

Les revues pour les jeunes enfants sont de plus en plus nombreuses
Certaines sont extrêmement bien faites, d'autres moins. Les prix varient également beaucoup et sont le plus souvent élevés, mais ces revues peuvent souvent être achetées d'occasion ou empruntées. La plupart contiennent des histoires tout à fait bien écrites. Les enfants les adorent car elles les touchent de près et leur parlent, d'une façon imagée, de leur vie de tous les jours.

Lire des histoires

Les livres pour enfants sont d'une variété immense
Le choix est difficile. Le mieux est de se fixer des critères : sollicitation de l'imaginaire et du rêve, ou maîtrise de ses peurs et meilleure connaissance de la vie, poésie du texte ou magie du dessin, etc. Avant d'acheter un livre pour son enfant, on peut se poser les questions suivantes :
- Le sujet est-il en accord avec l'âge de l'enfant ?
- Le texte est-il rythmé, clair, riche ?
- Les dessins sont-ils clairs, attirants, vifs, plein de petits détails à repérer ?
- L'objet-livre est-il bien fait, résistant, solide ?
- Êtes-vous d'accord avec ce qui est dit ou montré, avec la morale qui est véhiculée dans le livre ?
- Supporterez-vous de lire ce livre cent fois ?

Les contes de fées ont une place à part dans les livres pour enfants
D'une part, ils ne font pas partie spécifiquement de la littérature pour enfants. Ensuite, ils sont innombrables, anciens et issus de nombreux pays. Malgré cela, on retrouve souvent les mêmes thèmes, les mêmes personnages, les mêmes symboles d'un conte à l'autre. C'est dire si les contes de fées correspondent à des vérités ou à des peurs, ou visent à répondre à des questions, enfouies très profondément chez tout être humain, quel que soit son époque ou son pays. Chaque conte contient une part de surnaturel mais répond à une logique interne qui ne choque pas l'enfant. Que ces contes aient été mis en forme par Andersen, Perrault, Grimm ou d'autres, ils abordent tous des conflits internes que les enfants connaissent bien et ils les aident ainsi à les résoudre. Les contes ne craignent pas de parler de la maladie, de la souffrance, de la vieillesse, de la mort, de la jalousie, de la haine, de la méchanceté… Mais ils finissent toujours bien. L'enfant comprend qu'il aura lui aussi des épreuves à traverser, mais qu'il saura en venir à bout. Dans les contes, on réussit parce que l'on est petit, malin, généreux, jamais parce que l'on est fort et riche. La morale triomphe. Les contes de fées (c'est leur nom, même s'ils ne contiennent pas de fée) sont tout à fait indispensables à l'enfant : ne vous privez pas de les lire et de les relire.

Les images ou les illustrations du livre sont d'une importance tout à fait essentielle
Elles ne sont pas un simple support de l'histoire, mais sont au contraire ce qui attire l'œil de l'enfant de façon prioritaire tant qu'il n'est pas capable de lire. Parfois, le texte ne comprend que quelques lignes et les images forment l'es-

sentiel du livre. Il faut donc qu'elles aient une valeur informative par elles-mêmes. Bien faites, sympathiques, poétiques, les images permettent à l'enfant de « lire » à sa manière. Un jeune de trois à six ans sera toujours sensible au fait que l'image « colle » au texte dans ses moindres détails. Si le texte parle de « cinq petits chatons », il n'est pas question que l'image n'en montre que quatre… Grâce aux images, on peut dialoguer avec l'enfant au sujet de l'histoire et lui-même peut, rapidement, entreprendre de la raconter.

La bibliothèque est un lieu où vous pouvez emmener votre enfant avec un grand profit
D'une part, votre enfant pourra seul aller fouiller dans les rayonnages, feuilleter les ouvrages et choisir ceux qui lui plaisent (laissez-le en choisir un sur deux, c'est un bon accord). D'autre part, les bibliothécaires très bien formées sont là pour vous conseiller ou vous suggérer quelques titres selon ce que vous cherchez. Aller à la bibliothèque, c'est être un grand : la preuve, vous prenez également des livres pour vous (ne négligez jamais la valeur de l'exemple !). Enfin, emprunter un livre que l'on doit rendre pour qu'il soit prêté à d'autres permet à l'enfant d'apprendre le respect des livres et la façon de les manipuler pour qu'ils ne se déchirent pas.

Les difficultés alimentaires

Tous les parents souhaitent que leur enfant mange de tout en quantité raisonnable. Beaucoup de mères s'inquiètent et se culpabilisent si elles ont l'impression que leur enfant mange mal, en quantité et en qualité. Les pères souhaitent essentiellement que leur enfant ne soit pas difficile. Dans la plupart des cas, la plainte des parents est que l'enfant mange peu ou mal, et c'est ce que nous traiterons ici, mais il arrive que la plainte s'exprime par : « Mon enfant mange trop » ; nous aborderons ce cas en fin de chapitre.

Entre trois et quatre ans, les problèmes de refus alimentaires tendent à s'atténuer, sauf dans deux cas : s'ils sont déjà installés depuis longtemps et si une raison affective particulière vient contrarier l'enfant qui exprimera ainsi ses difficultés. Si, de plus, les parents réagissent vraiment fort à un refus ponctuel, le problème pourra s'installer durablement.

ENFANT DIFFICILE OU APPÉTIT VARIABLE ?
Votre enfant n'aime pas grand-chose, a un petit appétit, trie dans son assiette, mangerait bien tous les jours de la purée et du jambon, refuse aujourd'hui

ce qu'il aimait hier ? Ne parlez pas trop vite de caprices. Admettez d'abord que votre enfant a un appétit variable d'un jour à l'autre et d'un mois à l'autre. Ses goûts varient également et c'est normal. Votre pédiatre a dû vous dire que vous n'avez aucun souci d'ordre médical à vous faire tant que la courbe de croissance de votre enfant évolue normalement. Si vous faites un bilan honnête de tout ce que votre enfant mange, à toute heure du jour, sur une semaine, vous constaterez par vous-même qu'il a tout à fait absorbé la quantité de nourriture nécessaire à son développement. Mais vous ne vous laissez pas rassurer si facilement : vous voyez bien qu'il ne mange rien… En un sens, vous avez raison. Les questions alimentaires sont toujours délicates à appréhender. Dès la naissance, manger ou ne pas manger est le moyen, plus efficace que tout autre, qu'a le bébé d'exprimer son accord ou son désaccord, son bien-être ou son malaise, son envie ou non de répondre aux demandes de l'adulte. Manger n'est pas que se nourrir. C'est un nœud affectif de communication. Des années plus tard, cela reste vrai. Avec son refus de se nourrir conformément à ce que sa mère réclame, l'enfant, inconsciemment, dit quelque chose qu'il ne peut exprimer en mots.

POURQUOI L'ENFANT EST-IL « DIFFICILE » À TABLE ?
Il n'a réellement pas faim ce jour-là
C'est bénin. Peut-être est-il contrarié, boudeur ou vexé d'avoir été interrompu dans son jeu. Peut-être a-t-il grignoté ce matin et cela lui a-t-il coupé l'appétit. Peu importe, il mangera mieux ce soir. Si vous insistez outre mesure et montrez votre inquiétude, ce qui n'était que passager deviendra une manière habituelle d'aborder les repas.

Il n'aime pas ce que vous lui servez
Vous aussi avez sans doute vos goûts et vos dégoûts. Lui, il apprend à connaître la nourriture, il exerce son palais, il change d'avis, il aime de nouveau, etc. Si vous ne voulez pas de conflits sans fin, tenez compte de ses goûts dans la préparation des repas. Je ne suis pas certaine que « manger de tout » soit indispensable à trois ans. Manger équilibré suffit. Pour ce qui est de « goûter à tout », il s'agit davantage d'une question d'éducation sur laquelle chaque parent, selon la manière dont il a été élevé, fera son propre choix. Des études ont montré que certains enfants sont plus sensibles aux goûts que d'autres (cela reste vrai à l'âge adulte) : ceux-là seront plus « difficiles » que les autres, mais ils ont plus de chances de devenir, plus tard, de fins gastronomes !

On peut mettre dans cette catégorie des refus sélectifs les enfants qui refusent systématiquement la viande, ou le lait, ou les légumes fibreux, ou les crudités, etc. À cet âge, nombreux sont encore les enfants qui ne mangent volontiers que ce qui est présenté sous forme de purée ou d'aliments mous. Tout cela est banal et sans raison d'inquiétude. Évidemment, si votre enfant n'aime « rien », cela relève d'autre chose que d'un refus sélectif !

Il veut attirer votre attention

En refusant de manger, il vous énerve et le sait, mais au moins il vous retient captif auprès de lui pendant un certain temps (parfois un temps certain, si vous attendez qu'il ait fini son assiette pour débarrasser). Un refus de manger cache souvent un besoin d'échanges, de proximité. L'enfant récupère ainsi le temps et l'attention dont il estime manquer autrement. Êtes-vous des parents très actifs, débordés, ou pris par un plus petit qu'il faut faire manger au biberon ou à la cuiller ? Si ce que votre enfant tente de vous dire en refusant de manger est d'ordre affectif, il insistera de plus en plus fort jusqu'à ce que vous ayez entendu son message et que vous y ayez répondu. Par exemple, s'il veut vous dire que, depuis que son petit frère est né, vous ne passez plus de temps seul avec lui et qu'il se sent rejeté, il est plus important de rassurer votre enfant sur ce point et de trouver du temps à lui consacrer, plutôt que d'insister pour qu'il finisse ses haricots.

QUE FAIRE ?

Il découle de ce que nous venons d'écrire que ce type de difficultés alimentaires ne se traite pas de front, mais indirectement, à travers ce qu'elles signifient. Autrement dit : occupez-vous davantage de votre enfant en dehors des repas et moins de ce qu'il mange. Les choses s'arrangeront. Voici d'autres petits conseils que vous pouvez essayer : ils ont fait leurs preuves.

Supprimez les petits « en-cas »

Pas de grignotage entre les repas si vous souhaitez que votre enfant ait faim à cette heure-là. Sinon, trouvez des « en-cas » sains et comptez-les dans sa ration journalière (fruits frais, fruits secs ou morceaux de fromage plutôt que biscuits et sucreries). En revanche, associez votre enfant à la préparation des repas. Il aura plaisir à tourner dans le saladier, mettre les morceaux dans la casserole, pétrir la pâte ou disposer les crudités sur le plat. Un enfant refuse rarement de manger ce qu'il a lui-même préparé et amène, tout fier, sur la table familiale.

Les difficultés alimentaires

Faites du repas un moment décontracté et agréable

Essayez de parler de tout sauf de nourriture. Appliquez la règle : « Quand on dit qu'on n'en veut pas, on en a un tout petit peu », si vous souhaitez que votre enfant goûte à tout. Servez toujours de petites portions : c'est plus encourageant de commencer à manger lorsqu'on a une chance de finir. Respectez ses goûts autant que possible, mais sans que cela limite systématiquement le choix alimentaire du reste de la famille. Si vous mangez tous ensemble, retirez son assiette en même temps que les autres, sinon, au bout de quinze minutes environ, sans commentaires sur ce qu'il laisse. Dès qu'il en est capable, apprenez-lui à se servir seul et incitez-le à le faire. Bientôt, il saura mieux doser la quantité en fonction de son désir.

Tous ces conseils sur le moment du repas et la manière de s'y prendre se résument finalement à un seul : ne prêtez plus attention, au moins dans les apparences, à ce que votre enfant mange. Ni allusion, ni incitation, ni réflexion, ni remontrance, ni félicitations, rien. Servez votre enfant normalement et retirez-lui son assiette en fin de repas, sans commenter. Donnez-lui un surcroît d'attention, de temps pour lui tout seul, au cours de la journée. Tenez le coup trois semaines : sa vie ne sera aucunement en danger. Il y a fort à parier que d'ici-là les choses se seront arrangées. Ne serait-ce que parce qu'il n'y aura plus de conflits…

C'EST À LA CANTINE QU'IL NE MANGE RIEN…

Certains enfants qui mangent bien à la maison sont signalés aux parents par l'école comme ne mangeant rien à la cantine. Ce comportement est d'autant plus fréquent que l'enfant n'a jamais fréquenté de collectivité avant son entrée en maternelle. Tout d'abord, il faut comprendre que le goût de chacun se constitue dès l'enfance, en fonction des habitudes alimentaires de chaque famille. L'enfant qui a toujours pris ses repas chez lui est habitué à une certaine façon de cuisiner et de présenter les repas, à certains aliments, qu'il ne retrouve sans doute pas à la cantine.

Mais un refus alimentaire à l'école peut également n'avoir rien à voir avec ce qui est servi mais relever d'autres difficultés. À titre d'exemples, on peut citer : une cantine trop bruyante (très fréquent), des surveillants tendus ou stricts, une relation difficile avec l'institutrice, un mauvais choix de place à table (loin de la copine), un refus global de l'école, etc.

Là encore, il va falloir, pour que les choses s'arrangent, comprendre ce que l'enfant exprime. Peut-être tout simplement que ce repas, servi sans amour, sans préparation visible, sans valeur affective, dans un lieu inhospitalier, n'a pas encore pris sens pour lui…

Les demandes d'attention excessives

Tout le monde a besoin de l'attention des autres : ils marquent ainsi leur reconnaissance. Mais les enfants, eux, voudraient toute l'attention de leurs parents, ou de leurs éducateurs, et supportent difficilement de les voir occupés à autre chose ou avec quelqu'un d'autre.

LES ENFANTS FONT TOUT POUR ATTIRER L'ATTENTION

On a parfois l'impression que, quelle que soit la quantité d'attention que l'on donne à certains enfants, ils en demanderont davantage. Ils suivent leurs parents de pièce en pièce, s'agrippant presque à leurs vêtements, suscitant parfois une sensation d'étouffement. Ils font des bêtises de préférence lorsque leur mère est au téléphone, interrompent sans cesse les conversations et sont toujours « dans les pattes » des adultes, même lorsque ceux-ci les incitent à aller jouer dans leur chambre. Ils répètent sans cesse : « Maman, regarde ! », « Maman, je peux prendre du jus d'orange ? », « Maman, tu joues avec moi ? », « Maman, aide-moi à habiller ma poupée », etc.

QUE SIGNIFIE CE COMPORTEMENT ?

Dans certains cas, ces enfants ne reçoivent effectivement pas, de leurs parents, toute l'attention dont ils ont besoin. Ils ont l'impression, souvent exacte, qu'on ne fait pas attention à eux s'ils sont sages, silencieux et jouent tranquillement dans leur chambre. Alors, ils attirent l'attention comme ils peuvent, par des bêtises, par des demandes incessantes, en refusant de manger des haricots ou d'aller se coucher, par exemple.

D'autres enfants demandent beaucoup d'attention parce qu'ils ne se sentent pas en sécurité. De ce fait, ils sont très dépendants et se sentent perdus sans un adulte pour s'occuper d'eux, ou pour simplement rester près d'eux. Cet état peut être transitoire et résulter d'une difficulté particulière, ou bien il peut être devenu habituel.

Enfin, il y a le cas d'enfants que l'on a habitués à compter sur autrui plutôt que sur eux-mêmes et à avoir sans cesse un adulte à leur disposition : à terme, ils sont moins autonomes dans leurs jeux et dans leurs comportements. C'est dès que l'enfant est capable d'une action qu'il faut l'inciter à la faire par lui-même. Il gagne ainsi de la confiance en lui et la conscience de ses compétences.

COMMENT RÉDUIRE CES DEMANDES D'ATTENTION ?

La première chose à faire, la plus évidente, consiste à donner de l'attention à votre enfant, beaucoup, lorsqu'il n'en demande pas. Même s'il est sage et que vous avez autre chose à faire (on a toujours autre chose à faire).

Voici quelques idées sur la manière de s'y prendre
- Proposez-lui vous-même une partie de dominos ou trouvez le temps, en épluchant les légumes, de bavarder ensemble.
- Il vous sera plus facile de dire : « Je passe un quart d'heure avec toi, tu choisis ce que tu veux que nous fassions ensemble, puis tu joueras seul le temps que je fasse mon courrier. »
- Chaque parent devrait trouver chaque jour un moment d'attention vraie pour chacun de ses enfants, aussi court soit-il. Un moment de vraie disponibilité, le soir au coucher par exemple, à inclure dans la routine quotidienne.
- Si vous promettez votre attention à votre enfant, tenez votre promesse. « Je suis à toi dans deux minutes » veut vraiment dire deux minutes pour votre enfant.
- Si vous lui consacrez un quart d'heure, ne vous laissez pas interrompre par le téléphone.
- Quand vous êtes avec votre enfant, donnez-lui l'impression qu'il est plus important pour vous que tout au monde, non que vous avez hâte de vous débarrasser de lui pour passer à autre chose.

Si vous avez l'impression, honnêtement, que votre enfant reçoit chaque jour une quantité suffisante d'attention et qu'il continue néanmoins à en réclamer davantage, vous devrez avoir recours à une autre technique. Ignorer l'enfant, après lui avoir expliqué que vous n'étiez pas disponible, peut lui montrer votre détermination. Vous pouvez vous comporter ainsi avec l'enfant qui supporte difficilement que vous passiez du temps avec son frère ou sa sœur, même si vous avez passé du temps avec lui précédemment. Ou encore à l'enfant à qui vous avez demandé de ne pas vous déranger et de faire son puzzle tranquillement à côté de vous pendant que vous lisez votre livre et qui demande votre aide ou que vous regardiez à chaque nouvelle pièce qu'il pose. Soyez clair dans ce que vous demandez (« Tu fais ton puzzle seul. Je regarderai quand il sera fini »), puis ne répondez plus jusqu'à ce que le puzzle soit effectivement fini.

AIDER L'ENFANT À DEVENIR INDÉPENDANT
Autonome ne veut pas dire « tout seul »
Attention ! Nous sommes dans une société qui valorise de manière excessive l'autonomie et l'indépendance précoces de l'enfant. Très tôt, de plus en plus tôt, l'enfant doit être capable de dormir seul, manger seul, s'habiller seul, jouer seul, lire seul, etc. La crèche, comme l'école maternelle, se donne pour objet l'autonomie de l'enfant. Pour le bénéfice de qui ? L'enfant « qui se débrouille seul » ne doit pas être l'enfant dont on ne se s'occupe plus, puisqu'il fait tout seul. Le temps que l'on ne passe plus à s'occuper du corps de l'enfant devrait être du temps dégagé pour jouer ou parler avec lui.

S'il n'a pas confiance en lui
Néanmoins, certains enfants, qui ne se sentent pas en sécurité et manquent d'assurance, ont besoin qu'on les aide à trouver confiance en eux. Ils doivent apprendre qu'ils ne peuvent pas avoir « tout tout de suite » et doivent parfois attendre leur tour avant que l'adulte puisse s'intéresser à eux. Les enfants insécures ont besoin de beaucoup de louanges : il est important de les féliciter lorsqu'ils ont fait quelque chose de bien, surtout si cela va dans le sens de l'autonomie que vous souhaitez obtenir. Si votre enfant vous a, conformément à votre demande, laissé travailler une demi-heure pendant qu'il jouait dans sa chambre, félicitez-le et remerciez-le en lui donnant ce qu'il souhaite le plus : du temps partagé avec vous.

S'IL VOUS INTERROMPT SANS CESSE
Une marque d'impatience
L'enfant interrompt l'adulte dans ses conversations ou dans ses activités parce qu'il veut l'attention immédiatement. Il a quelque chose à dire, ou quelque chose à montrer, il ne peut concevoir que cela ne soit pas, pour vous aussi, plus important que ce que vous êtes en train de faire. Il n'est pas patient et, s'il attend quelques minutes, il risque d'oublier ce qu'il avait à dire. Si votre enfant interrompt très souvent, c'est sans doute que cette attitude « marche », malgré ce que cela peut avoir d'exaspérant pour vous ou votre interlocuteur. Que faire ? Expliquez très clairement à votre enfant quand

et comment il peut vous interrompre et demander votre attention, et surtout quand il ne le peut pas. Ne laissez pas votre enfant croire que vous n'êtes pas intéressé par ce qu'il a à vous dire : simplement, ce n'est pas le bon moment, vous n'êtes pas disponible, mais vous le serez dans quelques secondes ou dans quelques minutes selon les cas.

Comment s'y prendre ?

L'enfant sera touché si vous lui montrez, par un petit signe de la main, que vous avez entendu sa requête mais que vous ne pouvez y répondre dans l'instant, que vous soyez en train de parler à quelqu'un ou que vous ayez une activité à terminer. Si vous dites : « Je suis à toi dans une seconde » ou « J'arrive dans deux minutes », ne mettez pas une demi-heure à le rejoindre. Le temps de patience que vous lui imposez doit être court au début, si vous voulez qu'il soit respecté. Vous pourrez l'augmenter progressivement en lui disant : « Je serai à toi quand la grande aiguille de la pendule sera tout en haut ; il sera cinq heures juste. » Puis donnez-lui toute votre attention : s'il a attendu gentiment, il l'a bien méritée. Remerciez-le.

L'art et la manière d'interrompre

Enfin, il y a une façon correcte d'attirer l'attention que votre enfant peut tout à fait commencer à apprendre, même si vous ne devez pas vous attendre à ce qu'il l'applique systématiquement avant quelques années. Par exemple, commencer sa phrase par : « Excuse-moi », puis attendre que vous lui répondiez (si vous ne pouvez répondre tout de suite, utilisez un petit signe de connivence afin que l'enfant sache qu'il a été vu ou entendu). Ou encore, s'il vous parle pendant que vous êtes au téléphone, chuchoter plutôt que parler à haute voix.

Aidez-le à trouver sa place

Enfin, n'oubliez pas qu'il est difficile et frustrant pour l'enfant d'attendre que vous ayez fini de bavarder pour pouvoir vous parler. Alors n'exigez pas trop de lui. Aidez votre enfant à patienter. Fournissez-lui de quoi s'occuper : avoir toujours du papier et des crayons près du téléphone peut aider (il dessine pendant que vous finissez votre conversation), lui donner quelque chose à boire ou à manger, etc.

Si votre enfant interrompt les conversations alors qu'il est à table avec les adultes, veillez à ce qu'il ait, lui aussi, son temps de parole. Il a des choses à dire et ne sait tout simplement pas quand les dire. Quand plusieurs

« grands » parlent ensemble, il est parfois bien difficile, lorsque l'on est un débutant dans le langage, de prendre la parole. Lui demander : « Et toi, qu'en penses-tu ? » lui évitera d'interrompre pour donner son avis.

UN GRAND BESOIN D'ÊTRE RECONNU

Ces questions d'attention sont importantes. L'enfant a des choses à communiquer et va les répéter jusqu'à ce qu'elles soient entendues. Pour se sentir en sécurité, il a besoin de sentir ses parents accueillants, compréhensifs et ouverts à ce qu'il a à dire. « Je comprends, je t'entends, mais je ne peux te répondre tout de suite, je ne suis pas disponible maintenant, tout à l'heure nous ferons cela ensemble », etc., sont des réponses que l'enfant accepte car il se sent reconnu.

Dans le cas contraire, il trouvera d'autres moyens d'obliger ses parents à s'intéresser à lui. Refuser de manger, pour garder sa mère près de lui. Rejoindre ses parents dans leur lit à trois heures du matin. Ou encore, faire de petites maladies à répétition qui aboutissent au même résultat : on fait attention à lui.

Alors ne vaut-il pas mieux tendre l'oreille et donner raisonnablement de son temps ? La quantité compte, mais c'est la qualité de l'attention portée qui est déterminante…

Les difficultés de langage

Cette plainte des parents ou de l'institutrice peut recouvrir des réalités bien différentes et faire référence à des causes ou à des modes d'intervention très divers également. Le langage est un élément essentiel de la sphère de la communication et il est fréquent qu'une grosse difficulté de langage masque non un problème de parole proprement dit mais une difficulté d'ordre psychologique et relationnel.

DE QUOI PARLE-T-ON ?

Avoir un diagnostic

Dans le doute, il est toujours préférable de consulter un spécialiste afin d'avoir un avis. En effet, si l'enfant a besoin d'une aide, celle-ci peut demander du temps. Or, les apprentissages de l'école primaire, lecture et écriture, s'appuient sur une bonne maîtrise de la langue orale. Aussi ne faut-il pas attendre l'âge de cinq ans avant de se préoccuper d'un trouble de langage qui ne semble pas en voie de disparaître.

Parler à trois ans

Entre trois ans et trois ans et demi, l'enfant commence à bien se servir de l'oral dans sa vie quotidienne, et celui-ci vient progressivement remplacer l'action comme moyen de connaissance du monde environnant. Son vocabulaire s'enrichit chaque jour et il abandonne peu à peu les structures du « parler bébé » pour les constructions de plus en plus complexes de la langue adulte. Bien que les niveaux de langage soient très différents, la plupart des enfants de cet âge emploient maintenant le pronom personnel « je » (après les étapes du « moi » et du « moi, je »). L'enfant répète souvent en écho ce que disent les adultes, ce qui est une façon d'enrichir son vocabulaire de nouvelles tournures et de nouveaux mots.

Il existe différentes manières de classer les troubles du langage chez l'enfant. Voici la plus simple.

LES TROUBLES DE PRONONCIATION OU DE PAROLE

Au début, tous les enfants déforment les mots, puis la prononciation s'améliore peu à peu. Certains mots ou certains sons peuvent « accrocher » pendant encore plusieurs années. Il peut s'agir d'une immaturité du système phonatoire ou d'anomalies dentaires mais, la plupart du temps, aucune cause physique ne peut être relevée. Certains enfants ne savent pas exécuter les mouvements de la langue ou des lèvres nécessaires à une bonne articulation et cela peut leur être enseigné.

Il parle encore comme un bébé

Dans d'autres cas, il s'agit d'un « parler bébé » qui se produit alors que l'enfant en a passé l'âge. Il zézaye, par exemple, ou dit « sa » pour « chat », alors qu'il peut prononcer le « ch-ch-ch » du train dans d'autres circonstances. Cette façon infantile de s'exprimer trouve souvent son origine dans le milieu familial : petit dernier qu'on ne veut pas voir grandir, aîné qui parle « bébé » pour ressembler à un puîné, etc.

Parler doit être nécessaire

Il est d'ailleurs à noter qu'un enfant qui est présenté comme s'exprimant très mal, avec de gros défauts de prononciation, est souvent très bien compris de sa mère, de sa famille ou de la personne qui s'occupe quotidiennement de lui. Pourquoi donc ferait-il des efforts pour bien parler ? Souvent, il n'a rien à demander : les gâteaux et les câlins devancent sa demande. Maman est toujours là. Pourquoi se servirait-il des mots pour appeler ou pour demander ? Il parlera lorsque le langage lui sera nécessaire pour obtenir ce qu'il veut…

Une amélioration souvent spontanée

Dans la plupart des cas, les légers défauts de prononciation vont s'atténuer, puis disparaître, dans les années qui viennent. Ils s'effaceront d'autant plus facilement que l'on n'y aura pas prêté, au quotidien, une attention excessive. L'enfant ne fait pas « exprès » de parler ainsi : il a une raison pour cela. Quand la raison disparaîtra, il parlera mieux. Inutile donc de le reprendre sans arrêt.

Entrer à l'école fait souvent beaucoup de bien à un enfant qui parle mal. Mis dans un milieu où personne n'a l'habitude de l'entendre ni le temps d'essayer de le comprendre, il va devoir faire des efforts pour communiquer. Il n'est pas rare alors de voir des défauts de prononciation s'améliorer rapidement.

Mais il existe des cas où les choses ne s'arrangent pas seules. Si l'institutrice ne comprend pas l'enfant et si sa façon de parler devient l'objet de moqueries de la part des autres élèves, mieux vaut ne pas attendre pour consulter.

LES RETARDS DE LANGAGE

Souvent un retard banal vite rattrapé

Plus fréquents chez les garçons que chez les filles, ils ne traduisent pas un retard intellectuel. Bien des grands hommes, à l'intelligence exceptionnelle, ont parlé très tard. Peut-être n'avaient-ils rien à dire de génial jusque-là ? On peut penser que, lorsqu'ils se sont mis à parler, le retard a été vite comblé.

C'est ce que l'on constate dans un certain nombre de retards simples. À trois ans, l'enfant ne parle pas. Il entre à l'école et se frotte à ses camarades. Si on ne l'embête pas trop et que l'on n'essaie pas toute la journée de lui faire sortir un mot, il commence à parler normalement à trois ans et demi et a rattrapé tout le monde à quatre ans ou quatre ans et demi. Pour être incité à parler, l'enfant doit être intégré dans une communication. S'adresser à lui directement, lui poser des questions, s'intéresser à lui, lui laisser le temps de s'exprimer, sont autant de manières d'amener un enfant à parler.

Dans d'autres cas, les progrès effectués à quatre ans sont réels mais insuffisants, et il faut alors consulter un spécialiste sans tarder. Encore une fois, un bon langage est indispensable avant l'entrée en Cours Préparatoire, pour aborder dans de bonnes conditions le langage écrit.

Les causes d'un retard de langage

Les causes d'un retard de langage sont variées et seul un psychologue saura les apprécier. En voici quelques exemples.

- Dans les cas bénins, il peut s'agir d'un enfant de famille nombreuse avec qui l'on n'a pas eu le temps de dialoguer suffisamment et qui se fait toujours couper la parole avant qu'il ait eu le temps de s'exprimer.

- Ce peut être aussi un enfant rapide, très actif, facilement frustré quand il ne parvient pas à ce qu'il veut, qui souhaite éviter les tâtonnements de tout apprentissage et ne parlera que quand il y sera vraiment prêt.

- On observe aussi des retards de langage simples chez les enfants élevés dans un cadre bilingue : il leur faut un peu plus de temps pour se repérer dans deux systèmes langagiers différents, mais ils y parviennent le plus souvent, si les deux langues sont soutenues affectivement et culturellement, sans difficultés particulières.

- Enfin, chacun sait que l'on ne valorise pas le langage de la même façon dans tous les milieux culturels. Dans certains milieux carencés où l'on parle peu, l'enfant prend l'habitude de communiquer par d'autres moyens que la parole et son vocabulaire reste pauvre. À l'inverse, dans les milieux plus « intellectuels », la parole de l'enfant peut être tellement attendue, tellement valorisée, que l'enfant finit par se réprimer par crainte de ne pas être à la hauteur de l'espoir parental.

Une difficulté à devenir soi-même

D'autres cas sont plus préoccupants. Un retard de langage important peut témoigner d'une difficulté à définir clairement sa personnalité. Manque d'affection, mauvaises conditions familiales, mère dépressive et peu communicante, enfant replié sur lui-même, difficultés à se situer dans son environnement familial, etc., ne sont pas rares. L'enfant est en souffrance et ses difficultés de langage sont sa façon de le dire. Il serait inutile, coûteux en temps et en énergie, de s'engager alors dans une rééducation orthophonique qui ne prendrait pas en compte la réalité des troubles relationnels. Ce n'est pas non plus à l'orthophoniste de faire une psychothérapie, car la confusion des rôles peut être nuisible à l'enfant.

Si votre enfant présente un retard de langage ou des défauts de prononciation qui vous inquiètent, le mieux est de vous adresser à un centre polyvalent ou à un psychologue spécialiste de ces questions. Il saura poser un diagnostic et orienter la famille au mieux de l'intérêt de l'enfant. Bien souvent, quelques entretiens menés avec l'enfant et ses parents suffisent à lever le symptôme, dans la mesure où ils ont permis de comprendre quel était le conflit intérieur que l'enfant traduisait par ses difficultés de parole.

Le sens du toucher

Les jeunes enfants utilisent beaucoup leur sens du toucher. C'est d'ailleurs pourquoi il leur est si difficile de suivre gentiment leurs parents dans un musée ou dans un magasin où l'on ne doit « toucher à rien ». Une statue, un jouet ou tout autre objet ne peut correctement s'appréhender, pour l'enfant, par le seul regard. Il a besoin de toucher. Ici ou là, des musées s'ouvrent pour les enfants, que les Américains nomment joliment des « please-touch-museums ».

L'IMPORTANCE DU TOUCHER

La main est pour l'enfant un outil privilégié d'exploration, de découverte et d'évaluation de chaque nouvelle expérience. Je crois que c'est l'enfant qui a raison et que c'est nous, adultes, qui avons perdu cette merveilleuse sensibilité tactile. En grandissant, le toucher devient tabou et disparaît au profit du seul regard. Il arrive même que les plus atteints de ces adultes (ou les plus conscients) suivent des séminaires pour réapprendre à toucher…
Cela n'arrivera pas à votre enfant si vous lui permettez de se servir de ses mains autant qu'il le souhaite et que c'est compatible avec l'environnement. Il peut peindre avec les doigts, mais pas forcément sur les murs du couloir ! Une manière de favoriser sa sensibilité tactile consiste à jouer avec lui à « reconnaître avec les doigts » : des objets cachés dans un sac, une personne dans un groupe, etc. Tous les jeux qui s'effectuent les yeux fermés ou bandés vont dans ce sens.

LA PROMENADE DES DOIGTS

Pour aller plus loin dans cette sensibilité et la manière de l'exprimer, il est possible de fabriquer une sorte de tableau de découverte, où l'on se promène avec les doigts. Ce jeu aide bien sûr l'enfant à se concentrer sur le sens du toucher, mais entraîne également beaucoup le langage si l'enfant est encouragé à décrire sa promenade.
L'enfant peut jouer les yeux ouverts, mais la discrimination tactile (faculté de distinguer avec les doigts une texture d'une autre) sera toujours plus

fine s'il parcourt le chemin les yeux fermés, à la recherche, par exemple, d'une texture particulière que vous lui aurez décrite ou que vous lui aurez fait toucher précédemment et qu'il devra mémoriser.

Ce tableau est facile à fabriquer et il est d'une grande utilité. Les doigts de votre enfant ne sentiront plus les choses de la même manière ensuite.

1. Le matériel
- Un grand carton épais ou une grande planche de contreplaqué.
- De la colle.

Des éléments qui vont, une fois collés, former autant de petites surfaces de textures différentes :

- feuilles d'arbres	- coton
- écorce	- velours
- mousse	- plastique
- sable	- toile émeri
- épines de pin	- laine
- lentilles	- gros sel
- pétales	- fourrure
- vernis	- pépins
- papier journal	etc.

Cette liste n'est évidemment pas exhaustive. À vous de la modifier ou de la compléter selon vos possibilités et votre imagination.

2. Comment faire ?
• Sur le carton, dessinez un grand chemin entouré de petits jardins situés de part et d'autre.

• Encollez le chemin et saupoudrez-le de sable : cela fera la route.

• Encollez chaque jardin l'un après l'autre et collez-y une surface différente. Ce petit travail doit être fait avec l'enfant. Il choisit quelle surface sera collée sur quel jardin. Vous discutez ensemble des caractéristiques de chaque jardin, lui apprenant ainsi le vocabulaire approprié : doux, rugueux, lisse, dur, mou, froid, piquant, etc.

• Laissez séchez, puis retournez le carton pour être sûr que les surfaces tiennent bien. Vous avez maintenant un tableau, que vous pouvez continuer à décorer et à peindre, représentant une suite de petites surfaces de textures différentes reliées par un chemin.

Le sens du toucher

3. Comment jouer

Là, votre imagination est reine. Voici quelques idées.

• Suivre la route les yeux ouverts et discuter les sensations en visitant les jardins.

• Faire de même les yeux fermés. L'enfant constatera combien ses yeux « voient » mieux lorsque ses yeux ne voient plus. Encouragez alors l'enfant à exprimer ce qu'il ressent, à « laisser parler ses doigts ».

• Toujours les yeux fermés, demander à l'enfant, en suivant le chemin, de s'arrêter aux adresses qui lui sont indiquées : se rendre au jardin le plus doux, au jardin le plus frais, etc.

• Les parents qui joueront eux aussi à ce jeu s'apercevront combien il peut être agréable. Enfin, n'oublions pas que la sensibilité tactile ne se limite pas au contact des doigts. On peut sentir avec la plante des pieds, avec les joues, avec les lèvres, avec toute la surface de la peau.

Jeux et jouets

Le jeu a une importance fondamentale dans le développement de l'enfant de trois à six ans. C'est le moyen essentiel qu'a l'enfant pour apprendre et comprendre. Alors, ce n'est pas du temps perdu, loin de là !

LE JEU : CE QUI S'Y JOUE

Le jeu est la manière pour l'enfant d'imiter et d'apprendre sur le monde et sur lui-même. À travers l'imagination et l'exploration, il découvre son corps et ses capacités, ses émotions, développe son langage et sa façon de communiquer.

Par le jeu, l'enfant acquiert la maîtrise du monde extérieur. En construisant un mur de cubes, il apprend à manipuler les objets. Il gagne la maîtrise de son corps en courant et en sautant.

Il affronte des problèmes psychologiques en revivant par le jeu les difficultés qu'il a affrontées dans la journée (quand par exemple il inflige à son ours le traitement qu'il a subi).

Dans le jeu, l'enfant exprime ses pensées et ses sentiments. Il resterait ignorant de ces sentiments, ou serait dominé par eux, s'il ne les mettait pas en acte dans ses jeux. L'enfant se sert du jeu pour maîtriser des difficultés complexes du passé et du présent. Il exprime par le jeu ce qu'il serait bien incapable de dire avec des mots. Ainsi nous pouvons comprendre comment l'enfant voir et construit son monde, ce qu'il voudrait être, quelles sont ses préoccupations, ses problèmes.

Enfin, il apprend les relations sociales en comprenant qu'il doit s'adapter aux autres s'il veut voir durer un jeu agréable. Tout cela en prenant du bon temps.

LES RAPPORTS ENTRE LE JEU ET L'APPRENTISSAGE

On voit que jeu et apprentissage sont totalement liés, surtout dans la petite enfance. Cela est très important : c'est un atout pour la suite, lorsque, scolarité « sérieuse » oblige, ils seront séparés.

Mais jouer, c'est d'abord s'amuser

Notre société est devenue tellement obsédée par les jouets éducatifs et le désir de précocité que la simple notion de plaisir et de gratuité a souvent été évacuée. Les Américains ont inventé le concept de « learning game » (jeu d'apprentissage) à faire avec les petits. C'est idiot : tout jeu apprend.

Concernant les jouets que l'on dit d'éveil ou d'apprentissage, il est important de préciser une chose. Le jeu est l'occasion pour l'enfant, nous l'avons souligné, d'apprendre à maîtriser le monde qui l'entoure. Également d'apprendre à se maîtriser lui-même en évoluant à son rythme propre. Le mot « apprendre » prête à l'ambiguïté, parce que, pour l'enfant, il n'y a pas de différences entre jouer et se développer, jouer et apprendre : apprendre à manipuler, apprendre comment ça marche, apprendre à faire comme papa et maman, etc. Mais attention : le jeu, à travers les merveilleuses compétences que l'enfant y révèle, ne doit pas être récupéré par l'adulte pour devenir prétexte à entraînement ou à apprentissage.

Le jeu et le jouet servent à jouer, c'est tout. L'enfant doit pouvoir jouer « pour le plaisir », même si ce plaisir, il se l'impose dans l'effort. L'enfant va se livrer à de réels apprentissages, parce que plus de capacités signifient plus de jeux possibles, donc davantage de plaisir. Et aussi parce qu'il y est poussé par une pulsion fondamentale, innée, qui est le désir de vivre, de grandir, et la curiosité de connaître. C'est à l'enfant de mettre de la complexité dans ses jeux, pas aux adultes de lui fixer des défis ou de l'entraîner à mieux faire.

L'apprentissage s'effectue de lui-même

Oubliez ce que disent les acharnés de la performance et de l'apprentissage précoce. Les enfants apprennent fort bien lorsqu'on les laisse faire, pour peu qu'ils disposent du matériel nécessaire et d'un environnement affectueux. Ils exercent sans arrêt leur esprit sur toute chose qu'ils découvrent. À travers leurs rêveries aussi, ils construisent un savoir et développent un imaginaire plein de promesses. Alors, offrir à un jeune enfant un jouet « pour apprendre » est un non-sens.

Il faut redire l'évidence : jouer sert d'abord à s'amuser. C'est d'abord une activité de plaisir et une occasion de grands rires, partagés de préférence. L'enfance est le temps pour avoir le plus possible de ces plaisirs-là. Cela développe l'estime de soi, la confiance en soi, les compétences relationnelles, une vision positive de l'existence. Pour nous adultes, c'est souvent notre capacité à trouver du plaisir à la vie et de l'humour aux situations qui fait la différence entre une bonne et une mauvaise journée.

LE RÔLE DES PARENTS DANS LE JEU DE L'ENFANT

Jouer avec son enfant, c'est se mettre à son écoute et à sa disposition

C'est l'enfant qui choisit le jeu : laissez-vous guider. C'est l'enfant qui reste le maître du jeu, lui qui décide des règles. Ne le faites que si vous vous sentez détendu et disponible. L'enfant sentirait très vite que vous vous forcez ou que vous êtes préoccupé par autre chose. Mieux vaut peu de temps, avec une bonne qualité d'attention et de présence, que davantage de temps où l'enfant sent que l'adulte n'est là qu'en apparence.

L'enfant qui joue avec l'adulte a besoin de la parole de l'adulte, que l'on mette des mots sur son jeu. Il peut parfois avoir besoin d'être incité ou aidé. Il a besoin qu'on le soutienne dans ses découvertes, qu'on l'encourage. Il a surtout besoin que l'adulte n'attende rien d'autre de ce moment que du bonheur partagé. Tout cela lui donne confiance en lui et dans ses compétences propres. Il se sent aimé et intéressant. Là encore, c'est l'importance et la valeur que vous accordez à son jeu qui comptent.

Quelques questions à se poser

- Jouer ensemble, oui, mais : d'où vient la demande (parfois on tombe à côté) ?
- Qui choisit le jeu ? Le soir, on peut se demander de quoi l'enfant a besoin : de jeu, de câlin, d'un bon bain ?
- À ces jeux communs, qui y trouve du plaisir et qui se force ?
- Quel est le but de ce moment : du temps partagé et libre ou bien un apprentissage, un but éducatif, comme par exemple finir un puzzle de 30 pièces ?

Jeux et jouets

- Quels sont les jeux, ou les activités communes, qui vont lui plaire à lui ?

- Qu'est-ce qui peut être fait avec lui : marionnettes, jeux de société, faire semblant, bricolage, etc. ?

On a toujours la possibilité, quand on a peu de temps, de transformer en jeux partagés les moments obligés (cuisine, habillage, trajets en voiture, supermarché, attente, etc.). Pour l'enfant, c'est à la fois un jeu, un plaisir et une fierté.

Les jeux physiques

Chahuter, se culbuter, jouer ensemble physiquement avec ses parents développe une bonne sécurité physique et un solide attachement affectif. Cela fait beaucoup pour le bien-être mental et émotionnel. Les enfants testent leurs limites physiques mais ils attendent de vous que vous sachiez mettre des règles et des limites claires au jeu. Simplement, chacun a le droit de dire stop, il est interdit de faire mal, et le jeu continue tant que tout le monde y prend plaisir et qu'il n'y a pas de prise de risque.

Exemple : les batailles de coussins, pour défouler l'agressivité de manière ritualisée. Ne pas avoir peur que l'enfant nous en veuille.

Perdre ou gagner

Faut-il laisser l'enfant gagner ? Le tout-petit, oui, parfois, mais ce n'est pas un service à rendre à l'enfant plus grand. D'abord parce que s'il s'en rend compte, sa victoire perd toute valeur à ses propres yeux. Ensuite parce qu'il vaut mieux lui apprendre à supporter ce genre de frustration, à condition que le jeu soit un jeu de hasard où chacun est à égalité. Si vous jouez aux dominos ou aux dés, inutile de le laisser gagner : le hasard s'en chargera. Mais j'ai connu des parents qui faisaient la course en courant à toutes jambes : là, évidemment, ça ne va plus !

En jouant avec d'autres, l'enfant apprend qu'il existe des règles que tous doivent respecter et qu'il faut compter avec le hasard. Ce que l'enfant apprend de plus important dans ces jeux de règles, c'est que, s'il perd, le monde ne cesse pas d'exister. Il perd une partie, mais il peut gagner la suivante.

Pour cela, il faut insister sur la plaisir du jeu par lui-même et lui faire comprendre que gagner ou perdre n'est pas le signe d'une supériorité ou d'une infériorité personnelles.

LAISSER L'ENFANT JOUER SEUL

Répondre à la demande… mais pas trop

Encourager le jeu de l'enfant veut aussi dire savoir quand s'en mêler et quand le laisser jouer seul. On peut aider l'enfant à démarrer un jeu, mais sans essayer d'imposer sa propre idée du jeu ou la meilleure façon de procéder. Laissons-le prendre la tête et les initiatives, et demander de l'aide ou de la compagnie lorsqu'il en a besoin.

Certains sont demandeurs de l'aide des adultes pour jouer. Il faut alors se demander si le jouet en question n'est pas trop compliqué pour l'enfant et s'il veut, de cette façon, faire appel à la présence attentive de l'adulte. Quand il demande sans arrêt que l'on joue avec lui, c'est souvent dans le but de savoir si son occupation est aussi importante pour eux que pour lui. Si ce doute est apaisé, l'enfant aura moins besoin d'une participation active.

Progressivement, il est bon que l'enfant apprenne à jouer et manipuler ses jouets sans le recours permanent à l'adulte. Inciter l'enfant à jouer un peu seul dès son plus jeune âge, c'est l'aider à développer son autonomie et sa créativité.

Attention : seul ne veut pas dire isolé ; il peut être assis aux côtés de ses parents.

Ne pas s'en mêler si ce n'est pas nécessaire

Mais il y a des adultes qui ne peuvent s'empêcher de se mêler du jeu de l'enfant. Si leur petit ne se sert pas du jouet comme l'indique le mode d'emploi, ils interviennent de façon directive pour lui indiquer la marche à suivre. Alors que c'est justement là qu'il fait preuve d'imagination et d'esprit scientifique ! Si l'enfant ne semble pas comprendre tout de suite comment se servir du jouet, il est bon de résister à l'impulsion de se précipiter pour lui expliquer exactement ce que l'objet permet et ce pour quoi il a été conçu.

Laisser l'enfant trouver seul comment marche le jouet, c'est lui permettre de développer son aptitude au raisonnement déductif par essais-erreurs. C'est aussi lui permettre la fierté de dire qu'il l'a fait tout seul. Alors, lorsque l'enfant est dans son coin, seul avec son jouet, en train de bricoler, l'air absorbé, et parlant tout seul, il est très important de ne pas intervenir. Son jouet est à lui, et il est normal, surtout lorsque le jeu est neuf, qu'il veuille être le premier à s'en servir.

Parmi les expériences qu'offre le jouet, il y a celle des échecs répétés qui mènent à la réussite. L'enfant essaie, par exemple, de faire une construction.

C'est encore difficile pour lui. Si l'adulte, le voyant en difficulté, intervient pour lui faire sa tour ou lui tenir la main, l'enfant n'en ressent qu'une satisfaction superficielle. Celle-ci n'a rien à voir avec l'intense fierté que ressentira l'enfant à vous montrer la tour qu'il aura finit par réussir, plusieurs jours plus tard peut-être, mais tout seul. L'enfant a besoin d'être encouragé (« Tu essaies de faire un château ? Formidable ! C'est difficile, mais je suis sûr que tu peux y arriver ! »), pas que l'on fasse à sa place.

Il sera plus fier et tirera plus de profits d'un biscuit trop cuit ou d'une tour branlante qu'il a faits lui-même que de ceux, parfaits, que vous auriez faits pour lui.

TEMPS LIBRE, TEMPS VIDE

Il est important de permettre à l'enfant d'avoir du temps libre, du temps au calme, pour des jeux non structurés, ou pour simplement ne rien faire. Le jeu libre, l'activité spontanée, sont la meilleure manière pour l'enfant de parvenir à mettre en scène et souvent à résoudre les problèmes existentiels qui se posent à lui. D'où l'importance de lui laisser du temps pour cela. Parfois cela va se traduire par des jeux parfois déroutants, voire destructeurs. Laissez-le au besoin faire du fouillis, se tromper, inventer et faire les choses à son idée. Pour se sentir bien dans sa peau et se respecter lui-même, l'enfant, comme chacun, doit se sentir maître de son destin, et c'est ce qu'il trouve dans le jeu libre.

L'enfant a également besoin de jeux libres à l'extérieur. C'est difficile en ville, il faut parfois chercher pour trouver de grands parcs où les enfants peuvent s'ébattre en sécurité dans une relative liberté de mouvement. Ces moments développent l'attention, la vigilance et les capacités de réflexion, toutes choses cruciales pour son développement émotionnel et ses apprentissages.

Il reste donc à être très attentif aux emplois du temps des enfants calculés, réglés, avec des temps libres très restreints. Même avoir l'occasion de s'ennuyer et devoir trouver quelque chose à faire développe la créativité et fait des enfants pleins de ressources.

Il est regrettable que le temps de l'enfant soit entièrement géré par les adultes et par les activités extérieures. Un temps apparemment « vide » permet à l'espace psychique de s'organiser. L'enfant semble ne rien faire d'important ou de constructif, pourtant ce temps, comme le sommeil, est loin d'être du temps perdu.

Jeux et jouets

De 3 ans 1/2 à 4 ans

Qui est l'enfant de trois ans et demi* ?

L'enfant de trois ans et demi est le plus souvent une adorable petite personne, dotée d'un vrai tempérament. Bon parleur, il revendique de tenir une vraie place dans l'organisation familiale. Il s'intéresse, questionne, découvre...

DÉVELOPPEMENT PHYSIQUE

L'enfant de cet âge a, le plus souvent, un poids compris entre 14 et 17 kg et mesure entre 92,5 cm et 1 m. Il sait désormais faire quelques pas sur la pointe des pieds, marcher sur une planche et sauter pieds joints. S'il pédale bien sur son tricycle, il a encore besoin qu'on lui tienne la main pour descendre les escaliers en alternant les pieds. Il aime qu'on le pousse sur la balançoire et, parmi les grands jeux des parcs pour enfants, préfère « la cage à écureuils » dans laquelle il adore grimper et les toboggans.

Il sait désormais reproduire un losange et découper habilement, mais souffre parfois de difficultés temporaires de coordination entre l'œil et la main qui donne un aspect tremblant à certains de ses traits. Il aime gribouiller.

CARACTÈRE ET PERSONNALITÉ

Cette période est surtout celle où l'enfant apprend à contrôler ses colères, ses peurs et ses impulsions agressives. Il tente de se maîtriser aussi bien physiquement que psychologiquement. L'agression devient verbale plutôt que physique et des menaces comme : « Je vais te mettre en prison » ou « Je vais appeler mon père qui va te taper » remplacent les coups de pieds ou les coups de poings. Cet apprentissage du contrôle de soi est une tâche difficile pour l'enfant, dans laquelle il a besoin d'être soutenu par des adultes qui lui montrent l'exemple.

La peur de certains animaux (ou au contraire une passion croissante pour tous les animaux) peut surgir à cet âge. L'enfant craint également de se retrouver seul et redoute les absences de ses parents.

---

* Tous les enfants sont uniques et leurs développements différents. L'enfant normal ou moyen n'existe pas. Aussi, soyez sans inquiétude si vous ne reconnaissez pas toujours le vôtre dans ce portrait.

Mieux capable d'exprimer ses sentiments, l'enfant dit maintenant : « Je t'aime. » Il vit parfois une grande amitié, dont les parents ont tort de se moquer, avec un petit enfant de sexe opposé. Il s'intéresse beaucoup aux adultes, à leurs signes sexuels, à leur vie intime. Il aimerait voir, toucher (lui-même se montre et se touche volontiers), partager, et prendrait bien la place de l'un ou de l'autre dans le lit conjugal. Les petites filles « font des mines » et tentent de séduire leur papa, convaincues, si on ne les détrompe pas, qu'elles l'épouseront plus tard. Les petits garçons sont tendres avec leur maman et se prétendent, si le père fait défaut, leur « petit homme ».

VIE QUOTIDIENNE

Le petit enfant peut apporter une aide réelle à la maison : mettre en partie la table, porter le linge dans la machine, tirer sa couette, etc. Et en plus il aime cela, ce qui ne durera pas... À table, il commence à pouvoir se servir mais il a souvent « les yeux plus grands que le ventre » pour ce qu'il aime. Ses goûts et ses dégoûts sont moins violents. Il mange facilement les légumes crus ou cuits et les viandes en morceaux.

Les rituels du sommeil perdent un peu de leur intransigeance, même s'ils favorisent toujours la mise au lit. Les enfants qui se réveillent la nuit ont tendance à venir se glisser dans le lit des parents. D'autres sont des « lève-tôt » à qui il faut apprendre à respecter le sommeil des autres. Les réveils en pleurs sont souvent dus à des cauchemars, mais l'enfant est rarement capable de les raconter. Vite rassuré, il se rendort tranquillement. Ceux qui ne dorment plus à la sieste sont capables de se reposer calmement un moment.

Certains enfants propres la nuit ne se réveillent pas jusqu'au matin. D'autres appellent pour qu'on les emmène aux toilettes. D'autres enfin, plus rares, se débrouillent avec une veilleuse et un pot près de leur lit.

L'enfant s'habille et se déshabille de mieux en mieux. Il ne se trompe plus dans le sens de ses chaussures et sait mettre seul celles qui n'ont pas de lacets. Si on le lui apprend, il aime se laver seul sous la douche ou dans le bain et le fait très bien.

LANGAGE

Doté d'un vocabulaire de mille mots environ, l'enfant fait maintenant des phrases plus longues et emploie correctement un certain nombre d'adverbes, les négations et les verbes auxiliaires. Il arrive qu'il bégaie un peu lorsque sa pensée va plus vite que ses mots. Il pose maintenant de nombreuses questions commençant par « pourquoi », « quand est-ce » et « qui c'est qui ». Enfin, il fait de grands progrès dans l'expression des notions, des expressions et des temps du passé, du présent et du futur.

VIE INTELLECTUELLE

Plus concentré et plus patient, l'enfant peut maintenant écouter des histoires plus longues, qui durent une vingtaine de minutes. Il aime particulièrement les histoires rythmées par des répétitions et peut commencer à s'intéresser aux contes, basés sur des personnages ou sur des animaux. Certains enfants de cet âge s'intéressent à la musique. Ils ont leurs disques préférés, ceux sur lesquels ils peuvent danser ou galoper avec un bon sens de la mesure. Ils connaissent par cœur plusieurs comptines et sont capables de les mimer. Par écrit, la plupart gribouillent encore, mais un grand nombre d'enfants savent maintenant tracer des traits droits et recopier quelques lettres.

À trois ans et demi, l'enfant est généralement capable de compter jusqu'à dix et de faire de grandes constructions avec ses cubes. Enfin, il connaît son nom de famille, celui des autres personnes qui vivent au foyer et les prénoms de ses parents (il lui arrive de les appeler ainsi).

JEUX ET JOUETS

L'enfant est à la grande époque de l'ami imaginaire qu'il invente pour se tenir compagnie et auquel il prête d'innombrables aventures. Quand il est avec des camarades, il joue à la marchande, au docteur, au papa et à la maman, à la maîtresse, avec un certain nombre d'accessoires simples pour faire « comme si ». Il aime d'ailleurs beaucoup se déguiser, se maquiller, mettre un masque, et jouer à être quelqu'un d'autre. Il vous fait peur en jouant au loup. Il aime s'amuser aussi avec ses premiers puzzles, des jeux de Loto avec des planches de six images, un établi de bricolage, une trousse de médecin, une ferme avec ses personnages, des briques à empiler. Certaines petites filles réclament déjà des poupées mannequins, mais celles-ci restent très difficiles à habiller pour les petites mains encore maladroites. Pour la première année, l'enfant attend Noël, s'y intéresse et attend ses cadeaux. Les emballages ont une grosse importance. Enfin, si vous avez un temps à passer ensemble, faites-le participer à la confection d'un gâteau. Il sera très heureux et apprendra beaucoup.

DÉVELOPPEMENT SOCIAL

Toute fête, toute exception, tout changement dans la routine, s'ils sont vécus en famille ou sans sentiment d'insécurité, ravissent l'enfant. Il aime partir en vacances, aller en visite chez la voisine ou chez un autre enfant, aller déjeuner chez sa grand-mère, etc. Il est très sensible au fait qu'on lui dise un secret à l'oreille et le mot « surprise » le fait piétiner d'impatience.

L'enfant est de plus en plus à même de partager et d'attendre son tour, ce qui facilite les jeux avec les autres enfants. Il sait quels sont les enfants qu'ils préfèrent et ceux qu'il n'aime pas : il appelle les premiers ses amis. Les critères de race ne sont pas pris en compte, sauf si les parents s'en mêlent. Certains enfants sont fréquemment exclus du groupe et prennent le rôle du « souffre-douleur », d'autres celui du leader. La maîtresse peut avoir une certaine influence sur le comportement de l'enfant car il a à cœur de lui plaire et, à cette période, il est très sensible aux félicitations comme aux remontrances.

Les besoins de l'enfant

Tous les parents aiment leurs enfants. Même ceux qui les traitent mal. Tous les parents veulent le bien et le bonheur de leurs enfants. Mais bien souvent ils ignorent de quoi ceux-ci ont besoin pour grandir heureux et en sécurité. Ou plutôt ils ne l'ignorent pas, car nous avons tous été enfants, mais ils l'ont oublié. On offre un jouet lorsqu'il aurait fallu offrir une heure de son temps, ou l'on réprimande lorsqu'il aurait fallu apaiser la culpabilité. Voilà, avec un effort de mémoire, ce que nous pourrions dire des besoins essentiels des enfants. On s'aperçoit, avec le temps et l'expérience, que ceux dont ces besoins sont satisfaits posent beaucoup moins de problèmes à leurs éducateurs.

LE BESOIN D'AFFECTION

C'est volontairement que j'ai employé le mot « affection » et non le mot « amour ». J'ai la certitude qu'aucun des enfants dont les parents ont acheté cet ouvrage ne manque d'amour. L'affection est différente : elle recouvre toutes les petites preuves d'amour que l'on peut donner à l'enfant au quotidien. L'enfant n'a pas seulement besoin qu'on l'aime, ni qu'on lui dise qu'on l'aime (quoique ce soit très important, évidemment) : il a besoin qu'on le lui montre. Faire vivre son enfant dans un ensemble de règles très strictes, avec punitions et châtiments à la clé, est sans doute une façon de montrer de l'intérêt à l'enfant, et sans doute de l'aimer, mais est-ce cela dont l'enfant a besoin pour grandir heureux et épanoui ?

Considération et respect

Montrer son affection à son enfant consiste bien davantage à lui donner de soi-même, de son temps, de son intérêt. C'est le considérer comme un être humain dont les pensées, les désirs et les craintes sont dignes d'être pris en considération. C'est ignorer ses erreurs, parce qu'elles sont autant de leçons, et le guider d'une main sûre, sans jugements ni blâme. C'est convaincre son enfant, au jour le jour, qu'il est quelqu'un de bien, même si l'essentiel des messages qu'il reçoit signifie le contraire (« Tu es trop petit pour... », « Tu as encore fait tomber... », « Non, tu ne peux pas traverser seul », « Arrête de faire cela », etc.). C'est accepter qu'il ne joue pas avec ses jouets, même ceux que l'on a payés cher, qu'il ne veuille pas aller au cours de poterie et qu'il ne soit pas d'accord avec une excellente idée parentale. C'est ne pas promettre une histoire pour avoir la paix mais rester plongé dans son roman.

Disponibilité et soutien

Le petit enfant se sent aimé dans la mesure où ses parents prennent du temps pour lui et se sentent concernés par ses désirs sans qu'il ait sans cesse à les reformuler. Il aime que l'on soit à l'écoute de ses problèmes et que l'on sympathise. Il aime qu'on lui lise des histoires et qu'on joue avec lui. Il aime être chahuté et chatouillé. Il aime qu'on l'aide à s'habiller et à attraper les objets trop hauts pour lui. Il aime qu'on l'aide à retrouver son chiffonou (doudou, nounours, etc.) et que l'on partage avec lui la gravité de cette perte.

C'est seulement parce qu'on aura montré à l'enfant qu'on l'aime, avec des actes et non uniquement avec des mots ou des câlins, qu'il deviendra à son tour capable de donner de l'affection autour de lui.

LE BESOIN DE COMPRÉHENSION

Se mettre à la place de l'enfant

Les adultes se comportent souvent comme s'ils n'avaient jamais été enfants, ou comme s'ils en avaient tout oublié. D'où un grand nombre de conflits et de malentendus entre les parents et leurs enfants qui ne devraient pas être. Bien souvent, si les parents réfléchissaient aux motivations de leurs enfants pour tel acte qui leur a déplu, ils ne pourraient plus se fâcher de la même façon. Ils comprendraient que l'enfant, dans sa logique à lui, est tout à fait fondé à se conduire de cette façon, ou encore qu'il s'est comporté ainsi pour leur plaire. Au lieu de quoi ils tentent de le raisonner, de faire valoir la supériorité de leur point de vue et de lui démontrer qu'il a eu tort.

Comme l'écrit Bruno Bettelheim : « L'enfant est malheureux d'avoir été contrecarré. La supériorité de raisonnement de l'adulte donne à l'enfant le sentiment d'une défaite. En colère ou triste, il ne peut affirmer ses arguments ni comprendre ceux de ses parents. L'enfant se sent vaincu, mais nullement convaincu, par la raison parentale, ce qui est une expérience frustrante et débilitante. Il ne peut désobéir, mais il agit contre ses convictions, ce qui est affligeant. »

Tenir compte de son point de vue

Pour éviter cela, il faut que les parents comprennent et tiennent compte, autant que faire se peut, des points de vue et des désirs de l'enfant, aussi éloignés fussent-ils des leurs. Une fois qu'ils auront compris les pensées de l'enfant, ils pourront alors lui expliquer pourquoi cette attitude n'est pas en accord avec son but.

Le fait d'être pris au sérieux est très important pour l'enfant. C'est le contraire de vouloir à tout prix qu'il ait la même façon de voir les choses que les adultes. Ce vœu des parents est tout simplement impossible : leur cadre de référence et leurs expériences sont trop différents. C'est aux adultes de savoir que deux personnes peuvent avoir raison en même temps et tenir des discours différents, selon le point de vue où l'on se place. Bruno Bettelheim raconte l'exemple d'un petit garçon perdu dans un grand magasin. La mère dit : « Paul s'est perdu », mais Paul dit : « Maman m'a perdu »… Et, de fait, n'est-ce pas elle qui a lâché la main de l'enfant pour s'intéresser à des marchandises qu'elle trouvait, à cet instant précis, plus intéressantes que lui ?

Inutile de lui demander des explications…

Une seule technique pour comprendre les raisons des comportements de nos enfants : nous mettre à leur place et essayer de voir avec leurs yeux. Ne comptons pas sur eux pour nous dire pourquoi ils agissent de telle ou telle façon : bien souvent leurs motivations sont inconscientes ou trop complexes, ou encore nous rendons, par notre attitude réprobatrice, toute franchise impossible. J'entends souvent des parents demander à leur enfant : « Mais enfin pourquoi tu ne viens pas dans le bain quand je t'appelle ? Tu sais bien qu'après je m'énerve, l'eau refroidit, tout va de travers. » Mais l'enfant, jusqu'aux années d'adolescence, est bien peu doué pour l'introspec-

Les besoins de l'enfant

tion. Il ne répond pas aux « pourquoi » parce qu'il ne connaît pas lui-même la réponse.

Mais les enfants peuvent nous mettre sur la voie. Et nous pouvons nous demander : « Moi, à sa place, à son âge, qu'est-ce que j'aurais pensé de cela ? », « Si j'avais agi comme lui, pour quelles raisons l'aurais-je fait ? », « N'ai-je pas, à son âge, vécu quelque chose de similaire ? », « Comment aurais-je aimé, ce jour-là, que mes parents réagissent ? »

LE BESOIN DE RESPECT

Respecter son enfant signifie le traiter comme quelqu'un de valable. L'image qu'il se fera de lui-même et la confiance qu'il aura en lui dépendront en grande partie de la manière dont, profondément, nous l'aurons considéré. Lui accordons-nous le droit d'avoir des opinions, le droit de se tromper ? C'est avec l'image que nous lui renvoyons de lui-même qu'il construira celle qu'il gardera de lui toute sa vie.

Le traiter comme un ami

Le respect que nous portons à notre enfant se traduit par nos paroles et nos actes. Bien souvent, nous ne ferions pas à un ami ou à une relation ce que nous faisons à notre enfant. Or n'est-il pas bien plus valable et plus important à nos yeux ? Avec une relation, nous avons à cœur d'être à l'heure à nos rendez-vous, d'écouter sans l'interrompre, de ne pas l'obliger à aimer notre cuisine ou à finir son assiette, de lui parler poliment, de ne pas la traiter de stupide si elle est en désaccord avec nous, de ne pas lui interdire de toucher aux objets et de faire en sorte qu'elle se sente bien chez nous.

Bien souvent les parents parlent à leur enfant avec irritation et ressentiment, sans que l'enfant sache au juste pourquoi. L'énervement peut venir d'ailleurs, du travail ou de la fatigue, mais c'est l'enfant, parce qu'il est le maillon faible de la chaîne, ou parce qu'en cherchant bien on a toujours quelque chose à lui reprocher, qui subit les conséquences de cet état de fait. Attention : l'enfant est très sensible à ces reproches. Incapable de faire la part des choses, il se sent profondément quelqu'un de mauvais, d'incapable et indigne d'amour.

Un manque de respect généralisé

Les parents ne sont pas les seuls à ne pas respecter les enfants. Beaucoup d'adultes, dont certains font pourtant profession d'être auprès des enfants (enseignants, éducateurs, animateurs, etc.), ne savent pas leur parler avec respect. Paroles dures, pas de « s'il te plaît » ni de « merci », mais : « Interdit de toucher », « On se tait, j'ai dit », « Qui vous a demandé de faire ça ? », « C'est cela que tu appelles un dessin ? », « Tu te conduis comme un bébé », etc. Jamais ils ne se permettraient de parler ainsi à des adultes.

Comment veut-on que les enfants ainsi traités se sentent valables et respectables ? Comme le fait remarquer justement un psychologue américain (L. Peairs), beaucoup de nos attitudes (ou de celles de la société), pourtant habituelles, traduisent un manque de respect pour l'enfant :

- Mettre les confiseries à hauteur de leurs yeux entre les caisses des supermarchés.

- Quitter la pièce sans que l'enfant ait fini de parler, ou encore ne pas lui montrer, par un signe ou un regard, qu'on est en train de l'écouter.

- Lui poser une question et ne pas prêter attention à la réponse.

- Lui demander de faire un puzzle, ou son lit, et ne pas regarder le résultat.

- Lui demander d'aller au lit juste quand son père rentre du travail, ou en plein milieu de son dessin animé préféré.

- Ne pas avoir le temps de l'aider à ranger ses cubes, mais passer une demi-heure au téléphone avec une amie. Ou encore ne pas avoir le temps de l'emmener à la piscine, mais aller passer quatre heures au golf avec des copains.

- Passer rapidement sur son beau dessin mais revenir longuement sur le fait qu'il a cassé sa voiture rouge.

- Promettre un tour de manège, ou une histoire, puis oublier sa promesse ou ne pas la tenir.

- Construire des parcs ou des aires de jeux et interdire l'accès des pelouses aux enfants.

- N'avoir jamais le temps…

Éviter les reproches déguisés

Je n'insisterai pas. Chacun trouvera, dans son propre comportement ou celui de la société, les manques de respect qui blessent son enfant et lui donne une mauvaise image de lui-même. Il ne s'agit pas, bien évidemment, de tout approuver de son comportement, mais de lui dire les choses de manière qu'il puisse les entendre. Dans notre bouche, la simple phrase « Pourquoi as-tu fait cela ? » n'est pas une innocente demande de renseignements, mais un reproche dissimulé, et l'enfant ne s'y trompe pas. Acceptons, si possible, qu'il soit différent de nous et qu'il n'ait que l'âge qu'il a… Traitons l'enfant avec respect. Ce n'est qu'ainsi qu'à son tour, il respectera autrui.

C'est un lève-tôt

La journée a de meilleures chances de bien se dérouler si chacun, parent ou enfant, l'entame de bonne humeur. Or peu de choses sont aussi irritantes qu'un appel d'enfant à six heures du matin quand le réveil doit sonner à sept et que cette heure-là fait toute la différence. Sans parler des dimanches, où l'on donnerait cher pour une grasse matinée. Si votre enfant, bien reposé, affamé et en pleine forme, vous réveille régulièrement trop tôt à votre goût, que pouvez-vous faire ?

S'il vous prive de votre compte de sommeil ou si vous vous inquiétez de le savoir seul éveillé dans la maison, vous pouvez lui apprendre à se rendormir ou à jouer calmement dans son lit ou dans sa chambre jusqu'à ce qu'il soit l'heure de se lever (n'espérez quand même pas qu'il puisse tenir jusqu'à dix heures du matin !). Mais, avant tout, il faut être sûr qu'il a assez dormi. Pour le savoir, reportez-vous au chapitre sur le sommeil (3 ans à 3 ans et demi).

S'IL N'A PAS ASSEZ DORMI

Ceci concerne les enfants qui se couchent normalement mais se réveillent tôt le matin sans avoir eu leur compte de sommeil. Si leur réveil est dû à un excès de lumière ou de bruit dans leur chambre (« Il fait jour, donc je me lève »), le plus simple est de trouver un aménagement qui supprime la cause des réveils. Mais certains enfants se réveillent sans cause apparente. Si c'est le cas du vôtre, voici quelques façons de l'inciter à retourner dormir. Mais n'espérez pas de miracles. S'il fait jour, cela sera très difficile. Dans tous les cas, les progrès seront limités. Si votre enfant se réveille à six heures, il ne va pas passer à huit du jour au lendemain ! S'il évolue vers six heures et quart, puis six heures et demie, c'est déjà très bien.

Quelques attitudes à essayer

- Soyez direct et ferme en lui disant de retourner dormir ou de rester calme dans son lit jusqu'à ce que vous veniez le chercher. Pour certains, le ton convaincu de la voix parentale suffit.
- Rassurez-le. Certains enfants anxieux craignent de ne pas se réveiller à temps pour ce qu'ils sont à faire, donc se réveillent largement avant (cela ne vous est jamais arrivé lorsque vous aviez un avion ou un train matinal à attraper ?). Dites-lui bien que vous le réveillerez ou, mieux, confiez-lui un réveil.
- Ne vous précipitez pas au premier appel. Attendez cinq ou dix minutes

avant d'aller dans sa chambre. Cela suffit parfois pour qu'au bout de quelques jours, il prenne l'habitude de se rendormir.

- Certains enfants sont déjà capables d'être sensibles à la notion de l'heure. Dans ce cas, installez une pendule au mur de sa chambre. Dites-lui qu'il doit dormir (ou au moins ne pas vous réveiller, sauf problème grave, bien sûr) tant que la petite aiguille n'a pas atteint tel chiffre, que vous matérialiserez par une grosse gommette rouge par exemple. Cela marchera mieux si chacun y gagne : intéressez l'exercice. Chaque fois que l'enfant parvient à atteindre l'heure voulue, marquez une croix qui donnera droit, au bout de cinq, puis de dix, à un petit cadeau.

S'IL A ASSEZ DORMI

Cette méthode de la pendule peut également être utilisée dans le cas où l'enfant a assez dormi. On souhaite lui apprendre à patienter avant de réveiller toute la maison. Le problème des jeunes enfants est souvent qu'ils ne savent pas, alors, comment passer le temps. À vous de prévoir, la veille, quelques occupations à glisser dans son lit ou dans sa chambre (si elle est totalement sûre, il peut y jouer en toute sécurité en vous attendant).

Comment l'occuper le matin ?

- Remplissez un grand sac de « joujoux du matin ». Des objets ou jouets divers, à renouveler de temps à autre, auxquels il n'aura droit qu'à ce moment de la journée. Glissez ce sac à côté de son lit en vous couchant et récupérez-le en vous levant.

- Enregistrez des histoires sur des cassettes. Le matin, votre enfant pourra écouter seul une de ses cassettes sur son lecteur. Vous entendre lui raconter l'histoire sera un grand plaisir. Là encore, ces cassettes doivent être réservées à cet usage, afin de bénéficier de l'effet de surprise et de découverte.

- Si votre enfant a faim et soif le matin, placez sur sa table de nuit, le soir en vous couchant, un petit snack qu'il grignotera seul au réveil : biberon, fruits secs, biscuits, fromage, vous avez le choix.

- « Intéresser » le résultat favorise la réussite. À vous de fixer l'enjeu de façon progressive. Au début, un quart d'heure de patience, plusieurs jours de suite, mérite récompense, puis une demi-heure, etc.

Vous demandez à votre enfant de faire un gros effort pour vous faire plaisir, effort qui consiste à retenir l'envie qu'il a de vous retrouver le plus vite possible. S'il y parvient, montrez-lui votre plaisir et votre fierté. Puis, quand enfin c'est l'heure, montrez votre joie à le rejoindre et à commencer la journée avec lui.

C'est un lève-tôt

L'enfant qui bégaie

Tout le monde sait ce qu'est le bégaiement : plusieurs acteurs en ont fait l'un des ressorts principaux de leur jeu comique. Mais le rire s'arrête à la fin du film, car rire d'un enfant qui bégaie ne pourra aider que celui qui bénéficie déjà d'un bon sens de l'humour… Pour les autres, il s'agit essentiellement d'une difficulté à la fois embarrassante et frustrante, mais nullement amusante.

QU'EST-CE QUE LE BÉGAIEMENT ?

Plus sérieusement, pour le spécialiste du langage, le bégaiement se définit par la répétition de mêmes syllabes et par des blocages intervenant au cours de la prise de parole. Le plus souvent, la répétition plus ou moins prolongée s'applique à la première syllabe du premier mot de la phrase ou d'un mot particulièrement difficile à prononcer. On b-b-bégaie co-co-co-comme ça. Dans le cas d'un blocage de la parole, on observe parfois des signes associés plus ou moins prononcés : l'enfant rougit, des difficultés respiratoires ou des suées peuvent apparaître. Le bégaiement peut parfois être associé à d'autres difficultés du langage : mauvaise construction des phrases, pauvreté du vocabulaire, etc. On constate, dans la population générale, qu'environ un pour cent des gens ont de telles difficultés, plus ou moins prononcées, et que cela concerne en majorité le sexe masculin.

LA FORME BANALE

Aux débuts du langage, il est fréquent et le plus souvent banal que l'enfant traverse une période de bégaiement. Chez certains enfants, cette phase apparaîtra autour de trois ans, voire plus tôt. Dans le cas d'un enfant ayant commencé à parler tard et qui rattrape en vitesse le temps perdu, le bégaiement peut survenir vers trois ans et demi ou quatre ans et se maintenir un moment.

Un simple « embouteillage » de mots

Les parents ne doivent pas s'inquiéter outre mesure. Il faut comprendre qu'au cours de certaines phases d'acquisition très rapides du langage, il est normal que la parole ait quelques « ratés ». L'enfant bégaie, ânonne, emploie un mot à la place d'un autre et s'énerve de n'être pas compris. Pour les spécialistes, il s'agit d'un simple manque de fluidité verbale, tout à fait passager. Dans la tête de l'enfant, les idées vont plus vite que les mots et cela crée une sorte « d'embouteillage ». L'enfant a encore du mal à trouver ses mots, il manque du vocabulaire nécessaire pour exprimer précisément sa pensée. D'où cette impression de maladresse que donne le langage de l'enfant lors de cette phase d'apprentissage. Dans certains cas plus particuliers, le bégaiement peut survenir soudainement à la suite d'un choc émotionnel.

Un bégaiement à dimension variable

L'enfant qui bégaie ne le fait pas toujours. Il peut, par exemple, s'exprimer correctement lorsqu'il parle avec d'autres enfants, lorsqu'il chante ou lorsqu'il unit sa voix à un chœur. À l'inverse, le bégaiement augmente lorsque l'enfant est contrarié, énervé ou fatigué (ceci montre bien le rôle de l'anxiété et du psychisme dans cette difficulté).

QUELLE ATTITUDE ADOPTER ?

Ne pas montrer sa gêne ou son inquiétude

L'essentiel pour l'entourage est de rester détendu face à ce problème. L'enfant doit absolument se sentir accepté tel qu'il est, au stade de croissance qui est le sien. Cela implique qu'il doit pouvoir prendre la parole tranquillement, en toute confiance, en étant sûr d'être à la fois attendu et entendu par ceux qui l'entourent. Si l'interlocuteur se montre attentif, calme, qu'il n'interrompt pas l'enfant ni ne finit ses phrases, les choses s'arrangeront.

Ne pas pointer le comportement

Il est bon également de prendre en compte la tension que le bégaiement entraîne. Chacun à la maison doit laisser la parole à l'enfant qui bégaie sans prêter apparemment la moindre attention à son défaut de prononciation, tout en ne parlant pas trop vite et avec des phrases courtes. Ainsi l'enfant peut en faire autant. Le but est qu'il se sente détendu et intéressant lorsqu'il parle, au même titre que tous les autres membres de la famille. Plus le bégaiement sera repéré, pointé, corrigé, plus il s'installera profondément. Plus l'enfant sera conscient de son problème et plus il bégaiera. Tentant d'être attentif à chaque mot qu'il prononce, il n'osera bientôt plus parler, ou au prix d'une grande anxiété. Or l'anxiété, tendant les cordes vocales et contractant la respiration, aggrave le bégaiement.

Attendre que l'enfant gagne en aisance

La plupart du temps, ce problème de fluidité se réglera tout seul et il ne convient pas de lui attribuer plus d'importance qu'il n'en a. Le bégaiement banal cessera lorsque l'enfant gagnera en aisance verbale, vers cinq ans environ. Néanmoins, dans certains cas, le bégaiement va continuer. Aussi les parents doivent-ils malgré tout se montrer attentifs à l'évolution de la parole de leur enfant.

LA FORME CHRONIQUE

Si le bégaiement persiste au-delà de l'âge de quatre ou cinq ans, ou au contraire s'il survient vers cinq ou six ans, il convient alors de s'en occuper sérieusement. Il est plus difficile de guérir d'un bégaiement bien installé et tardif, même si, dans une majorité des cas, le problème se résout aux débuts de l'adolescence.

Consulter un spécialiste

La première chose à faire est d'en parler avec le pédiatre qui suit l'enfant. Il conseillera souvent d'avoir recours aux services d'un orthophoniste compétent sur ces questions, qui entamera une rééducation de la parole. Mais, en même temps, il est bon d'envisager un travail psychothérapeutique. En effet, un bégaiement persistant est souvent associé à des troubles affectifs dont il est important de s'occuper. Les enfants qui bégaient sont fréquemment nerveux, émotifs et anxieux. Ils ont besoin d'une aide pour structurer leur personnalité.

Prévoir une prise en charge

Un entraînement à la relaxation produit également de bons résultats. L'enfant qui, à la fois, vit dans une ambiance sereine et peut apprendre à se détendre, à régulariser sa respiration et à parler plus lentement et plus bas, s'en sortira plus facilement.

Les causes du bégaiement sont mal connues. On a évoqué une composante héréditaire, la conséquence d'une gaucherie contrariée ou de troubles de la personnalité, un désordre moteur. Pour venir à bout d'un bégaiement sévère ou réfractaire, il peut être nécessaire d'avoir recours simultanément à tous les moyens évoqués (psychothérapie, orthophonie et relaxation).

LES ATTITUDES À ÉVITER

- Se moquer de l'enfant, l'imiter ou le réprimander.

- Se montrer impatient ou agacé lorsque l'enfant parle.
- Montrer une inquiétude exagérée pour ses difficultés de parole.
- L'obliger à prendre la parole en public.
- Finir systématiquement les mots ou les phrases de l'enfant (on peut le faire parfois, pour l'aider).
- Toutes celles qui risqueraient d'augmenter encore l'anxiété de l'enfant.

La préparation à la lecture

À l'âge de votre enfant, il est déjà possible de jouer avec lui en développant son goût pour la lecture. Jeux de mots et jeux de sens, plaisir partagé de choisir et de feuilleter de petits livres, sont autant de manières de se préparer à lire.

L'IMPORTANCE DE L'ÉCRIT

Devenir un bon lecteur…

Être un bon lecteur, c'est parvenir à lire de manière rapide et sûre, avec les yeux seuls, en comprenant le sens de ce qu'on lit. C'est une condition essentielle de la réussite scolaire dans toutes les manières, y compris en mathématiques. « Pourquoi ? », diront certains, « dans le monde de demain, la vidéo et l'écran d'ordinateur auront remplacé l'écrit. » L'avenir ne se présente pas ainsi. Alors qu'une proportion encore importante d'enfants arrivent en classe de sixième sans savoir lire couramment, lire restera encore longtemps la condition d'un bon niveau scolaire. Même un écran d'ordinateur doit pouvoir être lu et compris rapidement. Un bon maniement de la langue écrite fera encore longtemps la différence entre deux candidats, quelle que soit l'orientation choisie. Lire est un pouvoir que l'on doit mettre entre les mains de tous les enfants.

… Cela se prépare

Mais pourquoi écrire sur la lecture dans ce chapitre alors qu'elle n'est enseignée aux enfants qu'à partir de six ans ? Pour une raison très simple. Toutes les études récentes ont montré que les conditions de la réussite ou de l'échec dans cet apprentissage étaient déjà toutes en place le jour de la rentrée au Cours Préparatoire. C'est injuste, mais c'est ainsi. Un enfant préparé de multiples façons à lire apprendra de manière beaucoup plus rapide et sûre que celui qui n'a pas été confronté à l'écrit. Et cette préparation commence dès le plus jeune âge.

À CHAQUE ENFANT SON RYTHME

Pour apprendre à lire facilement, il faut être prêt

Il ne s'agit pas ici de vous indiquer comment apprendre à lire à votre enfant. Si vous souhaitez, d'ici quelques mois, vous et lui, vous lancer dans cette aventure, pourquoi pas ? Il est donné aujourd'hui de plus en plus d'importance aux expériences de lecture avant six ans. Mais ce n'est pas mon propos. Il ne s'agit pas, dans mon esprit, de bousculer l'enfant pour qu'il devance ses camarades, mais de permettre simplement à chacun de suivre son rythme.

Une grave erreur consisterait à pousser un enfant à lire alors qu'il n'y est pas prêt sur le plan physiologique, émotionnel ou intellectuel. Cela lui demanderait de tels efforts qu'il y a risque de l'en dégoûter pour longtemps. Certains enfants vont être curieux de l'écrit et comprendre le mécanisme de la lecture dès quatre ou cinq ans. D'autres, même s'ils doivent devenir plus tard professeurs de français, n'y seront prêts que vers sept ou huit ans.

Développer « l'aptitude à lire »

D'après Gould, il en va de l'aptitude à lire comme des autres talents. Certains enfants ont le « sens » de la lecture comme d'autres le sens de la musique ou du rythme. Ceux-là sont demandeurs d'apprendre à lire : il serait dommage de le leur refuser et, avec eux, toute méthode marchera. Mais pour les autres, c'est-à-dire la plupart des enfants, apprendre à lire tôt ne donne pas forcément de bons résultats. Décrypter est relativement simple, comprendre ce que l'on lit est plus difficile et demande plus de maturité. Aussi mon propos n'est pas de vous suggérer d'apprendre à lire à votre enfant. On ne s'improvise pas enseignant et ceux que l'on a au Cours Préparatoire sont généralement très compétents : laissons-les faire. En revanche, vous pouvez faire beaucoup, dès maintenant, pour que votre enfant, lorsqu'il apprendra à lire, le fasse avec facilité et plaisir. Une longue et riche préparation à la lecture donne toujours de bons résultats. L'enfant apprend plus vite, passe moins de temps à déchiffrer et accède plus vite à la « lecture plaisir ». Il se fabrique une bonne image de l'école et de lui-même. Cela ne concerne pas les parents qui veulent un super-enfant éblouissant ses pairs, mais ceux qui veulent l'encourager à développer ses capacités dans toutes les directions. Tout se joue avant l'apprentissage lui-même.

Bien sûr, l'école maternelle est là pour préparer les enfants à ces apprentissages, mais son rôle, faute de moyens, est parfois insuffisant. Les parents, d'une manière ou d'une autre, activement ou par l'exemple, jouent leur rôle, encore plus important. Et puis c'est tellement passionnant d'ouvrir à son enfant le monde de l'écrit !

Dans cette préparation à la lecture, beaucoup de facteurs interviennent.

LE MODÈLE PARENTAL

S'il est un domaine où l'exemple familial est dominant, c'est celui-ci. Dans une famille où les parents lisent et discutent de leurs lectures, où livres et revues traînent dans la maison, où l'écrit est valorisé, l'enfant va tout simplement suivre le même chemin. Une étude menée aux États-Unis et intitulée : « L'influence de l'environnement familial sur la réussite scolaire au grade 1 » (l'équivalent de notre Cours Préparatoire) donnait les indications suivantes : les meilleurs élèves avaient tous été déjà en contact avec la lecture. Leurs parents leur avaient lu régulièrement des histoires et étaient eux-mêmes lecteurs. Il y avait des livres à la maison. Si les parents pensaient que lire était important, les enfants pensaient de même. Les parents s'intéressaient davantage à ce que faisait l'enfant à l'école et avaient tendance à valoriser l'école et l'enseignant.

LES HABITUDES FAMILIALES

C'est dès la naissance que l'enfant apprend l'importance de l'écrit et se prépare à lire. Le rôle des parents et des habitudes familiales est très important.

- S'ils prennent le temps de jouer et de communiquer avec leur enfant, plutôt que de se mettre ou le mettre devant l'écran de télévision,
- s'ils le questionnent et lui laissent le temps de répondre, s'ils répondent à ses questions, cherchant parfois ensemble les réponses dans les dictionnaires ou les encyclopédies,
- s'ils lui lisent des histoires et vont avec lui à la bibliothèque choisir des livres,
- s'ils lui permettent d'expérimenter, d'exercer ses cinq sens, de participer à leurs activités,
- s'ils ont à cœur de l'aider à développer son langage et l'encouragent à s'ouvrir sur le monde par des balades, des rencontres, etc.,
- s'ils attirent très tôt son attention sur des mots écrits (paquets de céréales, affiches publicitaires, répétition du mot Babar dans le livre, etc.) et sur l'utilité de lire (recette de cuisine, mode d'emploi, etc.),
- alors leur enfant est déjà, à trois ans, bien intégré dans le monde de l'écrit.

La préparation à la lecture

La préparation à la lecture

LA PRÉPARATION PROPREMENT DITE

La joie de découvrir des choses nouvelles

L'enfant qui baigne dans un tel milieu a de fortes chances d'être attiré par la lecture : il sait qu'elle lui ouvrira la porte à mille autres champs de connaissance. Mais les parents peuvent faire plus en jouant avec lui d'une façon qui le préparera intellectuellement, et non plus seulement psychologiquement, à la lecture.

S'appuyer sur l'intérêt de l'enfant

L'essentiel est que l'enfant ait en permanence l'impression de jouer et de découvrir des choses nouvelles, ce qu'il adore. L'enfant de cet âge aime apprendre, pour peu que cela s'appuie sur son expérience et non sur sa compréhension ou sa mémoire. Il faut bien sûr que l'enfant soit d'accord et attiré par les lettres et les mots. Tous le sont à un moment ou à un autre, pas forcément à l'âge que l'école prévoit. Les forcer ne sert à rien qu'à les frustrer, eux et leurs parents. Certains enfants sont « papier-crayon » dès le plus jeune âge, sont concentrés et ont une bonne mémoire des mots imprimés, d'autres au contraire s'intéressent à d'autres choses, expression physique, poupée ou pâte à modeler. Chacun ses centres d'intérêt.

La méthode : jouer ensemble

Partager avec son enfant de petits jeux qui le préparent à la lecture et à l'écriture demande aux parents un peu de temps et d'enthousiasme, mais pas plus que d'autres jeux partagés. Il faut juste de l'humour, du plaisir et ne rien attendre qui ressemble à une réussite scolaire. Se montrer anxieux d'un résultat ou placer la barre trop haut aboutira à du désintérêt, à des disputes, à un dégoût, bref au résultat inverse ! Parfois, c'est l'enfant lui-même qui est opposant. Parfait, allons jouer au ballon. Il n'y a pas que les livres, dans la vie !

DES JEUX POUR SE PRÉPARER À LIRE

Vous trouverez dans cet ouvrage des exemples de jeux de préparation à la lecture correspondant à cette année et à l'année prochaine. Ils vous donneront une idée des compétences à entraîner. Il existe également dans le commerce de petits livres très attrayants spécialisés sur le sujet.

Et s'il apprenait à lire ?

Il arrive parfois qu'à force de jouer à préparer la lecture, l'enfant finisse par apprendre à lire. Faut-il aller jusque-là ? On se trouve face à un dilemme.

D'un côté, répondre à la demande actuelle de l'enfant. Mais les enseignants n'apprécient pas cela. Ils disent que les parents n'emploient pas les bonnes méthodes, que l'enfant aura des problèmes plus tard, qu'il s'ennuiera en classe lorsque les autres apprendront quelque chose qu'il connaît déjà ou même que cela peut endommager son avenir.

D'un autre côté, arrêter l'enfant dans sa progression et lui faire attendre le Cours Préparatoire. Mais si, le moment du désir passé, l'enfant ne prenait plus le même plaisir à apprendre à lire ? Si, dans une classe de vingt-cinq élèves, il « n'accrochait » pas ?

Pour conclure, il ne me semble pas grave qu'un enfant termine l'école maternelle en sachant lire, si cet apprentissage s'est fait naturellement, dans le plaisir et le jeu. Les cycles ont justement été mis en place pour faire face aux différences individuelles de cet ordre. L'enseignant saura s'occuper de chacun selon ses besoins, quitte à donner d'autres activités à l'enfant lecteur, pour ne pas qu'il s'ennuie pendant que le reste des élèves apprend.

Des jeux pour se préparer à lire

Leur but est de préserver et d'entretenir la curiosité naturelle de l'enfant pour la lecture et l'écriture et de lui proposer d'avancer progressivement dans les compétences qui les permettent. De nombreuses études ont mis en évidence quelles aptitudes motrices et sensorielles devait posséder l'enfant pour apprendre à lire rapidement et facilement. Ces petits exercices ne visent qu'à aider l'enfant à les développer. Ainsi qu'à offrir aux parents qui le désirent la grande joie d'être celui ou celle qui donnera à son enfant la clé magique du monde où l'on découvre la lecture.

LE LANGAGE

Des mots pour communiquer

Votre enfant a entre trois et quatre ans. C'est le meilleur âge pour développer les compétences qui seront indispensables pour l'apprentissage de l'écrit. Parmi celles-ci, le développement du vocabulaire parlé et de la fluidité du langage est le plus important. Non pas langage abstrait, ou langage que l'on acquiert en regardant la télévision, mais langage mis au service de la communication avec ceux que l'on aime ou avec qui on veut échanger. Mots qui permettent de demander ce dont on a besoin et d'exprimer ses sentiments. Langage qui permet de poser toutes les questions qui viennent à l'esprit pour mieux comprendre comment le monde tourne et pour appréhender les réponses que les adultes donnent.

Savoir parler pour savoir lire

Faut-il encore insister ? Une bonne maîtrise du langage est indispensable avant l'entrée en primaire pour que l'enfant ait une scolarité réussie. Il existe une corrélation directe entre le niveau de langage de l'enfant et ses capacités d'apprentissage en lecture et écriture à l'école primaire. Plus l'enfant maîtrise l'outil « langage » avant son entrée en primaire, meilleures sont ses chances de réussite.

Cela attire forcément l'attention sur les problèmes des enfants de famille migrante, dont la langue maternelle n'est pas celle parlée à l'école. Il est indispensable, pour que ces enfants gardent toutes leurs chances d'effectuer une scolarité normale, qu'ils puissent, entre deux et quatre ans, être intégrés à l'école maternelle où ils pourront apprendre à développer une bonne compétence en français.

Traquez les « trucs »

Pour aider son enfant à développer sa maîtrise de la langue, quelques points sont utiles à avoir en tête. Parmi ceux-là, apprendre à nommer les objets, les images et les choses par leur nom exact est important. « Torchon » vaut mieux que « truc », « stylo » que « machin », et « caniche » que chien. Plus vous serez précis dans votre expression, plus votre enfant enrichira son vocabulaire. N'oubliez pas qu'il ne parlera pas mieux que vous. Il répétera vos gros mots si vous en dites, et parlera correctement si vous le faites également.

À vous d'encourager l'apprentissage de mots nouveaux et de concepts abstraits. Employez de petits mots comme dessus, dessous, à côté, avant, après, entre, au milieu, derrière, devant, etc., et assurez-vous que votre enfant en comprend correctement le sens.

LES COMPÉTENCES À DÉVELOPPER

Toni Gould est l'un des spécialistes qui ont beaucoup travaillé sur ces questions. Il dénombre les six compétences indispensables suivantes.

1. Savoir écouter

Une technique toute simple permet de développer cette compétence : lisez ou racontez des histoires à votre enfant. Si l'histoire l'intéresse, il écoutera avec attention. Vous pourrez ensuite parler avec lui de qu'il a entendu et retenu. Cela développe aussi le vocabulaire de l'enfant.

2. Savoir se concentrer

Savoir se couper de toute distraction extérieure pour se concentrer sur ce que l'on fait est nécessaire à tout apprentissage. Certains enfants savent se concentrer sur leurs activités et s'y plonger totalement. D'autres auront besoin de petits jeux pour s'y entraîner.

3. Savoir observer et se repérer

Savoir repérer avec finesse les différences entre deux dessins est une compétence qui sera utile à l'enfant pour distinguer aisément le p, le q, le d et le b, par exemple. Lire demande une bonne discrimination visuelle et des jeux comme « les sept erreurs » sont un bon entraînement.

4. Savoir suivre des directives orales

Il s'agit ici d'apprendre à l'enfant à suivre des instructions données avec la voix (et non avec les gestes). L'enseignant fait cela couramment et certains enfants ont du mal à admettre que cela les concerne et à obéir aux consignes.

5. Développer la coordination entre l'œil et la main

Cela sera indispensable dès qu'il s'agira d'écrire. Or certains enfants sont plus malhabiles que d'autres. Cette aptitude peut être entraînée de différentes manières. On peut par exemple dessiner une route sur un papier et demander à l'enfant de suivre la route avec son crayon, sans en sortir. Cela sera très difficile à certains : les yeux voient, la tête voudrait bien, mais la main ne suit pas. Bien tenir son crayon et s'entraîner à de petites tâches de précision comme celle-ci sont le moyen de progresser.

6. S'habituer à aller de gauche à droite

Cela nous paraît tout simple à nous, adultes, qui y sommes tellement habitués. Mais apprendre à bouger la main et les yeux dans une direction donnée, toujours la même, de gauche à droite, puis revenir rapidement à son point de départ, demande bien un entraînement. C'est plus facile pour certains enfants, bien latéralisés et droitiers, que pour d'autres. Or il s'agit bien là d'une compétence et d'une habitude indispensables, aussi bien dans la lecture que dans l'écriture.

LES JEUX

Maintenant que vous savez quelles sont les compétences que vous pouvez aider votre enfant à développer cette année et qui lui seront précieuses dans l'apprentissage ultérieur de la lecture et de l'écriture, il est facile d'en déduire les petits jeux qui les exerceront. Vous trouverez ici quelques exemples qui vous permettront d'en inventer d'autres et de trouver des livres qui entraînent l'enfant dans la même direction. Ces petits jeux exercent tantôt une seule, tantôt plusieurs de ces compétences simultanément. N'oubliez jamais qu'il ne s'agit pas de piéger l'enfant ni de lui apprendre quelque chose, mais seulement de partager avec lui d'utiles moments de plaisir. Aussi réglez toujours la difficulté du jeu de manière à ce qu'il puisse gagner le plus souvent, sans trop d'efforts.

1. « C'est quoi, ce bruit ? »

Les yeux fermés, demandez à votre enfant de reconnaître des bruits : soit des bruits naturels, de l'extérieur (une voiture qui passe, un chien qui aboie, une fenêtre qui claque…), soit des bruits provoqués. Dans ce cas, le jeu peut devenir : « Avec quoi je fais ce bruit ? »

2. Trouver le rythme

Frappez un rythme, avec un tambourin, en claquant des mains, ou en tapant des pieds, et demandez à l'enfant de le reproduire. D'abord simple, deux ou trois coups au maximum, le jeu peut se compliquer selon la réussite de l'enfant.

3. « Où est le compte-minutes ? »

Il s'agit de retrouver, dans la pièce, dans la maison ou dans le jardin, un objet sonore qui y a été caché.

4. Le jeu des devinettes

Il offre de multiples variantes qui vous seront très utiles pour développer les compétences langagières de l'enfant. Chacun à son tour pose une devinette comme : « Je pense à quelque chose que l'on met devant son visage pour se déguiser. » Le jeu peut se compliquer ainsi : « Je pense à un mot qui rime avec carnaval. C'est un animal qui hennit », ou : « Je vois quelque chose de rouge qui est derrière le canapé. »

5. « C'est quoi, cet objet ? »

Vous montrez trois ou quatre objets d'usage courant à votre enfant (un peigne, une cuiller, un dé, etc.). Puis vous les mettez dans un sac opaque et vous bandez les yeux de l'enfant. Il doit sortir un à un les objets du sac et les identifier par le toucher. Quand cela sera trop facile pour lui, vous ferez de même sans lui présenter les objets auparavant.

6. « Qu'est-ce qui manque ? »

Vous posez plusieurs objets sur un plateau (plus il y en a, plus le jeu est difficile). L'enfant les nomme et les décrit verbalement. Puis il se retourne et vous en enlevez un (ou vous le changez pour un autre). L'enfant doit ensuite deviner quel objet a été enlevé.

7. « Cache-cache objet »

Cachez un objet dans la pièce et aidez l'enfant à le retrouver en le guidant avec les deux seules instructions : « Tu chauffes » et « Tu refroidis ».

8. « Le bonneteau »

Retournez quatre gobelets en plastique opaque sur la table. Cachez un petit objet sous l'un d'eux. Déplacez les gobelets en les faisant glisser sur la table, un par un, ou deux par deux. Arrêtez et demandez à l'enfant de deviner sous quel gobelet se trouve l'objet.

9. « Où est l'image ? »

Prenez un livre d'images. À l'insu de l'enfant, choisissez une des illustrations et décrivez-la à l'enfant (« Je vois un beau jeune homme à cheval, le long d'une rivière, et il pleut »). Refermez le livre, donnez-le à l'enfant et demandez-lui de retrouver l'image. Le niveau de difficulté de ce jeu varie beaucoup selon le nombre d'illustrations du livre et la manière dont vous les décrivez.

10. « Entrez dans la danse »

Mettez de la musique. Demandez à l'enfant de danser ou de sautiller, puis de s'arrêter net lorsque cesse la musique.

11. « Jacques a dit »

Ou « Fais ce que fait la poupée ». Dans cette dernière variante, l'adulte tient la poupée en face de l'enfant qui doit faire les mêmes gestes en miroir (lever le bras, s'asseoir, se relever, etc.).

12. « Le jeu de la commande »

Il développe à la fois l'écoute et le mémoire. Il consiste à donner à l'enfant une instruction comprenant un nombre croissant de séquences. Exemple à trois instructions : « Va chercher une cuiller à la cuisine, puis ferme la porte de ta chambre et reviens t'asseoir face à moi. »

13. « Des traits pour tes pas »
Dehors, dessinez sur le sol (sur le sable ou à la craie) de grands cercles, des courbes, des circuits. Des flèches indiquent le sens du parcours. L'enfant doit marcher sur les traits, dans le bon sens.

14. « Des traits pour tes doigts »
Dessinez sur une feuille des traits et des courbes (plus dur) avec des flèches indiquant le sens du départ. L'enfant doit repasser sur les traits avec son doigt ou avec son crayon en s'éloignant le moins possible du trait initial.

15. « Repasse après moi »
Dessinez des grandes formes en pointillés (carrés, ronds, formes complexes) et demandez à l'enfant de repasser dessus, puis de les compléter. Indiquez-lui avec des flèches le sens du parcours, qui doit respecter le sens et les directions habituelles de l'écriture.

16. « Le bonhomme sans tête »
Faites des dessins très simples auxquels il manque un élément que l'enfant va devoir repérer (un bonhomme avec une seule jambe, un visage sans bouche, une maison sans porte, etc.).

L'obésité du jeune enfant

Pour certains parents, la difficulté alimentaire de leur enfant ne se présente pas comme un refus de manger. Au contraire : leur enfant semble toujours mourir de faim. Il recherche de la nourriture à toute heure du jour et se jette sur chacun de ses repas avec voracité, comme s'il n'avait rien mangé depuis trois jours. Il a une préférence marquée pour le sucré, mais elle est loin d'être exclusive. À la maison, les parents doivent cacher les boîtes de biscuits et verrouiller les placards pour ne pas que leur enfant aille y faire le vide.

ATTENTION À UN EXCÈS DE POIDS IMPORTANT
Un enfant qui a bon appétit n'inquiète généralement pas les parents, qui peuvent même se montrer fiers du bon coup de cuiller de leur enfant. On

voit couramment à la sortie de l'accueil du soir de la maternelle des parents venir chercher leur enfant avec un pain au chocolat à la main, alors que celui-ci a goûté moins d'une heure avant.

Ce symptôme n'est signalé que lorsqu'il se traduit pas un excès de poids important qui alerte le médecin. On commence à parler d'obésité à partir d'un excès de poids de 20 % par rapport au poids normal à cette taille. Plus cet écart est grand, plus les risques le sont également. Nous ne saurions trop inciter les parents d'un enfant obèse à consulter sans tarder un spécialiste, et cela pour plusieurs raisons :

- Plus le problème est traité tôt, plus il a de chances de s'arranger.

- Les difficultés de poids s'accroissent souvent entre dix et treize ans, mieux vaut donc avoir abordé, voire résolu, le problème avant.

- Si l'on s'attaque uniquement aux effets de l'obésité, c'est-à-dire si l'on vise, par un changement de régime, une simple perte de poids, ce qui est évidemment possible, on résout rarement le problème à long terme : si on ne s'occupe pas de la cause, les kilos perdus reviennent rapidement.

NE PAS HÉSITER À CONSULTER

Un spécialiste sera à même d'évaluer quelle est la signification de cette attitude qu'a l'enfant face à la nourriture. Il se peut que l'enfant cherche à compenser par la prise d'aliments quelque chose qui lui manque sur le plan affectif ou relationnel. Il comble physiquement un vide psychologique. Remonter à la cause, comprendre ce que l'enfant exprime, permet aux parents de modifier leur comportement et de rassurer leur enfant sur l'amour qu'ils lui portent.

Dans d'autres cas, l'enfant cherche à faire plaisir à une mère elle-même très concernée par la nourriture : le « déterminisme familial » est très important. L'enfant de parents obèses ou d'une famille de gros mangeurs a considérablement plus de risques de devenir obèse à son tour. Les facteurs héréditaires sont importants, mais n'expliquent pas tout. Parfois, c'est toute la famille qui doit rencontrer le spécialiste et remettre en question sa façon de se nourrir.

LE MODÈLE FAMILIAL

On retrouve, pour les problèmes alimentaires, la valeur de l'exemple dont il sera maintes fois question en matière d'éducation. Des parents qui mangent raisonnablement et avec plaisir une alimentation variée et équilibrée sont évidemment les plus à même d'avoir des enfants sur le même modèle…

L'obésité du jeune enfant

Les problèmes du coucher

Entre trois et quatre ans, mettre son enfant au lit et obtenir qu'il s'endorme rapidement se révèle souvent une entreprise difficile. Le refus peut être très fort chez certains enfants.

DES SOIRÉES QUI PEUVENT ÊTRE ÉPROUVANTES

Si les enfants se rendent compte de la gêne qu'ils occasionnent à leurs parents et sont encore en phase d'opposition, des scènes éprouvantes pour tout le monde peuvent se reproduire chaque soir. Tant que les parents joueront le jeu, l'enfant ne peut être que gagnant et faire se prolonger ses soirées encore et encore, à la recherche d'une quelconque limite.

Pourquoi l'enfant résiste-t-il au fait d'aller se coucher ?

Il peut y avoir plusieurs raisons, mais il est fort probable qu'il se sente anxieux à l'idée de se retrouver seul dans sa chambre, affrontant alors l'obscurité et les peurs qu'elle engendre. Il est évident que tous les enfants de cet âge (et les plus âgés !) préféreraient rester en famille à bavarder ou regarder la télévision. Mais il faut bien qu'il y ait une heure de coucher. Si les parents veulent bénéficier d'une partie de soirée sans enfants, d'un peu d'intimité et de tranquillité, ils ont tout intérêt à en fixer une et à s'y tenir. Cette heure doit être raisonnable : elle ne le serait pas si elle empêchait l'enfant de passer un temps suffisant avec ses parents le soir. Après une journée de séparation d'avec sa famille, l'enfant a besoin d'affection, de partage, de jeux communs et de temps rien que pour lui.

L'âge de le laisser choisir n'est pas encore venu

Certains parents demandent gentiment à leur enfant : « Tu ne crois pas qu'il serait l'heure d'aller au lit ? », espérant qu'il va agréer. Mais l'enfant, lui, croit le contraire et, si on lui donne le choix, va tout faire pour retarder l'heure du coucher « rien qu'un peu, maman, rien qu'un petit moment ». Donner chaque soir le choix à l'enfant et compter sur lui pour être raisonnable, c'est aller au-devant d'ennuis certains. À trois ans, on est encore loin de l'âge de raison. Vers cinq ans, les choses s'arrangent et l'enfant choisit souvent de lui-même d'aller se coucher lorsqu'il est fatigué. Mais d'ici là…

Si votre choix éducatif est de laisser votre enfant choisir son heure de coucher et finir par s'endormir sur un coin du canapé du salon, libre à vous. Mais si vous pensez que votre enfant a besoin de sommeil et si vous souhaitez des soirées pour vous relaxer, seul ou avec votre conjoint, essayez les conseils qui suivent.

COMMENT RÉGLER LES DIFFICULTÉS DU COUCHER ?

Déterminer une heure raisonnable de coucher

Tout d'abord, fixez l'heure du coucher en tenant compte, si possible, de l'individualité de votre enfant, de ses besoins de sommeil, de son rythme propre et de celui des autres membres de la famille.

Une fois cette heure décidée, maintenez-la fermement. « À huit heures, on se couche. » Cette règle n'a pas à être discutée ni remise en question chaque soir. Cela ne signifie pas qu'il faille être rigide et ne jamais tenir compte des situations exceptionnelles, comme la veille des vacances ou l'arrivée de l'oncle Jean, mais seulement qu'il est plus facile d'imposer une heure de coucher lorsqu'elle est régulière.

Établir un rituel sécurisant

La routine de la mise au lit que vous avez décidée, une fois enclenchée, n'a pas de raison de s'interrompre jusqu'à son terme. Les enfants aiment savoir ce qui se passera ensuite. La routine les rassure. Elle peut commencer une heure avant par le bain et la mise en pyjama, enchaîner par le dîner, et se prolonger par l'application du rituel du sommeil proprement dit. L'enfant saura à quel moment la mise au lit interviendra : après l'histoire et le pipi, avant le câlin et le dernier baiser de maman. L'habitude est votre alliée.

Maintenir une ambiance de calme

Réservez les activités calmes pour la demi-heure qui précède le coucher, afin que l'enfant se détende et sente le sommeil venir. La bataille de polochons, ou toute activité qui énerve l'enfant, ne l'aide évidemment pas à accepter de se mettre au lit, à l'inverse de la musique, des chansons ou berceuses fredonnées dans le noir.

Faire preuve de souplesse et de fermeté

L'enfant a besoin de votre tendresse du soir. Pourtant, si ses demandes se prolongent trop, il faut savoir y mettre un terme. « Encore une histoire, rien qu'une, s'il te plaît. Reviens me faire un baiser… » À un moment, il est bon de dire : « Oui, mais c'est le dernier, après je te laisse et je ne reviendrai pas », et de s'y tenir. Vous pouvez aussi prévenir l'enfant à l'avance :

« Je te lis deux histoires ce soir, et ce sera tout », ou encore : « Quand la grande aiguille de la pendule sera sur le 3, je sortirai et je te laisserai dormir. » Puis s'y tenir.

Si le problème prend des proportions importantes, il est bon d'essayer de comprendre pourquoi. L'enfant a-t-il des peurs dont il n'ose pas vous parler ? Discutez-en avec lui. Rassurez-le sur votre présence dans la maison. Aidez-le à se défendre contre ses peurs : ne lui refusez ni la veilleuse, ni la porte entrouverte, ni les douze peluches qui occupent le lit, ni sa tétine ou son pouce s'il en a pris l'habitude.

LES RAPPELS MULTIPLES

L'enfant mis au lit, embrassé et bordé, le problème n'est pas réglé pour autant. Car il se relève… Dix minutes après le « dernier » baiser, le voilà revenu dans le salon en quête d'un verre d'eau, ou d'un « dernier dernier baiser ».

Que faire ? Le père est généralement assez efficace pour régler ce problème. S'il est ferme, il peut montrer à l'enfant que les deux parents sont d'accord sur le fait que l'enfant doit rester dans sa chambre, ce qui est un point essentiel.

La première fois, on remmène l'enfant gentiment mais sans traîner. La deuxième fois, on peut d'abord faire semblant de ne pas le voir puis le raccompagner moins gentiment. L'enfant ne doit surtout rien « gagner » à se relever, comme par exemple le droit de rester exceptionnellement avec les adultes ou recevoir une sucrerie. Car alors il se mettrait à recommencer le lendemain, et le jour suivant…

IL FAUT ÊTRE CLAIR SUR CE QUE L'ON VEUT OBTENIR

Si votre but est de faire dormir votre enfant à l'heure que vous avez décidée, vous n'y parviendrez pas. Renoncez tout de suite, ou alors acceptez des conflits quotidiens. Comme disait ma grand-mère : « On ne fait pas boire un cheval qui n'a pas soif. »

Mais si votre but est d'avoir une soirée tranquille et, pour cela, que votre enfant reste calmement dans sa chambre jusqu'à ce qu'il s'endorme, c'est tout à fait possible. Grâce à sa veilleuse ou à une petite lampe de chevet (il existe des interrupteurs permettant de régler l'intensité lumineuse de la lampe), votre enfant peut jouer doucement ou feuilleter un petit livre. Quand le sommeil viendra, il s'endormira sans vous déranger.

Bien des conflits se règlent lorsque l'on n'impose plus à l'enfant de dormir mais qu'on le convainc simplement qu'à une certaine heure, chacun « regagne ses quartiers ».

RÊVES ET RÊVERIES

Le plaisir de rêver fait partie du plaisir de se mettre au lit. L'enfant qui sait rêver, inventer des histoires, est aussi celui qui saura, une fois couché, se servir de son imaginaire pour attendre le sommeil. Mais les enfants d'aujourd'hui ont-ils encore le temps de rêver ? Pour développer son espace intérieur, il faut du temps libre, du temps vide, du temps d'ennui, du temps seul avec soi-même.

Les jouets de l'enfant

L'expérience du jeu est fondamentale : tous les enfants du monde s'y livrent spontanément, pourvu qu'ils soient en bonne santé physique et mentale. Le jouet vient ensuite prendre sa place comme un excellent stimulant du jeu. Bien sûr, l'enfant peut jouer au foot dans la ruelle avec une vieille boîte de conserve, mais avec un ballon, c'est quand même plus agréable. Et il vaut mieux qu'il gribouille son petit livre cartonné que les œuvres de Molière dans la Pléiade.

EXPLORER UN JOUET

Un enfant peut jouer longtemps avec une simple boîte en carton ou quelques gobelets en plastique. Mais les jouets du commerce sont étudiés pour le rôle qu'ils auront à jouer. Ils sont souvent très riches en possibilités, davantage que les objets du quotidien. Grâce à eux, l'enfant acquiert des notions de couleur, de forme, de contenu, de dureté, de malléabilité, d'espace. Regardez un petit face à un nouveau jouet : il va se servir de tous ses sens pour le découvrir. Il va le regarder, bien sûr, sous toutes ses faces. Mais il va aussi le mettre dans sa bouche pour le goûter et le sentir, le cogner ou le secouer pour l'entendre, le retourner et le démonter pour en ausculter chaque partie. C'est une approche merveilleuse, complète et très efficace pour aborder l'inconnu. Si l'ensemble de ces opérations se fait en moins de trois minutes, l'objet atterrira sans pitié au fond du coffre à jouets, irrémédiablement mis en pièces, pour ne peut-être jamais en ressortir. Aussi est-il important de fournir à l'enfant du matériel de qualité, résistant, et qui préserve ses capacités d'attention et de découverte. C'est le cas de beaucoup des jouets vendus aujourd'hui.

LES RAPPORTS ENTRE LE JEU ET LE JOUET

Des jeux sans jouets

On peut certainement dire que jeux et jouets sont indissolublement liés, même s'ils peuvent exister l'un sans l'autre. Certains jeux n'ont besoin d'aucun support matériel, comme par exemple les jeux de devinettes, de chat perché, de comptines, de rondes ou de chatouilles. D'autres jeux s'appuient sur du matériel qu'on ne peut pas qualifier de jouet puisqu'il n'a pas été conçu dans ce but. Citons en vrac les couvercles de casserole, le Minitel, les roseaux que l'on tresse, les draps qui font des cabanes, les chaussures à talon de maman et le chien du voisin. À l'inverse, certains jouets sont d'emblée conçus pour être exposés ou collectionnés, non pour qu'on joue avec. C'est le cas des soldats de plomb ou des poupées folkloriques.

Alors le jouet, finalement, c'est quoi ?

Par définition, c'est l'objet qui sollicite et qui pousse au jeu. Il n'a pas d'autre finalité que celle-ci.

Les jouets proposés aux petits enfants sont des objets colorés, vifs et attrayants. Ils donnent envie aux enfants de les manipuler Ils sont souvent d'une utilisation assez complexe, ou bien ils offrent plusieurs niveaux d'utilisation, si bien qu'ils posent à l'enfant des problèmes que celui-ci s'efforce de résoudre, affinant ainsi ses compétences. De plus, ces jouets sont la propriété de l'enfant et donc à sa disposition lorsqu'il le désire, ce qui n'est pas le cas de la râpe à gruyère ou du moulin à légumes qu'on lui confie lorsqu'on veut qu'il se tienne tranquille le temps qu'on finisse d'éplucher les carottes…

Les jouets ne sont donc pas seulement un atout supplémentaire dans l'environnement du jeune enfant. Ils sont réellement un outil pour son développement harmonieux sur le plan physique, mental, sensoriel et affectif. Le jouet vient combler des besoins d'exploration, de curiosité, de manipulation, de sécurité, de découverte et d'affection absolument primordiaux.

LE BON JOUET

Privilégier la simplicité

Il est simple, sûr, multifonctions, costaud, en fait peu.

Mais l'enfant d'aujourd'hui a tendance à vivre dans un monde de boutons, d'écrans, d'électronique. Nombreux sont les jouets fascinants par ce que les

« puces » intégrées leur permettent de faire. Il va falloir en tenir compte et chercher à équilibrer les objets qui entourent l'enfant.

Pour développer le jeu, le matériel vaut mieux que les jouets. Sable, eau, peinture, papier, pâte, vieux vêtements, etc., donnent plus l'occasion de développer l'imagination, la créativité et les découvertes.

Il aime les objets ordinaires

L'enfant préfère vos objets à ses jouets ? Bien sûr, puisqu'il est à l'âge de l'imitation. Ce qu'il aime, c'est faire comme vous : c'est ainsi qu'il apprend à devenir un homme, une femme. Et puis l'enfant n'est pas idiot. Il repère vite que vos objets sont plus compétents et plus amusants, parce qu'ils font plus de choses que les siens. Votre enfant sait bien que votre téléphone permet d'appeler « pour de vrai » les gens que l'on aime, pas le sien.

En réalité, les objets les plus ordinaires de la vie quotidienne peuvent aider l'enfant à mettre en acte (et souvent à résoudre) certains de ses problèmes les plus profonds pourvu qu'on lui laisse la libre disposition de ces objets, comme des vieux habits, tout ce qui peut lui permettre de jouer au grand.

Lui laisser la libre disposition de ses jouets

Cette libre disposition concerne aussi les jouets qu'on lui offre. Nous devons admettre qu'il pourra s'en servir à sa guise, et pas forcément comme prévu. Cette attitude éliminerait toute spontanéité, ce qui est déjà grave, mais elle aboutirait à exercer un contrôle sur quelque chose qui devrait permettre à l'enfant d'exercer sa liberté, d'être responsable de lui-même et d'échapper avec soulagement, tant que dure le jeu, à la domination des adultes.

PRÉFÉRER LES JOUETS NON STRUCTURÉS

Les jouets structurés sont généralement plus complexes, ils contiennent plus de petits détails que les jouets non structurés et ne peuvent être utilisés que dans une seule situation. Par exemple, la poupée qui pleure ou qui rit ne peut être utilisée que dans des situations particulières de détresse ou de plaisir, alors que la simple poupée de chiffon peut tenir tous les rôles et prendre toutes les positions. Le camion du laitier qui ressemble précisément au vrai ne peut servir que dans des jeux où on livre du lait, alors que le camion de base sans marques spécifiques peut servir dans tous les cas et pour toutes les histoires où figure un camion.

Une grande part laissée à la créativité

Les jouets non structurés sont ceux qui offrent le plus de choix pour les jeux et les découvertes de l'enfant et laissent, de ce fait, la plus grande part à sa créativité. L'enfant peut tester à chaque fois de nouvelles idées.

Ces jouets ne contiennent pas en eux-mêmes d'idée préconçue de l'adulte sur la manière dont l'enfant est supposé s'amuser avec ce jouet, donc ne peuvent donner lieu à échec ou désapprobation. Ils n'ont pour limite que l'imagination de l'enfant. Moins le jouet en fait par lui-même, plus l'enfant en fait. L'enfant n'a pas à être spectateur mais acteur de ses jouets et de ses jeux. C'est l'une des manières dont il acquiert la confiance en lui.

Quelques exemples de jouets

- Tous les jeux de constructions qui permettent, avec de grands blocs, de simuler tantôt un aéroport, tantôt une ferme, tantôt une maison de poupée, tantôt un garage.
- Les petits personnages à qui l'on peut confier différents rôles.
- Les pâtes à modeler et les pâtes à sel que l'enfant peut manipuler sans but préalable.
- Une grande variété de papiers, cartons, boîtes à œufs ou boîtes de camembert, crayons de couleur, craies, ardoise, crayons gras, feutres, peintures, pinceaux, tableaux, ciseaux, catalogues, colle, etc.
- Tous les jouets pour « faire semblant ».

Ces jouets ne coûtent pas cher. Ce ne sont pas ceux pour lesquels les fabricants font de la publicité à la télévision. Mais ce sont certainement ceux avec lesquels votre enfant jouera le plus.

ÉQUILIBRER LES TYPES DE JOUETS

Chaque catégorie de jouets a ses avantages, permet des jeux différents et apporte des choses importantes à l'enfant. Aussi, avant de choisir un nouveau jouet, regardez bien ceux que possède déjà votre enfant et tentez d'équilibrer, en tenant compte de ses goûts, bien sûr. Qu'il y joue seul ou avec des copains, votre enfant va, grâce à ces jeux, développer ses capacités affectives, sociales, intellectuelles et motrices.

1. Les jeux avec des instructions à suivre

Ils ont des règles et un but précis à atteindre, comme les puzzles, les pions à enfoncer dans des trous, les Lotos, les kits ou les modèles réduits à monter dans un certain ordre, etc. Ces jeux développent l'esprit logique en apprenant à respecter les séquences, les classements, les ordres, à développer une stratégie pour résoudre un problème, à travailler par essais et erreurs et à prévoir les conséquences de ses actions.

2. Les matériaux

Pour construire et créer, comme les pâtes à modeler, les jeux de construction, etc., tous les objets qui peuvent être empilés, assemblés ou manipulés pour fabriquer quelque chose. Ces jeux développent de nombreuses aptitudes : habileté manuelle, créativité et notions mathématiques.

3. Les objets réels

On peut les trouver dans la nature ou les acheter, mais ils ont pour particularité d'être des objets de la vie courante.

Par exemple : vêtements ou maquillage d'adulte pour se déguiser, sable, eau, bois, emballages, bicyclette ou tricycle, ballon, papier et crayons, outils de bricolage ou accessoires de cuisine, marionnettes, livres, balançoire, etc. Pour la plupart, vous ne trouverez pas à les acheter dans le rayon des jouets, mais ils sont pourtant une source formidable d'acquisition et d'expériences.

4. Les jouets proprement dits

Ce sont souvent des représentations miniatures plus ou moins fidèles du monde adulte, qui stimulent aussi bien les jeux de l'enfant seul qu'avec des copains. Citons pour exemple les peluches, les poupées, les petits personnages, les voitures, les cow-boys, les animaux de la ferme, la trousse de médecin, etc.

Ils aident l'enfant à grandir en lui permettant de « jouer » la réalité en la modifiant à volonté, afin de mieux l'apprivoiser. Ils développent également le langage : même l'enfant seul parle volontiers tout haut lorsqu'il invente une histoire avec un début (« On dirait que je serais le docteur et que tu serais malade… »), un milieu et une fin, et emprunte pour cela aux expressions des adultes (« C'est fini maintenant, les enfants, on se tait ! »).

QUELS JOUETS POUR LES TROIS À SIX ANS ?

Cette liste ne vise pas à l'exhaustivité, mais seulement à vous donner quelques idées supplémentaires auxquelles vous n'auriez peut-être pas pensé.

- Raquette en bois avec balle accrochée, puis raquette et volants ou balles.
- Jouets à lancer ou à faire rouler, en visant.
- Grand tunnel en tissu avec armature métallique.
- Tente d'Indiens ou petite cabane en toile.
- Serrures ou cadenas avec clés ou combinaisons.
- Aquarium ou terrarium (*idem*, mais pour insectes).
- Très grands cartons (on en trouve dans les magasins d'électroménagers) pour faire un magasin, une maison, etc.
- Baigneur ou poupée que l'on peut baigner.
- Marteau, clous, vis, tournevis, bois tendre, etc.
- Petit matériel de cuisine, de lingerie ou de jardinage.
- Marionnettes à main.
- Lecteur de cassettes, instruments à percussion.

Pour les plus grands
Portique, cerf-volant, skate, patins à roulettes, matériel de plongée, matelas pneumatique, panier de basket, machine à calculer, machine à écrire, aimants, thermomètre, caisse enregistreuse, globe terrestre, diapositives et appareil pour les regarder, appareil photo, boulier, matériel de couture ou de broderie, montre, maquettes en carton, kit de fabrication de bougies ou de bijoux, grande boîte de matériel pour peindre et dessiner.

L'enfant à l'hôpital

Vous venez d'apprendre que votre enfant, malade ou accidenté, doit passer des examens ou recevoir des soins qui ne peuvent lui être donnés à domicile : il doit être hospitalisé. Cela signifie qu'il va devoir quitter son foyer pour un lieu étranger, quitter sa famille pour un personnel soignant inconnu et changeant, et que son corps va être l'objet de soins dérangeants, voire douloureux. Pour que ce séjour soit une expérience et non un traumatisme, votre enfant doit y être préparé.

LA NÉCESSITÉ D'EXPLIQUER
Expliquez à votre enfant la situation. Mieux il comprendra le fonctionnement de son corps, l'action de sa maladie, la raison et la nature des soins qu'il va recevoir, mieux il les acceptera.
Pour des parents angoissés, parler et expliquer peut se révéler difficile.

Mais le silence est cruel pour votre enfant, car il n'a alors aucun moyen à sa disposition pour donner sens à ce qu'il vit. Seuls les mots vrais, honnêtes, adaptés à son âge, ont un effet réellement rassurant. L'enfant sait alors que l'hôpital et les soins sont destinés à le soigner et à le guérir.

En rupture avec toute sa vie d'avant, l'enfant est également confronté à sa solitude, à sa douleur parfois et à l'impuissance de ses parents à le soulager et parfois à faire face eux-mêmes. Aussi le dialogue est-il fondamental. Si l'enfant n'ose pas poser de questions car il sent ses parents trop émus, il faut aller au-devant de ce questionnement et parler avec des mots clairs, non trompeurs.

RESTER PRÈS DE SON ENFANT

Beaucoup d'hôpitaux admettent bien la présence prolongée des parents dans les services d'enfants. Mais, si l'hospitalisation dure ou si vous avez d'autres enfants, vous allez bien devoir vous absenter. Veillez dans ce cas à rester proche, symboliquement et affectivement, de votre enfant. Amenez-lui ses jouets favoris, téléphonez-lui, laissez-lui de petites surprises dans son tiroir, soyez à l'heure lors de vos venues, racontez-lui tout ce qu'il se passe à la maison, etc. Vous éviterez ainsi les effets de la souffrance psychique, parfois pire que la souffrance physique.

Tout enfant guérit mieux et plus vite s'il a auprès de lui son doudou, ses peluches, ses jouets… et sa maman, si possible en accord et non en rivalité avec l'équipe soignante.

L'association APACHE* a beaucoup réfléchi et beaucoup agi sur ce sujet. Elle a publié un guide** excellent qui fait bien le tour de la question et peut vous aider en cas de besoin. De même, Sparadrap*** est une association qui a édité plusieurs publications. L'une, intitulée *L'enfant hospitalisé*, est destinée à l'enfant lui-même, à qui elle explique en termes simples et clairs ce qui l'attend.

* APACHE : Association pour l'Amélioration des Conditions d'Hospitalisation des Enfants.
** *Enfant à l'hôpital ? Suivez le guide*, par APACHE, éditions Gallimard, 1992.
*** Sparadrap : 48, rue de la Plaine, 75020 Paris, tel. : 01 43 48 11 80.

L'enfant à l'hôpital

L'ami imaginaire

Avoir un vrai copain est une excellente chose. Mais parfois insuffisante à l'âge où les relations amicales sont encore bien difficiles à gérer. L'ami imaginaire, véritable double de l'enfant, est une compagnie bien plus complaisante…

INVENTER POUR MIEUX COMPRENDRE

L'enfant se sert de sa vie imaginaire pour résoudre un certain nombre de conflits internes dont il ne saurait venir à bout autrement. Parce qu'il « joue » ses conflits et ses peurs, il les dédramatise et les tient à distance. Tous les enfants ont fait cela et les thèmes qu'ils abordent sont aussi vieux que l'humanité.

Si les adultes ne sont pas sollicités pour tenir une place dans ces jeux, le mieux qu'ils puissent faire est de les respecter et de ne pas s'en mêler. Tant que l'enfant sait quand il doit revenir à la vie quotidienne et ne confond pas les deux plans, l'imaginaire et le réel, il ne fait que se développer conformément à son âge.

UN COPAIN RIEN QU'À SOI

On appelle « l'ami imaginaire » le personnage que s'inventent certains enfants pour leur tenir compagnie. Bien qu'invisible, ce compagnon de jeu tient une grande place dans la vie de l'enfant et, par conséquent, dans la vie de toute la famille. Il joue avec l'enfant, lui raconte des histoires et fait souvent les bêtises à sa place.

Cette invention est surtout le fait d'enfants uniques ou d'enfants aînés : pour se construire ainsi un personnage, il faut avoir le temps de rêver, seul dans sa chambre. Les seconds ou les enfants rapprochés, d'une part sont ramenés à la réalité par leur frère ou leur sœur, d'autre part n'ont pas besoin de s'inventer un compagnon de jeu puisqu'ils en ont un à demeure.

Cette invention est aussi le fait d'enfant très imaginatifs, ce qui est une qualité.

COMMENT RÉAGIR ?

Là encore, il semble que le mieux est de ne pas trop s'en mêler, sauf si votre enfant vous le demande explicitement.

Quelle attitude adopter lorsque votre enfant vous parle de cet ami ? Entrez dans son jeu, mais en gardant une distance suffisante pour que l'enfant comprenne que vous n'êtes pas dupe et que vous savez qu'il ne l'est pas non plus.

Il arrive souvent que l'enfant se serve de cet ami imaginaire pour lui faire endosser la responsabilité de ses bêtises. C'est lui qui l'a bousculé et lui a fait renverser le verre, c'est lui qui l'empêche de dormir parce qu'il parle tout le temps, etc. Solution ingénieuse et respectable, qui aide l'enfant à distinguer le bien du mal, à condition là aussi que l'enfant puisse sortir de son jeu et faire bien la différence avec la vérité. Au parent de lui renvoyer : « Tu as bien de la chance que ce soit ton ami qui ait fait cela. Tu sais combien il a eu tort. J'aimerais que tu lui dises de ne pas recommencer. »

QUAND L'AMI PREND TROP DE PLACE

S'il vous semble que votre enfant passe trop de temps dans ses rêves et ses scénarios imaginaires, donnez-lui davantage d'occasions de jouer avec d'autres enfants. N'hésitez pas à le ramener à la réalité lors des échanges quotidiens, des repas, du bain, etc. L'ami imaginaire doit savoir s'effacer et trouver ses limites, pour laisser la place au réel de la vie.

L'arrivée d'un nouveau bébé

Même si les parents ont programmé la conception de ce nouveau bébé, même s'ils se réjouissent profondément, ils ne peuvent souvent se défaire d'une inquiétude : comment l'aîné va-t-il prendre cette arrivée ?

LE PETIT PRINCE PERD SON TRÔNE…

C'est bien de cela qu'il s'agit. Jusque-là, votre enfant était l'Unique, au centre de toutes vos préoccupations, objet de vos espoirs et de vos émerveillements. Lui a l'impression de tout vous apporter et de combler vos besoins parentaux. Il est facile, en se mettant à sa place, de comprendre que votre enfant ne saute pas d'enthousiasme à la nouvelle. Après tout, à trois ans, on se sent encore tout petit par certains côtés, on n'a pas forcément envie de devenir « un grand ».

Ne noircissons pas le tableau. Certains enfants ont réclamé un petit frère ou une petite sœur et se réjouissent d'être exaucés. Mais la petite fille s'imagine avec une nouvelle poupée, le petit garçon avec un nouveau copain, ce qui sera loin d'être le cas dans les premiers temps. À la naissance, une déconvenue est possible.

L'enfant va s'apercevoir que ce tout petit bébé suscite auprès de chacun un intérêt inversement proportionnel à sa taille. Au moindre de ses cris, maman se précipite. Chacun vient s'émerveiller sur le berceau et couvre le nouveau venu de cadeaux. Il y a de quoi en concevoir quelque dépit !

C'est donc une épreuve que l'enfant va devoir traverser, dont il sortira grandi.

L'ANNONCE FAITE À L'ENFANT

Il sent qu'il se passe quelque chose

Inutile d'attendre pour informer l'enfant de cette nouvelle grossesse. Vous pouvez lui en faire part dès que vous en avez la certitude. Votre enfant s'est certainement déjà rendu compte qu'il y avait quelque chose de changé chez sa maman. Avec une intuition très sûre, il a ressenti l'attente, la joie, les doutes, un changement d'ambiance ou de caractère, une plus grande fatigue, autant d'indices qui lui ont fait comprendre qu'il se passait quelque chose d'important.

Ces signes peuvent être une cause d'anxiété tant que l'enfant ne sait pas quelle en est la raison. Plutôt que le laisser poser des hypothèses, mieux vaut partager la nouvelle avec lui.

Lui donner le temps de se préparer

Bien sûr, ces neuf mois vont sembler long à votre enfant, surtout s'ils ne sont axés que sur la nouvelle naissance. Mais la vie continue. L'enfant va mettre ces mois à profit pour se préparer intérieurement, même s'il est bien incapable d'imaginer la réalité de la situation à venir.

À vous de partager cette période avec lui, en tant que membre de la communauté familiale. Il sera heureux de discuter prénoms, couleur du papier mural, forme du lit, etc. Vous pouvez aussi ajouter qu'un bébé étant un gros travail supplémentaire, vous comptez bien sur lui pour vous donner un coup de main.

Associé, il se sentira grand et aura moins envie de redevenir un bébé.

LA JALOUSIE INÉVITABLE

La jalousie sera presque toujours présente

- Même si ce bébé était voulu et attendu impatiemment par l'aîné. En fait, il n'avait aucune idée réelle de ce qui l'attendait et se contentait de rêver un copain ou de partager la joie de ses parents.

- Même si elle ne se manifeste pas tout de suite : après tout, ce bébé est si petit, si inoffensif, qu'il peut facilement disparaître sous l'indifférence. Mais après huit à dix mois, quand le même bébé commence à se tenir assis, à revendiquer une place à part entière et à attraper les jouets, la menace devient plus précise ! Parfois, c'est seulement à l'âge de la marche que l'aîné se met à réagir plus violemment.

- Même si elle est invisible. Il est difficile de manifester sa jalousie devant des parents tellement émerveillés par leur bébé et tellement sûrs du plaisir de leur « grand ». Pour ne pas déplaire, pour ne pas perdre une place déjà très menacée, certains enfants vont être très gentils avec le bébé, refoulant au plus profond leur agressivité.

Une émotion à comprendre et à accepter

Il n'est pas rare que la détresse de l'enfant (jalousie, peur de perdre l'amour, désarroi) se manifeste de différentes manières : paroles ou gestes agressifs envers le bébé, changement de caractère, problèmes de sommeil ou d'alimentation, etc. Leur but est d'attirer l'attention sur une souffrance et de vérifier qu'on mérite toujours l'attention et l'intérêt parentaux.

Tout rentrera rapidement dans l'ordre si les parents ne manifestent ni condamnation ni culpabilisation envers leur enfant. Plutôt que de lui dire : « Tu n'as pas honte, il est si petit, il ne peut pas se défendre ! », mieux vaut lui expliquer que cette naissance est une décision des parents, que leur amour pour lui ne sera jamais remis en question, qu'il est libre de ne pas aimer ce bébé, mais qu'il est interdit de lui faire mal.

L'enfant jaloux a besoin de se sentir entouré et compris. Des parents calmes et patients, qui l'écoutent tout en le protégeant de ses propres pulsions agressives, sauront vite le rassurer sur la constance de leur amour.

L'enfant se dit : « Si maman en aime un autre, c'est qu'elle ne m'aime plus, ou pas autant. » Comme chacun de nous, il ne veut pas seulement être aimé, mais préféré. Il sera rassuré lorsqu'il aura compris qu'il est aimé pour ce qu'il est, et qu'il aura toujours une place unique dans le cœur de ses parents.

Les bienfaits de la jalousie

- Elle offre une occasion unique à l'enfant de mûrir et de devenir plus responsable. Lorsqu'il aura traversé cette « épreuve psychologique », il sera devenu plus compétent sur les plans affectif, relationnel et social.

- Beaucoup d'enfants, au lieu de régresser, choisissent cette occasion qui leur est donnée de grandir pour devenir plus autonomes et plus responsables. Fiers d'être devenus « grand frère » ou « grande sœur », ils ont à cœur de montrer que l'on peut maintenant compter sur eux. Pour cela, il importe de solliciter son aide et de le valoriser. L'enfant doit être assuré qu'il est pas-

L'arrivée d'un nouveau bébé

sé dans le camp des « grands » et non qu'il reste dans celui des « bébés », où le plus admiré des deux est celui qui crie la nuit et qui fait pipi dans sa couche.

QUELQUES CONSEILS

Des retrouvailles affectueuses

Dès l'arrivée du bébé, laissez votre enfant venir à la maternité, si c'est autorisé. Vos retrouvailles sont une petite fête où vous allez donner toute votre attention à votre grand, lui faire plein de câlins et lui offrir un petit cadeau pour fêter l'occasion. Il sera d'emblée rassuré sur l'importance qu'il garde pour vous.

L'aîné d'abord

Il est souhaitable que les visiteurs, eux aussi, commencent par s'adresser à l'aîné avant de se tourner vers le nouveau bébé qui, lui, ne s'en offusquera pas. Rappelez-vous qu'à son âge, votre enfant reste persuadé qu'il est ce qu'il y a de plus important au monde.

Être grand est un avantage

Votre enfant ne sera heureux de devenir « grand » que si cela s'accompagne d'avantages certains que le bébé n'a pas : se coucher plus tard, aller avec papa à la piscine, etc., et non de devoirs supplémentaires, comme montrer l'exemple ou être raisonnable.

Ne pas laisser le bébé « prendre sa place »

Il est fréquent que les parents, dans une bonne intention, profitent d'une naissance pour demander à l'aîné de laisser son lit, de partager sa chambre, de ne plus dormir dans la chambre des parents, etc. Mieux vaut faire les choses en deux temps. Une naissance est déjà un moment de changement difficile à gérer sur le plan affectif. Mieux vaut que, pendant quelques mois, les autres repères restent en place. Mieux vaut les amorcer dès l'annonce de la grossesse, ou bien attendre quelque temps, et toujours avec l'accord de l'enfant.

Ces coïncidences temporelles sont maladroites, car l'enfant va rendre le bébé responsable de l'inconfort des changements qui lui sont imposés. Il lui en voudra et se sentira malheureux de ce qu'il risque de vivre comme un rejet (« On m'éloigne et c'est le bébé qui prend ma place »).

Donnez-lui des preuves d'amour

Votre enfant est inquiet : il a peur de perdre votre amour. Souvent, il devient infernal dans le seul but de savoir s'il a toujours autant d'importance à vos yeux. À vous, par vos câlins et vos petites attentions, de lui démontrer que votre tendresse est intacte.

Pour cela, de petits moments réservés, lorsque le bébé dort ou que le papa peut s'en occuper, seront précieux. C'est à votre enfant, alors, de décider de l'emploi du temps : petit livre, jeu, promenade…

Tolérez des moments « bébé »

Puisque le bébé vous intéresse tellement, il serait étonnant que votre aîné n'essaie pas lui aussi de « faire le bébé ». Il peut se mettre à redemander un biberon qu'il avait quitté, ou demander le sein si vous allaitez, ou se mettre à parler comme un bébé… Faites preuve de patience. Tolérance et humour viennent vite à bout de ces comportements.

Acceptez l'émotion, pas l'acte

Votre enfant a le droit d'être en colère, d'être jaloux, d'être mécontent. Tout cela est respectable et compréhensible, à condition de ne pas en rajouter. En revanche, le passage à l'acte agressif sur le bébé est totalement interdit. Cela doit être dit clairement et posé comme règle. Vous pouvez dire par exemple : « Je ne te demande pas d'aimer ce bébé, tu as tout à fait le droit de penser parfois qu'il te gêne, mais je t'interdis de lui faire du mal, parce que ton papa et moi nous l'aimons et c'est notre devoir de le protéger. »

Offrez-lui une poupée baigneur

Certains jours, votre enfant aura plaisir à faire sur son baigneur les mêmes choses que vous faites avec le bébé : le baigner, le coucher, le bercer, lui donner le biberon. Cette « identification » à l'adulte le protégera d'une régression à un stade bébé.

D'autres jours, il pourra faire subir à « son bébé », sans risques de représailles, toute la violence qu'il ressent parfois envers le vrai.

Parlez-lui de son enfance

C'est l'occasion de sortir les albums de photos et les films. Votre enfant sera ravi de découvrir que lui aussi a été un tout petit bébé, que lui aussi, vous l'avez allaité, choyé et câliné…

Laissez-le s'occuper du bébé

Partagez des moments amusants. Attirez son attention sur ce drôle de bébé. Montrez-lui qu'il le reconnaît déjà. C'est le meilleur moyen d'en faire des copains. L'empêcher d'approcher du couffin et montrer trop d'appréhension serait le meilleur moyen d'augmenter la rivalité entre eux.

Une nouvelle naissance est une période délicate pour chaque membre de la famille. Les équilibres et les rôles changent. Chacun doit trouver sa nouvelle place. Dans la quasi-totalité des cas, tout rentre dans l'ordre en quelques mois.

Une attitude parentale faire de patience, de compréhension et d'affection aidera l'enfant à se sentir aimé et rassuré. Il pourra alors développer son attachement pour ce merveilleux copain plein d'admiration qui lui est tombé du ciel…

De 4 ans à 4 ans 1/2

Qui est l'enfant de quatre ans* ?

Après le bel équilibre des trois ans, l'enfant traverse de nouveau une période difficile de rupture d'équilibre au cours de laquelle il va avoir besoin à la fois de fermeté et de sécurisation. Timide (ou intenable) au-dehors mais intarissable à la maison, infatigable mais parfois très fatigant…

DÉVELOPPEMENT PHYSIQUE

L'enfant de quatre ans pèse généralement entre 14,5 et 18 kg. Il mesure entre 97,5 et 104 cm. Ces chiffres sont des moyennes, les filles sont plus facilement dans le bas ou en dessous de ces chiffres et les garçons au-dessus.

L'enfant de quatre ans a de gros besoins de dépenses physiques : galoper en jouant au cheval, sauter, grimper aux arbres, faire des galipettes, filer sur son tricycle, s'enfuir en courant si vous lui courez après, sont parmi ses activités favorites. Il descend les escaliers seul en alternant les pieds.

La précision manuelle devient meilleure. Plus habile avec ses ciseaux, il commence à savoir découper en ligne droite. Ses dessins de bonhomme commencent à être bien identifiables, avec tête, corps, bras et jambes. Il est également capable d'écrire correctement son nom avec de grandes majuscules et de reconnaître ces lettres s'il les rencontre.

PERSONNALITÉ ET CARACTÈRE

Bavard et imaginatif, l'enfant est à l'âge des « grandes inventions » : il invente des histoires riches, colorées, invraisemblables et s'étonne parfois que l'on ne soit pas dupe. Il se veut le personnage central des aventures, « fait son intéressant » et se montre fier de ses réalisations.

À cet âge bruyant, l'enfant se montre, comme deux ans plus tôt, excitable, autoritaire et parfois difficile. Des signes de tension interne apparaissent parfois : il se ronge les ongles, fait des cauchemars, bafouille ou présente un tic. Ces caractères un peu paradoxaux témoignent du fait que l'enfant traverse une étape psychologique très importante et difficile pour lui, qui débouchera l'an prochain sur un nouvel équilibre. Il a de plus en plus conscience qu'il est un individu autonome, à la fois différent et proche de

* Tous les enfants sont uniques et leurs développements différents. L'enfant normal ou moyen n'existe pas. Aussi, soyez sans inquiétude si vous ne reconnaissez pas toujours le vôtre dans ce portrait.

tous les autres petits enfants de son âge, sûr de ses droits mais encore bien impuissant à les faire respecter.

On a parfois envie de le dire « à l'âge bête » tant son humour est exagéré, bruyant et parfois bêtifiant : il rit de ses gros mots, surtout les plus obscènes de son vocabulaire, de ses exagérations, de ses inventions. Le mieux est encore de ne pas réagir ou de sourire avec lui, car il continuera de plus belle s'il vous sent choqué. Il rit très souvent, mais pleure aussi davantage, ou pleurniche s'il n'obtient pas satisfaction.

On constate également un retour de l'agressivité physique, en sus de l'agressivité verbale : l'enfant peut facilement taper ou donner des coups de pied. Tantôt jaloux, tantôt affectueux, l'enfant de quatre ans est toujours victime des mêmes peurs : animaux, personnages différents, départ de sa mère, etc.

Moins soucieux de plaire, moins obéissant et peu respectueux des affaires d'autrui, il est en revanche très conscient de ses possessions et s'en vante (sa famille, ses sous, ses jouets, ses vêtements neufs...). Il troque, aussi.

Il s'intéresse à sa croissance, à son corps, à son nombril. Il aime qu'on lui raconte des anecdotes du temps où il était bébé et s'interroge pour savoir par où les bébés entrent et sortent du ventre des mamans. Il est très curieux de l'intimité des autres et volontiers voyeur.

VIE QUOTIDIENNE

L'enfant de quatre ans a encore parfois besoin qu'on l'aide à faire la part entre le réel et l'imaginaire, d'une part, entre ce qui lui appartient et ce qui ne lui appartient pas, d'autre part. Il ramène volontiers de l'école des objets dont on n'est pas bien sûr qu'ils lui aient été donnés.

S'il l'enfant n'a pas un gros appétit, il mange suffisamment bien pour qu'il ne soit plus nécessaire de le faire manger. Il a des préférences et des rejets alimentaires bien nets. Il partage la table familiale, mais il a encore du mal à se tenir assis à sa place durant tout le repas et à respecter la parole des autres. Beaucoup d'enfants de quatre ans ne dorment plus à la sieste de l'après-midi, mais cela dépend des nuits qu'ils font et varie beaucoup d'un enfant à l'autre. Les rituels du soir ont repris leur importance et les parents sont rappelés s'ils ont omis de coucher la poupée ou de remplir le verre d'eau. La plupart des enfants font des nuits complètes, sauf ceux qui se réveillent pour aller aux toilettes, ce qu'ils font souvent seuls, ou aller rejoindre le lit parental. Les rêves sont souvent effrayants, et il arrive que l'enfant se réveille en hurlant, mais il devient progressivement capable de raconter ses cauchemars.

De jour et le plus souvent de nuit, il va seul aux toilettes lorsqu'il en ressent le besoin. Inutile de l'y accompagner : mieux vaut lui apprendre à se débrouiller seul. Il en est de même dans le bain : l'enfant à qui on a appris à se laver, à se rincer et à s'essuyer le fait très bien. Il s'habille seul si l'on place les habits dans le bon sens et dans le bon ordre, et ferme seul les boutons accessibles. La plupart savent attacher leurs chaussures.

LANGAGE

La compréhension du temps et la manière de l'exprimer font de gros progrès. L'enfant manie aisément les temps du passé, du présent et du futur. Il enrichit son vocabulaire de nombreuses expressions relatives au temps. Progressivement, il se repère dans les saisons, les mois, les jours de la semaine. Il sait en gros dans quel ordre se succèdent les événements de la journée.

Il se repère également mieux dans l'espace et dans son quartier : il sait comment se rendre à la boulangerie ou à l'école, à quel endroit il doit s'arrêter pour traverser, etc. Les petits mots comme « devant », « derrière », « à côté », « au milieu », « tout près », « profond », « au-dessus », etc., sont généralement compris et bien utilisés.

À part ces points particuliers, son vocabulaire s'est beaucoup enrichi (1500 mots environ en moyenne, et il demande sans arrêt la signification de ceux qu'il ne connaît pas), ce qui n'empêche ni les fautes de grammaire (très nombreuses), ni celles de conjugaison ou de terminaisons (les pluriels et les féminins restent approximatifs).

L'enfant est bavard, pose de nombreuses questions et fait des phrases plus longues. Il se sert du langage pour inventer des histoires invraisemblables dont il est le héros et imaginer mille vies à ses compagnons imaginaires avec qui il discute beaucoup.

VIE INTELLECTUELLE

L'enfant de quatre ans commence à savoir compter jusqu'à dix ou quinze et dénombrer correctement trois objets. En présence d'objets différents, il commence à savoir ordonner selon un critère : il sait progressivement trouver le plus gros, le plus long, le plus lourd. Il peut aussi classer des objets selon leur couleur et peut en reconnaître quelques-unes.

L'enfant est dans une phase créative extraordinaire. Il dessine, peint, colorie, modèle de la pâte, découpe, colle, fait des constructions compliquées. Aidé, il peut aussi broder ou enfiler de petites perles. Il est fier de ses réalisations et vous devez les encourager car, dans les années qui viennent, ses productions risquent de devenir plus conformistes et moins imaginatives. Il réclame maintenant des histoires longues et apprécie aussi la poésie. Il aime qu'elle joue sur les mots car il est plus attiré par cet aspect poétique, humoristique, plein d'absurde et de non-sens, que par l'histoire elle-même. L'exagération le fait rire. Il apprécie aussi beaucoup les livres d'information sur des sujets divers qui répondent à son insatiable curiosité. Dans l'écrit, il est capable de reconnaître des lettres, notamment celles qui composent son prénom, et peut-être des mots. Il s'entraîne à les écrire, n'importe où sur la page ou bien coupés en deux sur deux lignes différentes.

L'enfant est intéressé par la télévision : il commence à suivre les histoires simples conçues pour les enfants et aime plus que tout revoir les cassettes qu'il connaît par cœur. Il est capable de chanter juste plusieurs comptines (qu'il mime) et de petites chansons, notamment celles des publicités télévisées. Il aime taper sur un piano et tenter d'y reproduire des airs.

JEUX ET JOUETS

Les jeux qu'il préfère sont ceux qu'il partage avec des camarades (de préférence réels, mais aussi imaginaires) : on joue aux soldats, au médecin, ou encore on colle aux scénarios des feuilletons télévisés du moment.

Très actif et expansif, l'enfant de cet âge a besoin de jouer dehors et de se dépenser beaucoup. C'est l'âge des jeux de ballon ou des structures en bois dans les parcs, des jeux dans l'eau ou avec l'eau. À l'intérieur, il aime toutes les activités artistiques, les cartes à coudre, les jeux de construction et les puzzles qu'il fait de plus en plus habilement. Enfin, il apprécie toujours autant de se déguiser et de jouer des petites scènes de théâtre.

SOCIABILITÉ

Bien que très fier de sa mère et désireux de la montrer, l'enfant de quatre ans s'oppose facilement à elle et cherche, surtout pour le garçon, à échapper à son autorité. Conscient de son sexe, le petit garçon peut même, si c'est le cas de son père, adopter quelques expressions ou comportements « machistes ». Il se vante de son père auprès de ses copains et adore faire des choses seul avec lui.

L'enfant est en fait profondément attaché à son foyer, à sa maison et aux membres de sa famille. Il aime les voir réunis autour de lui ou partir avec eux en balade, en visite, en excursions ou en voyage. Toute aventure le ravit. S'il rivalise encore volontiers avec un frère ou une sœur plus âgé(e), il peut avoir des sentiments « maternants » et jouer au « grand » envers un petit qui serait en larmes ou bien seulement timide.

L'enfant a des amitiés très fortes et des querelles fréquentes avec ses copains. On discute et on se dispute verbalement. Les sexes commencent à se séparer pour les jeux ou les activités et cela ira en s'accentuant dans les prochaines années.

Les réveils nocturnes

Le cas banal de l'enfant qui se réveille la nuit, appelle, se lève ou vient se glisser dans le lit parental a déjà été longuement discuté en ce qui concerne les enfants plus jeunes (Le livre de bord de votre enfant de un jour à trois ans, Anne Bacus, Marabout). Rien ne change vraiment cette année. Nous ne nous attarderons que sur ce qui est nouveau à cet âge. En effet, il est fréquent qu'un enfant, qui jusque-là dormait plutôt bien, prenne l'habitude entre quatre et cinq ans de venir rejoindre ses parents.

Il n'existe sans doute pas d'enfant qui ne se soit, une nuit ou l'autre, réveillé et n'ait alors tenté d'attirer l'attention de ses parents. Ce comportement ne doit être considéré comme un problème que s'il devient une habitude. Cela nuit alors au repos des parents et à leur intimité, ainsi qu'au bon développement de l'enfant.

LES CAUSES DE CES RÉVEILS

Il est bon de toujours veiller, dans ce type de problème, à éliminer les causes physiques de réveil : difficultés respiratoires, douleur, sécheresse de l'air, excès de chaleur, etc. Ensuite seulement, il est raisonnable d'élaborer les raisons psychologiques qui font que l'enfant se réveille.

Essayer de comprendre les vraies raisons

Au-delà des prétextes invoqués (« j'ai soif », « j'ai fait un mauvais rêve », « j'ai faim », « je n'ai plus sommeil », « je ne trouve plus mon ours », etc.), que se passe-t-il pour l'enfant, dont il n'a même pas conscience ?

Les réveils de cet âge sont presque toujours provoqués par le désir de s'approprier ses parents la nuit. Il peut s'agir d'une rivalité fraternelle, par exemple. L'enfant, jaloux de son rival (frère ou sœur), se relève la nuit et obtient alors l'attention et l'affection de ses parents pour lui tout seul. Un autre enfant le fera parce qu'il ne voit pas assez ses parents la journée et obtient ainsi que l'on s'occupe de lui : il impose une proximité qui lui manque.

Il est donc important de déterminer la cause de ces réveils afin de pouvoir répondre à la vraie demande de l'enfant. Cela n'est pas toujours facile. Les réveils nocturnes peuvent être l'expression de conflits internes inconscients auxquels l'enfant est confronté, comme tout enfant de son âge. Mais s'il ne parvient pas à y faire face seul, il faut l'y aider (ou le faire aider par un psychologue).

S'immiscer entre ses parents

Une autre raison pour laquelle l'enfant va se réveiller la nuit est la jalousie qu'il éprouve à l'idée de ses parents, blottis ensemble dans le même lit, alors que lui est seul dans le sien. Pour les séparer, il dispose de plusieurs solutions : soit en attirer un dans sa chambre et l'y garder le plus longtemps possible (certains parents s'y endorment), soit venir se blottir entre eux.

Si le lit parental n'est qu'à moitié occupé, la place laissée vide est encore plus attirante.

PARTAGER LE LIT DES PARENTS

Le lit des parents est chaud, intime, rassurant. L'enfant a l'impression qu'il y dormirait beaucoup mieux que dans le sien. Certains parents acceptent occasionnellement, lorsque l'enfant est malade par exemple, ou lorsqu'ils sont fatigués de le renvoyer dans sa chambre. D'autres en ont fait une habitude.

Je ne crois réellement pas que cela soit un bon usage dans notre culture actuelle. En effet, dans le lit des parents, on ne rencontre pas que la bonne odeur qui rassure, mais aussi tous les fantasmes de leur intimité. À cet âge, l'enfant se pose beaucoup de questions dont il ne vous fait pas forcément part. Il s'interroge sur le fait de savoir ce que font ses parents dans leur lit la nuit, en dehors de dormir. Alors il va voir. Il est jaloux de ces sentiments amoureux que ses parents échangent et dont il est exclu.

Mais à ces questions sur la vie, il faut répondre de jour, avec des mots. En aucun cas, la curiosité de l'enfant ne doit interférer avec l'intimité des parents. Se comporter autrement risque de rendre l'enfant dépendant et anxieux. Notre société valorise l'autonomie, de manière parfois excessive. Elle attend de chacun qu'il soit capable de dormir dans son propre lit, même si cet apprentissage est parfois difficile et injuste.

Les réveils nocturnes

REJOINDRE UN PARENT SEUL

La question est un peu différente lorsque l'enfant vit, provisoirement ou régulièrement, avec un seul de ses parents. Dans ce cas, en rejoignant son père ou sa mère dans son lit, l'enfant cherche à remplacer le parent absent.

Le message pourrait être traduit par : « Regarde, je peux te tenir compagnie comme papa (ou maman) le faisait. On forme un couple tous les deux. Tu n'as besoin de personne d'autre. » Le laisser croire cela, en lui laissant occuper la place laissée vide, peut créer une confusion grave dans son esprit et compromettre son développement.

Le lit des parents ne doit pas devenir celui de l'enfant, même s'il y reste une place vide. La loi des humains est qu'un petit garçon ou une petite fille ne peut faire « couple » avec son papa ou sa maman, ni remplacer le parent absent. Cela doit être dit clairement, afin que chacun retrouve sa place, dans la constellation familiale et dans son propre lit.

L'enfant doit se savoir totalement aimé, mais aimé comme un enfant.

QUE FAIRE ?

Certains parents, pour des raisons qui leur sont personnelles, choisiront malgré tout de laisser libre accès à leur lit à leur enfant, comme cela s'est fait dans d'autres temps ou se fait dans d'autres pays (malgré tout, cela cesse le plus souvent vers quatre ans). Aux autres, je conseillerai deux techniques.

1. Régler le problème pendant la journée

Ce n'est pas à trois heures du matin que l'on discute de la reproduction humaine, que l'on compense le manque de temps consacré à l'enfant ou que l'on cherche à comprendre les raisons de sa jalousie. Cela doit se faire dans la journée, tranquillement.

Certains enfants craintifs ont besoin qu'on les rassure, autant sur l'absence de loups dans les appartements de banlieue que sur l'amour qu'on leur porte.

Une autre chose utile que l'on peut faire la journée est d'aménager la chambre (ou le coin) de l'enfant, en sa compagnie, à son goût. Il aura plus de plaisir à rester et dormir dans une chambre dont il aura choisi les dessins accrochés au mur, la couleur de la couette et la façon de ranger les peluches.

Enfin, il faut savoir que la crainte de dormir seul est réelle. Trop de parents pensent, à tort, que les frères et sœurs dorment mieux dans des chambres séparées. Pour l'enfant unique, il suffit souvent d'autoriser le chat ou le chien à dormir aux pieds de l'enfant pour régler le problème.

2. Faire face la nuit

Malheureusement, il n'existe aucune autre solution que de remmener, puis de renvoyer, l'enfant dans son lit fermement. Au parent capable de faire cela de la manière la moins sympathique, celle qui donne le moins envie de recommencer, de s'en charger.

On peut dire que : « La nuit, c'est fait pour dormir », « Chacun doit dormir dans son lit », « La nuit, papa appartient à maman et maman à papa », ou toute autre chose qui revient au même, mais le dire nettement. Si l'enfant est convaincu qu'il n'a rien à gagner à venir vous rejoindre, et il le sera si vous agissez ainsi, il cessera.

Se laisser fléchir à la troisième tentative est la plus mauvaise solution. C'est apprendre à l'enfant qu'il suffit d'insister un peu. Vous ne l'entendez pas venir ? Alors fermez la porte de votre chambre au verrou, ou suspendez des grelots à la poignée. Parallèlement, on peut féliciter l'enfant lorsqu'il se comporte comme « un grand, capable de dormir toute la nuit dans son propre lit » (encore que, justement, les « grands », eux, ne dorment pas seuls…), lui donner une petite récompense de « grand » ou lui montrer toute sa fierté.

Certains enfants ont de véritables insomnies, sans causes réelles, simplement parce qu'ils sont de petits dormeurs. Si c'est le cas du vôtre, le problème se résume à obtenir de lui qu'il joue tranquillement dans son lit en attendant que le sommeil revienne, plutôt que de venir vous réveiller. Vous trouverez des conseils pour y parvenir dans le chapitre consacré aux « lève-tôt ».

PRENDRE CONSEIL

Enfin, si vous n'arrivez pas à résoudre les problèmes de sommeil de votre enfant, qu'il vous semble avoir tout essayé sans succès et que cela commence à nuire à votre santé et à votre vie de couple, n'hésitez surtout pas à consulter un psychologue. Ces questions de sommeil sont parmi les plus fréquentes qu'ils ont à aborder. Cela vaudra toujours mieux que de donner à votre enfant des somnifères ou d'en prendre vous-même.

Les réveils nocturnes

Cauchemars et terreurs nocturnes

Dès qu'il est capable de s'en souvenir et d'en parler, l'enfant a plaisir à raconter les histoires qui ont peuplé ses nuits. Voilà un sujet de conversation amusant à tenir autour du petit déjeuner : chacun raconte ses propres rêves, les bribes dont il se souvient.

Jusque vers sept ans, l'enfant vit une grande période d'acquisitions et de découvertes. Cela génère des conflits intérieurs qui vont se traduire par des cauchemars, lesquels font partie de la vie normale de tout individu. Les terreurs nocturnes sont plus rares.

LES CAUCHEMARS

Le cauchemar est un rêve terrifiant qui survient plutôt en fin de nuit, pendant le sommeil paradoxal. Il provoque le réveil de l'enfant qui pleure et appelle. S'il parle, il peut décrire son rêve. Il reconnaît ses parents et cherche à être consolé, car sa frayeur persiste après le réveil.

Un phénomène normal

Le cauchemar est normal, il met en scène les angoisses fondamentales de l'enfance et aucun humain n'y échappe. Il arrive que les parents remettent en cause leur éducation, les événements, voire la teneur des histoires lues ou regardées par l'enfant. Il convient de faire attention au rôle de la télévision dans la vie de l'enfant.

Comment réagir

L'attitude à avoir face au cauchemar est celle du simple bon sens. Les parents vont voir l'enfant, parlent avec lui, le rassurent, jusqu'à ce que l'enfant se calme. Ils peuvent le raccompagner gentiment dans son lit s'il s'est levé, lui donner un verre d'eau, allumer au besoin la lampe, puis le recoucher et attendre une minute qu'il se rendorme.

Pouvoir raconter

Le lendemain matin, il peut être bon de demander à l'enfant s'il se souvient de son rêve et s'il souhaite le raconter. Cela libère l'enfant et peut donner aux parents des indications sur ce qui le tourmente.

Les enfants insécures et anxieux sont les plus sujets aux cauchemars. Comprendre ce qui les inquiète à ce moment-là et les rassurer les aidera à faire face à leurs problèmes nocturnes.

Les cauchemars accompagnent le développement

Les cauchemars, s'ils deviennent plus rares lorsque l'enfant grandit, continueront pourtant à marquer sa vie au cours des deux ou trois ans à venir, puis de nouveau autour de l'âge de dix ans. C'est une façon qu'a l'enfant de mettre en scène et de se débarrasser de ses peurs et de ses conflits intérieurs. Aussi les cauchemars font-ils partie du développement normal du psychisme de l'enfant.

Quand faut-il consulter ?

Les cauchemars presque quotidiens, ou qui se répètent selon le même scénario, ainsi que les terreurs nocturnes, demandent en revanche que l'on s'en occupe plus sérieusement, car ils témoignent qu'une véritable angoisse cherche à être entendue et doit l'être pour que l'enfant retrouve des nuits paisibles. Il peut être utile de consulter un psychologue pour aider l'enfant à dépasser ses angoisses intérieures.

LES TERREURS NOCTURNES

Des crises impressionnantes

Les terreurs nocturnes peuvent être assez effrayantes pour les parents : l'enfant semble hagard, terrorisé, inaccessible, inconsolable. L'enfant crie, sanglote, parfois s'assied ou se lève. Il peut avoir les yeux ouverts sans sembler vous reconnaître, comme s'il était le témoin d'une scène terrifiante. Confus, l'enfant n'entend ni ne comprend ce qu'on lui dit. En réalité, contrairement aux apparences, il dort.

Ces terreurs sont très impressionnantes. Elles surviennent dans la première partie de la nuit, en sommeil lent profond. La crise peut durer quelques minutes, puis l'enfant se rendort en sommeil profond.

Comment réagir

Quand l'enfant a une terreur nocturne, il ne faut pas chercher à le calmer ou à le réveiller, simplement rester à ses côtés pour éviter qu'il ne se fasse mal. L'attitude souhaitable consiste à rester aussi calme que possible en face de l'enfant, à allumer éventuellement la lumière et à lui parler doucement, afin de l'amener progressivement à se recoucher pour reprendre une nuit plus calme.

Ne rien faire de plus est difficile, car on a l'impression qu'il souffre. C'est pourtant la meilleure attitude.

Cauchemars et terreurs nocturnes

Et la suite ?

Les terreurs nocturnes sont différentes des rêves d'angoisse. L'enfant ne garde, le lendemain, aucun souvenir de ce qui s'est passé la nuit. Au réveil, il a tout oublié. Si ces terreurs se reproduisent, si elles sont fréquentes ou durables, il est souhaitable de consulter un psychologue afin d'en comprendre la signification et de permettre à l'enfant d'exprimer ses angoisses par d'autres voies.

LA SEULE PRÉVENTION : SÉCURISER

Il n'existe pas de préventions efficaces pour éviter les cauchemars et les terreurs nocturnes. Une vie régulière et rassurante, des horaires de vie stables et une attitude des parents visant à conforter la sécurité intérieure de l'enfant peuvent être d'une grande aide.

Mais il existe des événements favorisant les cauchemars. Bien qu'aucune étude ne l'ait démontré formellement, de nombreux parents ont pu faire le lien entre un spectacle de télévision (ou une histoire) choquant ou effrayant, ou encore une trop grande excitation, et les cauchemars. Un temps de calme et un rituel de mise au lit aident l'enfant à se rassurer.

Certaines « stratégies magiques » ont aussi fait leurs preuves : du gros lion en peluche qui garde la porte pour empêcher les méchants d'entrer à la prière spéciale du soir qui protège, à chacun de trouver le système qui va le tranquilliser.

Quant à la veilleuse, elle est la pire ennemie des cauchemars !

Il est douillet

De certains enfants, on dit que ce sont de vrais « durs ». S'ils tombent dans leur course, ils se relèvent et continuent. On dirait que les plaies et bosses n'ont pas de prise sur eux. Ce sont généralement des enfants actifs et volontiers « casse-cou ».

UNE « PETITE NATURE »

À l'inverse, certains pleurent même lorsque l'on ne voit rien, s'affectent du moindre bouton et hurlent à la plus petite égratignure ou à la seule vue du flacon d'alcool. Ils donnent l'impression de souffrir beaucoup, en tout cas d'être exagérément sensibles à toute souffrance, si minime soit-elle. Seuls le pansement, le bonbon et le gros câlin viennent finalement à bout des pleurs. La visite chez le médecin avec l'un de ces enfants particulièrement douillet relève du parcours du combattant. L'enfant pleure longtemps préventivement. Il faut user de ruses et de promesses pour parvenir à l'examiner ou pour lui faire son vaccin. Pour certains, même la prise de médicaments, en particulier des suppositoires, déclenche une crise.

UN EXEMPLE DU MÉCANISME

Qu'ont donc de particulier ces enfants ? Pourquoi sont-ils si douillets ? Il s'agit en fait d'un mécanisme qui, une fois mis en place, est devenu une habitude, parce qu'il satisfaisait plus ou moins tous les participants de la pièce. En effet, l'enfant ne « met en scène » sa douleur que devant témoin.

Comment l'enfant « devient » douillet

Un exemple, que l'on peut observer tous les jours dans les squares et les jardins, permettra de démonter le mécanisme. Un enfant court, tombe et s'érafle légèrement le genou. Il reste en arrêt, un peu sous le choc. Sa mère se précipite pour le relever. Cette inquiétude manifeste signale à l'enfant qu'il a sans doute quelque chose de grave. Cela déclenche la peur, puis les larmes. Cela confirme à la mère la gravité de la chute. Elle se culpabilise sans doute (« J'aurais dû l'empêcher de courir, mieux le surveiller, lui mettre un pantalon... »), en tout cas se précipite dès que possible sur l'armoire à pharmacie. Elle est tendre, consolante, gratifiante. Elle qui, avant, lisait peut-être ou bavardait avec une amie, est maintenant tout entière consacrée à son enfant.

L'enfant est piégé : il apprend que donner de l'importance à une petite douleur permet d'obtenir un surcroît d'affection. Il va devenir encore plus douillet.

QUE SE PASSE-T-IL EN RÉALITÉ ?

L'enfant manipule de façon inconsciente son entourage. Non qu'il fasse du « cinéma », car il n'agit pas de cette façon « exprès ». Il est inconscient des mécanismes qui le meuvent et devient réellement de plus en plus sensible à la douleur (la sensation physiologique reste la même mais la douleur « psychologique » augmente). Son but est de se faire plaindre et consoler, afin de devenir le centre de l'attention de ceux qui l'entourent, et plus particulièrement de sa maman, car c'est toujours avec elle que cela « marche » le mieux.

Il se sent plus aimé, plus intéressant lorsqu'il pleure ou se plaint (c'est un mécanisme que l'on retrouve dans la maladie également). On voit que les

Il est douillet

bénéfices que l'enfant tire de ses plaintes sont importants, c'est pourquoi il est difficile de sortir de ce cercle vicieux.

QUE FAIRE ?

Je rappelle que je n'évoque ici que les « petits bobos » : que l'on ne m'accuse pas de trop de dureté !

Voici quelques idées

- Faire semblant de n'avoir rien vu. Continuer son activité comme si de rien n'était. Cela suffit souvent à prévenir toute réaction de l'enfant.
- Avant d'intervenir ou de manifester de l'inquiétude, apprécier la gravité. Toute écorchure ne mérite pas un pansement et, de fait, elle cicatrisera plus facilement si elle est exposée à l'air.
- Si l'enfant réagit, on peut lui offrir sa sympathie (« Oui, je comprends, cela pique un peu, c'est désagréable »), embrasser le bobo ou souffler dessus avec une formule magique, et renvoyer l'enfant à ses activités. Comme on dit au cirque : « Le spectacle continue ! »

Jouer au docteur « pour de vrai »

On peut apprendre à l'enfant à se soigner tout seul en jouant au médecin avec son propre corps. Il peut lui-même laisser couler de l'eau froide sur l'écorchure, passer un glaçon sur la bosse ou se mettre un morceau de sparadrap. Tout cela est tellement intéressant qu'il en oublie de pleurer.

Soigner avec humour

Si l'on doit administrer des soins à l'enfant, on peut essayer de distraire son attention ou de jouer sur l'humour. Certains médecins sont formidables pour cela. Inutile de le prévenir plusieurs jours à l'avance qu'il va avoir une piqûre : cela ne ferait que renforcer son anxiété et ses cris. En revanche, juste avant le soin, il est préférable de ne pas mentir et d'avertir l'enfant de ce qu'on va lui faire et de ce qu'il ressentira. Il n'y a qu'en étant honnête avec lui qu'il finira par vous croire lorsque vous lui direz que cela ne fait « absolument pas mal ».-

L'ENFANT QUI SE PLAINT TOUT LE TEMPS

Ce n'est qu'une autre version du cas précédent, mais qui peut, si l'on n'y prend pas garde, durer toute la vie. Cet enfant a toujours mal quelque part.

Il est douillet

Un jour c'est la gorge, un autre la tête, un troisième le ventre ou le genou. Il geint.

Quand la plainte gagne en importance, les parents finissent par consulter, mais jamais rien ne ressort de l'examen médical. Jérôme s'est ainsi plaint longtemps d'une douleur à la hanche. Les parents ne réagissant pas assez vite, il s'est mis à boiter et à geindre à chaque fois qu'il posait le pied par terre. Tournée des spécialistes, radios, on évoque même le cancer des os. Jérôme n'avait rien… hormis une petite sœur qui restait à la maison quand, lui, il allait à l'école et retenait donc toute la journée l'attention de maman. Les symptômes ont cessé quand on s'y est intéressé et que l'on a compris leur signification.

Le piège est que l'on s'inquiète toujours un peu. Et si, cette fois, c'était vraiment l'appendicite ? Rassurez-vous, dans ce cas, les plaintes seront différentes et continueront même si vous avez répondu dix fois auparavant : « Ce n'est rien, vis ta vie sans y penser ! »

QUE FAIRE ?

Faire le plein de tendresse

L'enfant qui se plaint tout le temps témoigne d'un besoin d'être câliné et de retrouver le doux temps des soins corporels donnés par la mère. La première chose à faire est de donner à l'enfant son plein de temps, de soins et de tendresse en dehors de toute plainte de sa part, afin qu'il ne croie pas avoir besoin de geindre pour que l'on s'occupe de lui.

Mettre des mots

Si vous avez repéré ce qui motive ses plaintes, expliquez-le-lui en le rassurant. Par exemple : « Je vois bien que chaque fois que je donne le biberon au bébé, tu sembles avoir mal quelque part. Je sais que c'est parfois difficile d'être un aîné, on se sent un peu jaloux de tout le temps consacré au bébé. Moi (ou ma sœur), c'était pareil. On va partager un secret tous les deux. Chaque fois que quelqu'un dira que le bébé est mignon et que tu te sentiras jaloux, fais-moi un clin d'œil, comme ça je le saurai. »

Montrer votre fierté

Montrez-lui, en parallèle, qu'il y a d'autres manières, plus agréables pour tous, d'attirer votre attention. Donnez-lui des exemples, là où il se comporte comme un « grand » : vous aider dans vos tâches, par exemple. Soyez

Il est douillet

alors reconnaissante de ses efforts. S'il dit, tout fier : « Regarde, Maman, ce que j'ai fait ! », prenez alors le temps des félicitations et du câlin.

Ignorer les plaintes

Donnez moins d'attention ou ignorez totalement les plaintes ou les « mauvais » moyens d'attirer votre attention. Si votre enfant vient vous dire qu'il a mal quelque part, conseillez-lui de s'allonger un moment sur son lit et retournez à vos affaires. N'y prêtez plus attention. Sauf si c'est réellement nécessaire, bien sûr !

Donner l'exemple

Soyez vous-même un modèle de ce que vous voudriez qu'il soit. Certains petits enfants qui se plaignent tout le temps ne font en fait qu'imiter les grands ! Si vous évoquez sans cesse vos peines et vos douleurs, vos médecins et vos médicaments, votre enfant fera probablement de même. Faites attention à ce que vous dites en présence de l'enfant, même en réponse à une simple question comme : « Comment allez-vous ? »

LES GARÇONS, ÇA NE PLEURE PAS !

Et pourquoi pas ? Élever votre fils dans cette idée afin d'en faire un « dur » n'est pas une bonne idée. Vous ne vous occupez pas des causes des plaintes mais vous lui apprenez à garder à l'intérieur de lui ses sentiments et ses émotions. Refouler ainsi sa sensibilité peut faire de lui un adulte figé qui aura du mal à communiquer en profondeur avec les autres et avec lui-même.

Les dessins de l'enfant

Votre enfant est à l'âge merveilleux où il dessine beaucoup, avec enthousiasme et imagination. C'est une merveilleuse activité. Prenez soin qu'il ait toujours à sa disposition du papier, des crayons, des feutres, des crayons gras et qu'il puisse dessiner autant qu'il le souhaite.

TOUS LES ENFANTS SONT DES ARTISTES

L'enfant se projette dans ses dessins…

Dessiner, à cet âge, n'est pas seulement produire avec plaisir une belle œuvre qui va susciter l'admiration de papa et maman et, avec un peu de chance, être accrochée sur la porte du réfrigérateur. C'est avant tout trouver un équilibre affectif et projeter sur le papier ce que l'on ne sait pas encore dire avec des mots : la confiance en soi, la place de son papa dans son cœur, l'angoisse de grandir, la joie, la peur, la tristesse, etc. L'enfant se met tout entier dans ses dessins. C'est pour cette raison qu'ils sont aussi indispensables à l'enfant, d'une telle richesse pour les parents et aussi « parlants » pour le psychologue.

Et on peut les lire

Savoir interpréter les dessins d'enfants demande un vrai métier et une grande expérience, ce qui ne saurait être résumé ici. Mais voici quelques éléments de ce que l'on peut lire dans une série de dessins faits par un enfant sur une période donnée (un seul dessin isolé ne suffit pas à permettre une interprétation) et de ce à quoi l'on est attentif.

QUELQUES ÉLÉMENTS D'INTERPRÉTATION

La place du dessin dans la feuille

La manière dont l'enfant va situer son dessin dans la feuille donne des indications sur la façon dont lui-même se place, ou se sent placé, dans son environnement. Selon que son dessin n'occupe qu'un petit coin de la feuille ou la remplit toute, on perçoit son repliement ou sa sûreté de lui. S'il se dessine lui-même d'un côté ou l'autre de la feuille, cela va traduire un élan plus ou moins grand vers l'avenir et vers l'extérieur.

La vigueur du tracé

On retrouve, dans l'interprétation des dessins, des analogies avec l'analyse graphologique, notamment dans le tracé et la pression du trait. Selon que le dessin est délicat, précis, soigneux, léger, ou au contraire rapide, ferme, éclaté, cela donnera des indications sur le tempérament de l'enfant, sa sensibilité, son énergie, sa vitalité.

La force de certains symboles

Certains symboles comme l'eau, le soleil, la lune, l'arc-en-ciel, la maison, les chemins, les fenêtres, l'arbre sont très expressifs et se retrouvent chez presque tous les enfants avec des significations voisines. Si le soleil traduit la place donnée au père, le chemin est celui de la vie, plus ou moins semé d'embûches, l'eau représente la mer et la maison son propre moi, plus ou moins accueillant et ouvert sur l'extérieur.

Toutefois, ces interprétations sont complexes et ne peuvent s'interpréter hors de leur contexte.

Les dessins de l'enfant

Les couleurs choisies

Il en est de même de l'utilisation des couleurs. Sans entrer dans le détail, disons que l'on peut se fier à l'impression plus ou moins gaie, tonique, vive, douce ou sombre qui se dégage du dessin.

Le dessin de la famille

Le dessin par l'enfant de sa propre famille est toujours l'un des plus significatifs. La place respective des personnages comme leur taille n'est pas fonction seulement de la réalité, mais surtout de l'importance que l'enfant leur accorde. Le petit frère a-t-il été oublié? Papa est-il plus petit que maman alors que c'est le contraire dans la réalité? Le chat est-il aussi grand que l'enfant lui-même? Les personnages se touchent-ils? Tout cela veut « dire » quelque chose.

COMMENT « ACCUEILLIR » LES DESSINS

Ce « dit » de l'enfant appelle le même respect que ce que sa bouche énonce. Inutile, lorsqu'un enfant amène de nouveaux dessins, de s'enthousiasmer de manière excessive. Mais il serait injurieux pour lui de les jeter tout de suite ou de ne pas leur accorder simplement l'importance qu'ils méritent.

Pour en savoir plus sur ce que l'enfant a voulu exprimer, le mieux est de lui demander de commenter son dessin, ses personnages, ses couleurs, sans juger, interpréter ou influencer. Parfois il refusera de parler, d'autres fois il sera intarissable et l'on apprendra beaucoup.

LES DESSINS : TÉMOINS D'UN MAL-ÊTRE

Pour conclure très simplement, disons qu'un enfant qui va bien fait des dessins gais, riches et colorés. S'il a des problèmes, cela se verra dans ses dessins qui en seront affectés et deviendront différents de ce qu'ils étaient. Peut-être les couleurs seront-elles plus ternes ou plus sombres, le dessin plus répétitif, l'expression plus agressive ou plus renfermée.

Si votre enfant, sans raison apparente, se met à dessiner des avions de guerre chargés de bombes, des maisons sans fenêtres « à cause des loups », des ciels chargés de gros nuages noirs et de grandes montagnes qui bouchent le paysage, peut-être est-il temps de prendre son enfant avec soi et d'aller, ses dessins sous le bras, consulter un psychologue…

Les dessins de l'enfant

Et si votre enfant était gaucher?

Même s'il est encore une occasion d'étonnement et parfois d'inquiétude (surtout dans les familles où tout le monde est droitier), l'enfant gaucher est aujourd'hui bien accueilli et respecté dans sa spécificité.

D'OÙ VIENT QUE L'ON EST DROITIER OU GAUCHER?

Encore aujourd'hui, il semble bien que les avis soient partagés. La dimension héréditaire ne fait guère de doute. Un enfant dont les deux parents sont gauchers a 46 % de chances de l'être également, alors que cette proportion n'est que de 10 % si les deux parents sont droitiers. L'éducation et l'imitation jouent probablement un rôle également. Quant au fonctionnement des hémisphères cérébraux en lien avec la main dominante, c'est un domaine qui réserve encore bien des découvertes. Ce dont on est sûr pour l'instant, c'est que le cerveau, en se développant, accorde une place prépondérante à l'une ou l'autre main, dans l'un ou l'autre hémisphère. Mais le cerveau fonctionne comme un tout, et la latéralité est une fonction extrêmement complexe.

COMMENT REPÉRER L'ENFANT GAUCHER

Des situations floues

Certains enfants se déterminent très tôt. Dès les premiers mois, ils se servent de manière préférentielle d'une de leurs mains. Si vous placez un cube dans la main droite d'un bébé qui n'aime que sa main gauche, il va vite apprendre à le passer d'une main dans l'autre. Mais:

- Certains enfants mettent longtemps à se déterminer. Vers quatre ans, il existe encore 40 % des enfants qui ne sont pas nettement latéralisés. Parmi ceux-là, certains resteront ambidextres, alors que d'autres vont finir par choisir une main dominante. L'enfant ambidextre peut se servir alternativement de ses deux mains, ou bien les distinguer pour des tâches différentes.

- Certains enfants ne sont pas globalement droitiers ou gauchers: ils utilisent la main droite pour dessiner mais le pied gauche pour taper dans un ballon, par exemple.

Pour détecter précocement un gaucher

Malgré tout, il existe quelques petits exercices permettant de repérer le côté dominant de l'enfant. Sa main dominante n'est pas tant celle qu'il va utiliser le plus souvent que celle dont il va se servir pour des tâches de précision. On obtient une indication en demandant à l'enfant de dessiner en suivant un trait, de découper avec des ciseaux ou de poser un objet en équilibre.

Pour savoir quel est le pied ou l'œil dominant, on demande à l'enfant de taper dans un ballon qu'on lui envoie dans les jambes ou de regarder à travers un petit trou fait dans une feuille de papier. Pour l'oreille, on lui demande d'approcher une montre ou un compte-minutes de son oreille pour en entendre le tic-tac.

Trouver sa « bonne » main

Les années de maternelle sont celles où il va falloir que l'enfant détermine la main avec laquelle il va apprendre à écrire. Au début de cet apprentissage, le choix de la main doit se faire avec évidence, ce qui n'est pas le cas pour tous les enfants. À cinq ou six ans, il n'est plus temps d'hésiter entre ses deux mains.

C'est pourquoi les parents doivent être particulièrement attentifs. Le choix de la main dominante engage toute la vie et peut être lourd de conséquences. Pour aider l'enfant qui ne parvient pas à se déterminer, afin de s'entourer de toutes les précautions nécessaires, il peut se révéler très utile de consulter un psychologue pour enfants ou un orthophoniste, qui fera l'examen nécessaire et saura vous conseiller sur le choix le plus pertinent.

Finalement, si l'enfant hésite encore vers quatre ou cinq ans, c'est la main avec laquelle il est le plus à l'aise qui doit primer, que les parents vont devoir encourager.

QUE FAIRE ?

Plus personne ne conseille aujourd'hui de contrarier un enfant gaucher. On sait que la gaucherie est le reflet d'une structure neurologique qui s'établit progressivement. S'opposer à la dominance hémisphérique cérébrale peut être source de troubles pour l'enfant. On a parfois mis sur le compte d'une gaucherie contrariée des difficultés de lecture ou d'écriture, une maladresse corporelle, etc. À l'inverse, être gaucher n'a jamais empêché personne de faire d'excellentes études et réussir parfaitement dans la vie.

Il n'y a donc pas de « bonne main » dans l'absolu, il n'y a que la main avec laquelle l'enfant va se sentir à l'aise.

Dans le cas d'un enfant véritablement ambidextre, qui le resterait encore vers quatre ou cinq ans, qui ne répugnerait pas à se servir de son côté droit, s'il a par ailleurs un développement normal et équilibré, il n'y a aucun risque à lui suggérer d'utiliser systématiquement sa main droite pour tenir ses crayons, tout en le laissant parfaitement libre d'utiliser la gauche pour les autres activités.

Les enfants se disputent

« Maman, il m'a tapé ! », « Maman, je la déteste ! », « De ma vie, je ne jouerai plus avec lui ! », « Mais c'est elle qui a commencé ! »…
Parfois, en tant que parents, il serait judicieux de se boucher les oreilles. De toute façon, même en cherchant bien, vous ne trouverez jamais lequel de vos enfants a raison et lequel a eu tort.

CES DISPUTES SONT-ELLES NORMALES ?
Une rivalité inévitable
Les parents ont souvent une vision romantique de la famille qu'ils construisent. Ils voudraient que leurs enfants soient les meilleurs amis du monde, qu'ils se soutiennent, se confient l'un à l'autre et jouent gentiment ensemble. Ont-ils tout oublié de leur propre enfance ? La vérité est que les frères et sœurs, surtout tant qu'ils sont jeunes, passent beaucoup de temps à se disputer. Cette rivalité est naturelle, ce qui n'empêche pas que les parents puissent apprendre à leurs enfants une manière tolérable de la vivre.

Une manière d'apprendre à se situer
Mais les disputes sont-elles naturelles parce qu'elles font partie de la vie et que, saines, elles permettent à chacun de se situer, ou bien les qualifions-nous de naturelles parce qu'elles sont extrêmement fréquentes et que nous ne savons pas comment les empêcher ?
Une chose est sûre : ensemble, les enfants apprennent les rudiments de la vie en société, qui, elle non plus, n'est pas toujours tranquille et respectueuse. Grandir, c'est apprendre à se confronter à l'autre, faire avec les différences et les caractères, trouver sa place et savoir la défendre. Toutes choses indispensables à l'école, au square, dans la vie.
Mais savoir qu'une part de bagarre est normale n'aide pas forcément à faire face. Cela ne signifie pas qu'il faille toujours les laisser faire justice entre eux (cela risque de n'être pas très « juste »). Ni qu'il ne faille pas se préoccuper de disputes qui deviennent excessives ou d'un enfant qui peut se retrouver en souffrance.

LES CAUSES DE LA RIVALITÉ

Tout l'amour pour soi tout seul

Chaque enfant voudrait pour lui seul tout l'amour et toute l'attention de ses parents. Au moins, puisque cela semble impossible, en avoir davantage que ses frères et sœurs. Il réagit parfois comme si ne pas avoir la totalité, c'était ne rien avoir. Si un aîné régresse à la naissance d'un second, c'est bien pour recevoir autant d'attention que le nouveau-né, voire ne pas perdre celle qu'il avait jusqu'ici pour lui seul. Si un enfant estime qu'il ne reçoit pas assez d'attention en étant gentil et obéissant, il la recherchera en étant opposant ou en se relevant la nuit.

Rivaliser pour être le plus fort

À côté de cette première et principale cause de rivalité entre les enfants (être le plus aimé), on en rencontre fréquemment une autre : la rivalité pour le pouvoir. L'aîné entend avoir quelques privilèges dus à son âge, à sa taille et à sa position. Parfois il en abuse, pour que nul n'en ignore. Le second, qui trouve cette situation fort injuste, n'a de cesse de prouver qu'il peut être aussi fort, aussi malin et aussi performant. Chacun ses armes : le petit asticote, le grand tape… et se fait gronder.

Les conflits de possession

Les enfants ne sont pas prêteurs et tiennent beaucoup à ce qui est à eux. La rivalité pour être celui qui possède le plus est commune. Il suffit pour s'en convaincre d'écouter la fréquence avec laquelle les enfants disent : « C'est à moi », « Et moi, pourquoi je n'en ai pas ? », « Je veux la plus grosse part », « Il a eu plus de jouets que moi à son anniversaire », « Rends-les-moi… Maman, Luc m'a pris mes feutres… », etc.

Quelques autres raisons…

- L'un a l'impression que l'autre est le « chouchou » de papa ou de maman.
- C'est une façon d'obtenir l'attention des parents, qui lâchent tout pour venir remettre un semblant d'ordre.
- Ils n'ont pas appris à négocier, partager ou échanger.
- C'est le modèle qu'ils ont sous les yeux et autour d'eux (télévision, école,… maison).
- Ils trouvent ça amusant, excitant, pour tout dire ils y trouvent du plaisir.

LES COMPORTEMENTS PARENTAUX

Entendre ses enfants se chamailler est très pénible. Que ce soit à table, à l'arrière de la voiture ou dans la salle de bains, c'est toujours épuisant pour les nerfs.

Chaque fois que c'est possible, éviter de s'en mêler

Lorsque l'on peut laisser les enfants se débrouiller seuls pour mener leur dispute à son terme et trouver un accord, c'est toujours la meilleure solution. On est parfois surpris du tour que prennent les événements.

Ne pas s'en mêler, c'est ne pas prêter trop d'attention aux enfants lorsqu'ils se bagarrent. Or, il ne faut jamais oublier que bien des comportements des enfants ont comme finalité première d'attirer l'attention des parents. Sans public, bien des « jeux » disparaissent.

Mais ne pas s'en mêler, c'est aussi ne pas risquer d'être injuste, ce que l'on est souvent, soit quand on se fâche contre les deux rivaux sans savoir ce qui s'est passé, soit quand on gronde l'aîné, parce qu'il devrait « être raisonnable ».

Mais il est parfois impossible de se tenir à l'écart. C'est pourquoi les parents apprécient d'avoir quelques indications sur la conduite à suivre.

Il se trouve que certaines attitudes parentales, certains comportements éducatifs, qui partent pourtant d'un bon sentiment, renforcent la rivalité entre les enfants alors que d'autres visent à les atténuer.

DES ATTITUDES ÉDUCATIVES « PRÉVENTIVES »

Évitez les comparaisons entre les enfants

Non seulement elles n'encouragent pas à mieux faire, mais elles accroissent les rivalités. Mieux vaut féliciter chaque enfant pour ce qu'il fait de bien et traiter chacun, sur le plan de son caractère ou de ses performances, comme s'il était un enfant unique (ce qu'il est, au sens où il n'y en a pas deux comme lui).

N'essayez pas d'être parfaitement juste

En donnant à chacun le même nombre de cadeaux, les mêmes droits, autant de fraises, etc. Vous ne vous en sortiriez pas et vos enfants finiraient toujours par trouver un point sur lequel ils seraient défavorisés par rapport aux autres. Refusez d'entrer dans ce jeu. Donnez à chacun selon ses besoins, son goût, ses intérêts, et cela sans culpabilité. Encouragez chacun à développer sa propre personnalité.

Posez des règles claires.

« On ne se tape pas dessus », « on ne fouille pas dans le placard des autres », « on demande avant d'emprunter des affaires », etc., et veillez à leur application, même par les plus jeunes. On leur apprend d'abord à régler les conflits avec les mots plutôt qu'avec les coups, puis on explique que : « Je ne suis pas d'accord » vaut mieux que : « Tu es nul, je te hais. » Enfin, on explique comment résoudre les problèmes en discutant plutôt qu'en hurlant.

Chacun son coin

Aménagez l'espace pour favoriser l'entente. Chaque enfant devrait avoir, dans la maison, un territoire personnel qu'il peut marquer à sa façon et défendre des intrusions. De même qu'il vaut mieux être clair sur le possesseur de la poupée mannequin ou du garage de pompiers.

En résumé, un petit cadenas vaut mieux qu'un éternel sujet de dispute.

Favorisez la coopération.

Donnez à vos enfants des tâches à faire ensemble. S'ils jouent ensemble un moment sans se chamailler, félicitez-les. Apprenez-leur à résoudre leurs conflits, en trouvant par eux-mêmes des solutions autres que crier ou arracher des mains.

Donnez-leur des idées sur la manière de négocier ou sur celle de se défendre pacifiquement.

Prendre du recul pour mieux comprendre

Les enfants ne se disputent pas tout le temps. Il y a des moments et des thèmes privilégiés. Cela peut être au moment du coucher (pour faire durer ?), au moment du bain, lorsque vous êtes pressé ou qu'il y a du monde à la maison, lors des longs trajets en voiture ou après plus d'une heure de télévision… Repérer les moments « à risque », c'est déjà se mettre sur la piste d'une solution.

SUR LE MOMENT

Même si vous parveniez à faire tout cela, vos enfants se disputeraient encore de temps en temps ! Si vous devez intervenir, comment le faire ?

Détendez l'atmosphère

Vos interventions, si interventions il y a, doivent être nettes, fermes et n'admettre aucune discussion.

La première chose à faire est peut-être de séparer physiquement les protagonistes, afin de permettre à chacun de se calmer un peu. Le faire quand on n'est pas soi-même encore trop énervé est plus facile. Intervenir en disant : « Oh, je vois deux petits enfants très en colère l'un contre l'autre ! » est plus efficace que de « foncer dans le tas » en distribuant les fessées…

Pour séparer les enfants, rien ne vaut des instructions claires. Vous pouvez commencer par un simple : « Ça suffit ! » qui leur laisse une chance d'arrêter seuls les hostilités. S'il faut continuer, soyez très précis. « Lâche cette voiture », « Va dans ta chambre », a plus de chances d'être obéi que : « Soyez gentils. »

Vos interventions doivent aussi viser à ramener le conflit à de plus justes proportions. Si vous entendez : « Je ne lui parlerai plus jamais ! », vous pouvez par exemple répondre : « Oui, pour l'instant tu es très en colère contre ton frère et tu ne veux plus parler avec lui. »

Supprimez l'objet du litige

Si vous voulez qu'ils s'y prennent autrement la prochaine fois, montrez-leur que se disputer a des conséquences désagréables. Ils se disputent pour le choix du programme de télévision ? Éteignez l'appareil. Ils veulent tous les deux le dernier yaourt à la vanille ? Mangez-le. Il faut qu'en aucune façon ils ne tirent un quelconque bénéfice immédiat du fait de se chamailler.

Écoutez ce qu'ils ont à dire

Vous pouvez alors donner la parole à chaque enfant et écouter sa version. S'ils assistent tous les deux, demandez à celui qui écoute de ne pas intervenir : il usera de son droit de réponse ensuite.

Il ne s'agit pas pour vous de savoir qui a raison et qui a tort pour mieux rendre la justice. Donner la parole aux enfants, c'est leur permettre de « vider l'abcès » et leur donner la conviction qu'ils ont été entendus. Vous commentez le récit de chacun de phrases compréhensives comme : « C'est sûr que ce n'est pas agréable de passer toujours en second dans la baignoire », « Les coups de pied, cela fait mal, c'est vrai. »

Mettez un terme à l'incident

Chaque fois que c'est possible, évitez de juger ou de favoriser l'un ou l'autre.

« Bon, je vois que tout cela est bien compliqué. On va y réfléchir à tête reposée. En attendant, si on allait goûter ? »

Parfois, vous devrez prendre parti ou décider pour clore la dispute. Évitez de le faire sous le coup de l'énervement. Expliquez-vous sans vous justifier. Puis n'en discutez plus : c'est comme ça.

Si les injures fusent et que les tensions restent fortes, isolez les enfants et proposez-leur de faire un dessin « horrible » de leur frère ou de leur sœur. C'est radical pour ramener un peu de légèreté et d'humour.

Vous pouvez leur proposer de s'affronter sur un autre terrain que la bagarre : pourquoi ne feraient-ils pas une course dans le square ou une bataille de polochons ? Ils pourraient aussi tenter de faire le plus beau modelage en pâte à sel…

DONNER L'EXEMPLE

Comme je l'ai déjà dit, les enfants s'éduquent à 10 % par le discours qu'on leur tient et à 90 % par l'exemple. Aussi est-il préférable, avant de tenter d'apprendre aux enfants à résoudre leurs conflits « comme des grands », de s'assurer qu'on ne résout pas les siens « comme un enfant ».

Votre façon de réagir, avec votre conjoint comme avec le chauffard qui vous souffle la seule place de stationnement, est-elle celle que vous souhaiteriez que vos enfants imitent ? Les mots qu'ils se lancent à la figure ne sont-ils pas les vôtres lorsque vous êtes en colère ?

Difficile d'exiger de vos enfants qu'ils se dominent et soient plus forts que leurs pulsions, si vous-même réagissez par la violence (physique ou verbale), la bouderie ou le désir de revanche… Comment leur expliquer alors que frapper ou crier est acte de faiblesse ?

L'enfant bilingue

L'heure est à l'Europe et à la mondialisation. Avoir l'occasion d'apprendre très tôt une seconde langue, en plus de sa langue maternelle, est toujours une richesse pour l'enfant, sous réserve de quelques précautions.

QU'EST-CE QU'UN ENFANT BILINGUE ?

On considère généralement que le bilinguisme se réfère à deux types d'enfants :

- ceux à qui l'on a appris à parler deux langues dès le plus jeune âge ;

- ceux qui ont commencé à parler dans une autre langue que celle du pays (ou, au moins, de l'école) où il se trouve.

En d'autres termes, soit l'enfant est né de deux parents de langues différentes et chacun a parlé la sienne au bébé, soit il est issu d'une famille migrante où « la langue du dedans » n'est pas la même que « la langue du dehors ». Dans ces deux cas, même si l'enfant ne parle effectivement qu'une seule langue ou s'il perd une partie de ses compétences dans la première langue, il est malgré tout considéré comme bilingue.

UNE SITUATION ANCIENNE

Dans beaucoup de pays et à beaucoup d'époques, les enfants étaient ou sont culturellement bilingues : les petits Bretons ou les petits Alsaciens apprenaient le français à l'école alors que la langue régionale était parlée à la maison, les enfants africains apprenaient le français en plus de leur dialecte du fait de la colonisation, le latin était la langue de l'enseignement en France jusqu'au XVIIIe siècle, et le français la langue des échanges internationaux, etc. On n'en faisait d'ailleurs pas tant d'histoires.

Dans tous ces cas, et d'une manière générale, le bilinguisme est un atout. C'est ce qu'ont bien compris les parents qui mettent leur enfant dans une école bilingue ou organisent très tôt des séjours à l'étranger. Ils savent que plus l'enfant est jeune, plus il apprend facilement une seconde langue.

LE BILINGUISME, SOURCE DE DIFFICULTÉS ?

Pourtant l'image du bilinguisme a longtemps été négative. On l'accusait d'être source de confusion ou de retard scolaire. Ainsi, dans de nombreuses familles migrantes, les parents essaient de parler français, pensant qu'utiliser leur langue maternelle handicaperait l'enfant.

Des études récentes montrent qu'il n'en est rien : une première langue bien maîtrisée n'a pas d'effets négatifs sur la maîtrise du français en elle-même ni sur la scolarité. Parler plusieurs langues est même un atout dans l'existence.

Un enfant à qui l'on parle plusieurs langues parlera peut-être plus tard que les autres enfants, mais finira par parler les deux langues sans les mélanger. Cela se passera d'autant mieux que chaque adulte aura toujours parlé à l'enfant dans la même langue, la sienne.

DES SITUATIONS BIEN DIFFÉRENTES

Néanmoins, il existe plusieurs cas de bilinguisme, nous l'avons vu, et tous

L'enfant bilingue

n'ont pas des effets aussi favorables. Il arrive même que l'enfant, qui jusque-là parlait la langue de ses parents et qui a dû, à l'école, se mettre au français, se trouve confronté à de graves difficultés langagières qui entraîneront par la suite des risques d'échecs scolaires.

C'est un cas que l'on retrouve fréquemment dans les familles migrantes, où la première langue, encore mal parlée, est dévalorisée par la famille elle-même. L'enfant ressent qu'on lui demande de renier sa culture d'origine pour adopter sa culture d'accueil, et cela ne se fait pas sans une grande douleur ou de violentes résistances, même si les parents poussent l'enfant dans ce sens. On peut même observer une cassure dans le développement langagier de l'enfant.

PLUS QUE DEUX LANGUES, DEUX CULTURES

Finalement, le bilinguisme est positif pour l'enfant, source de richesse, si les deux langues sont valorisées dans la famille et si l'enfant ne renie aucune des cultures que ces langues véhiculent. Dans ce cas, la seconde langue est un outil de pensée supplémentaire et source de progrès.

En revanche, si la langue de base, accompagnée de ses valeurs socioculturelles, est rejetée au profit d'une langue socialement plus prestigieuse, l'enfant est plongé dans une insécurité et une confusion qui peuvent empêcher les progrès dans les deux langues.

Ce fait doit être connu de tous ceux qui accueillent les enfants migrants dans les écoles maternelles et qui ont pour tâche de leur apprendre le français. Valoriser la langue d'origine est le premier pas à franchir, fondamental si l'on veut que l'enfant se développe correctement sur le plan linguistique et qu'il ne se retrouve pas, de ce fait, en échec scolaire.

NOUS SOMMES TOUS BILINGUES

La mode aujourd'hui est d'apprendre le plus tôt possible une seconde langue aux jeunes enfants. Je pense qu'il est bon de commencer dès que la première est acquise. Les enfant jeunes n'ont aucune difficulté, ils apprennent par simple imprégnation, ce qui n'est plus le cas des lycéens. Dans quelques années, tout le monde parlera deux langues au moins, et tant mieux.

En conclusion, il est bon de réfléchir à ce fait : nous sommes tous bilingues. Notre mère ne parlait pas exactement la langue de notre père. Chacun avait son accent, son vocabulaire, ses tics de langage, selon sa culture, son origine régionale, son métier (le professeur de français ne parle pas comme le scientifique, ni comme l'artisan, ni comme l'artiste). Confrontés à ces deux formes de langage, nous ne parlons ni exactement comme l'un, ni exactement comme l'autre.

C'est ce bilinguisme d'origine, plus ou moins marqué selon les cas, cette écoute stéréophonique, qui nous fait ce que nous sommes, riches d'une langue et d'un imaginaire particuliers.

Pourquoi, pourquoi, pourquoi ?

Dès qu'il sait manier le langage, l'enfant s'en sert de manière privilégiée pour découvrir le monde et comprendre comment il fonctionne. C'est la période des « pourquoi ? » que traverse chaque enfant, mais qui peut être véritablement épuisante pour les parents chez certains enfants particulièrement curieux.

« - Maman, pourquoi les feuilles tombent des arbres ?

- Parce que c'est l'automne.

- Pourquoi c'est l'automne ? Pourquoi les feuilles du sapin ne tombent pas ? Et celles des plantes vertes ? Pourquoi les fleurs fanent même si elles sont dans l'eau ? »

Et ainsi de suite, pendant des heures…

UNE CURIOSITÉ BIEN INSPIRÉE

Ce questionnement est normal et souhaitable. Il témoigne de l'intérêt de l'enfant pour le monde qui l'entoure. Vos explications sont un bon outil de connaissance. Encore faut-il qu'elles soient adaptées à l'âge de l'enfant. J'ai connu un enfant qui n'interrogeait jamais son père car celui-ci, croyant bien faire, se lançait chaque fois dans des explications complètes et complexes, vite ennuyeuses, qui allaient bien au-delà de ce que l'enfant souhaitait savoir. Une réponse brève, en quelques phrases faites de mots simples, suffit le plus souvent. Si l'enfant veut davantage de détails, il vous en demandera.

Les réponses que vous donnez à votre enfant sont de l'éducation tout autant que de l'information. Elles vont influencer les questions qu'il posera par la suite. Vous sent-il ouvert ou réticent ? Êtes-vous heureux de partager vos connaissances avec lui ou devoir tout expliquer vous ennuie-t-il ? Vous sentez-vous obligé d'avoir réponse à tout ou vous donnez-vous le droit de dire que vous ne savez pas ?

Pourquoi, pourquoi, pourquoi ?

L'IMPORTANCE DES RÉPONSES

Répondre aux questions de son enfant est le meilleur moyen de garder vivant son désir de connaissance, désir qui lui sera bien utile lors de sa scolarité. En revanche, le rembarrer lui fait comprendre que vouloir s'instruire est mauvais.

Lui répondre qu'il est trop petit pour telle ou telle préoccupation est absurde : s'il a l'âge de la question, il a aussi celui de la réponse. Tout dépend en quels termes celle-ci est exprimée et si le contenu est approprié à cet enfant. N'oublions pas que les enfants d'aujourd'hui, en grande partie grâce à la télévision, sont plus précocement au courant de ce qu'il se passe dans le monde, mais les enfants des villes sont moins au fait de la vie, de la reproduction et de la mort que ne le sont les enfants de la campagne.

Répondre aux questions de son enfant est aussi une façon de l'encourager à s'exprimer. Par vos réponses, si vous avez soin d'utiliser les mots exacts, vous enrichissez son vocabulaire de façon importante.

SES QUESTIONS VOUS PARLENT DE LUI

À travers ses questions, l'enfant exprime quelles sont ses craintes, ses préoccupations et ses curiosités du moment. Plutôt que de répondre directement, pourquoi ne pas lui demander : « Et toi, qu'en penses-tu ? Comment imagines-tu que les nuages avancent dans le ciel ? »

Plus votre enfant avance en âge, plus vous le prenez en considération, et plus ses questions vont gagner en maturité et en profondeur. Ces questions peuvent concerner la sexualité, la maladie, la mort, le divorce, Dieu ou le Père Noël. Une seule consigne : ne mentez pas à votre enfant. Nul ne vous oblige à tout dire, dites vrai. La confiance qu'il a en vous dépend de cette franchise.

Il n'est pas toujours facile de déceler ce que l'enfant veut réellement savoir. Écouter attentivement sa question et y répondre précisément, c'est déjà mieux que répliquer la première chose qui passe par l'esprit pour se débarrasser de l'importun. Mais cela n'est pas toujours suffisant. Il peut être important de comprendre pourquoi votre enfant pose, en ce moment, beaucoup de questions sur la mort, par exemple. A-t-il été bouleversé par un décès récent ? Fait-il écho à une préoccupation qui est la vôtre ? A-t-il une crainte précise concernant quelqu'un qu'il aime ? Comme on le dit des trains, une question peut en cacher une autre, plus profonde et plus anxieuse.

ET QUAND IL S'EMBALLE…

Il arrive chez certains enfants que « la machine à questions » s'emballe. Ils posent dans un laps de temps plus de questions qu'on ne peut y répondre et ne semblent pas véritablement s'intéresser aux explications. Il se peut qu'ils aient trouvé là une manière d'attirer et de retenir votre attention, ou bien de retarder le moment d'aller au lit ou de s'habiller. Vous avez aussi le droit de dire : « Stop, la suite des questions, tu la gardes pour demain ! »

Les questions sur la sexualité

Je fais des question sur la sexualité un chapitre à part… pour dire qu'elles doivent être traitées comme les autres. Les enfants ne sont pas des idiots.

COMME TOUJOURS, DIRE LE VRAI

Même s'il est de leur âge de s'inventer de multiples fantasmes, ils ne croiront pas longtemps aux sornettes des adultes. L'époque n'est plus aux naissances dans les choux. Les enfants d'aujourd'hui sont confrontés à de multiples sources d'information : les copains, la télévision, etc. C'est faire injure à leur intelligence que de les obliger à croire des choses fausses.

Inutile, dans ce domaine comme dans les autres, d'être exhaustif. Votre enfant ne vous demande pas un cours sur la reproduction. Une réponse simple, claire, aisée, suffit généralement.

COMMENT RÉPONDRE AUX QUESTIONS ?

Quatre conseils :

1. Dites simple, dites peu, mais vrai. Si vous avez du mal, des livres vous y aideront. Soyez attentif à ne pas transmettre à votre enfant votre éventuel malaise concernant la sexualité. Il a besoin de se sentir bien dans son corps, content et confiant dans son sexe.

2. Employez les mots justes pour décrire les parties du corps, comme vous le faites pour le bras ou la jambe. Utilisés simplement, ils ne produiront aucun effet particulier sur votre enfant, mais l'aideront à voir dans la sexualité une chose normale.

3. N'omettez pas les dimensions du désir et du plaisir, qui sont le plus souvent occultées du discours parental, alors qu'elles forment, bien davantage que l'anatomie, l'essentiel de la curiosité de l'enfant. Quels que soient

vos mots, le message à faire passer est que les parents font un bébé parce qu'ils le désirent très fort et des câlins parce qu'ils s'aiment profondément et que cela leur donne beaucoup de plaisir.

4. Il est préférable que le père parle à son fils et la mère à sa fille, car chacun ne parle bien que de ce qu'il connaît. Mais c'est parfois impossible. Dans les explications des mères sur « comment on fait les bébés », il est important de ne pas oublier le rôle du père. La femme ne fait pas un enfant toute seule et, sans un homme, jamais un enfant ne grandirait dans son ventre. Il faut être deux, homme et femme, adultes et pas de la même famille, pour s'aimer sexuellement et faire un enfant. Voilà le genre d'explication qui aide l'enfant à grandir.

L'ENFANT QUI NE DEMANDE RIEN

Certains enfants ne posent pas de questions à leurs parents sur les points touchant à la sexualité. Peut-être ces derniers ont-ils déjà tout expliqué depuis longtemps, avec force livres et schémas. Peut-être aussi que les enfants ont senti une gêne chez les adultes ou qu'ils se sont heurtés à une attitude qui leur a fait préférer le silence.

Dans ce cas, il est souhaitable d'aller au-devant d'eux en leur fournissant spontanément les informations qui correspondent à leur âge.

Il faut aussi savoir que la curiosité a ses cycles et ses thèmes. Un enfant peut paraître très intéressé par la sexualité, puis, ayant obtenu des réponses qui le satisfont, ne plus en parler pendant six mois.

QU'EST-CE QUI INTÉRESSE L'ENFANT DE QUATRE ANS ?

Vers trois ans, les enfants commencent à séparer le monde entre les hommes et les femmes. Ils s'interrogent sur ce qui les différencie. La curiosité devient plus grande. Les questions vont venir.

Parfois il y a un déclencheur : une émission de télévision, un spot ou une affiche de publicité, une grossesse ou un accouchement dans la famille, etc.

Les enfants de trois ou quatre ans veulent savoir en quoi les hommes et les femmes diffèrent, quel sera leur rôle lorsqu'ils seront grands, d'où ils viennent, comment on fait un enfant, par où il entre et par où il sort.

Leurs questions peuvent être soit directes : « Comment il est rentré, le bébé ? Et par où il va sortir ? », soit indirectes : « Moi aussi, j'en aurai des enfants ? »

Sous prétexte d'informer, et pour ne pas trop s'émouvoir, on se cache volontiers derrière les notions techniques. N'oubliez pas de parler d'amour. Une relation saine à la sexualité, cela passe d'abord par un dialogue ouvert et simple sur tout ce qui s'y rapporte.

METTRE EN GARDE CONTRE LES ABUS SEXUELS

On parle de plus en plus d'abus sexuels, ce qui ne signifie pas qu'ils soient plus fréquents, mais que les enfants osent parler et que leur parole est prise en compte.

Protéger totalement son enfant est impossible, mais il est nécessaire d'essayer. La tâche est difficile. Tout parent désireux de mettre en garde efficacement son enfant se trouve vite confronté à deux dilemmes. D'une part : comment informer sans pour autant inquiéter ou rendre craintif ? D'autre part : comment assurer la sécurité de son enfant tout en respectant son légitime désir d'indépendance ?

Une information correcte

Bien sûr les enfants, à tout âge mais d'autant plus qu'ils sont jeunes, sont vulnérables. Mais il faut raison garder : à l'immense majorité des enfants, il n'arrivera jamais rien. L'angoisse parentale ne protège pas les enfants. Il est important de savoir que plus de la moitié des enfants mis en danger le sont par une personne connue d'eux, dont ils ne se méfient pas, alors que tous ont spontanément peur des étrangers, de ceux qui ont « une drôle de tête ».

Ne pas les surprotéger

Les enfants surprotégés, comme les enfants timides, sont, paradoxalement, plus vulnérables, car ils n'ont pas appris à se débrouiller ni à se défendre par eux-mêmes. Malgré leur anxiété, il est important que les parents donnent à leur enfant une autonomie en rapport avec son âge. C'est en apprenant progressivement la liberté que l'enfant se prépare à affronter le monde.

« Ton corps est à toi »

Préparer son enfant à se défendre contre les abus sexuels, c'est aussi, très tôt, lui faire comprendre que son corps n'appartient qu'à lui. Cela veut dire respecter sa pudeur, mettre des limites claires entre les membres de la famille, lui apprendre dès quatre ans à se laver seul, etc.

Les questions sur la sexualité

Une mise en garde efficace

Parler aux enfants de l'existence des abus sexuels n'est pas facile : c'est leur faire perdre une part de leur innocence, en leur parlant de choses moches dont ils ignorent tout. Mais c'est le prix à payer pour la prévention. On est plus vigilant quand on est au courant des dangers potentiels. On peut dire par exemple : « Il existe des personnes qui ont des problèmes, et cela les amène à essayer de toucher les enfants là où il ne faut pas. Même ceux qui ont l'air gentil peuvent parfois faire du mal. Personne, même un adulte proche, n'a le droit de toucher les parties cachées de ton corps, surtout si cela te crée un malaise. »

Comment aider l'enfant à faire la part entre le câlin « normal » et celui qui ne l'est plus ? D'abord, lui expliquer que personne d'autre que lui n'a le droit de toucher « à ce qui est caché par le maillot de bain » (sauf pour une raison médicale, bien sûr). Ensuite, lui apprendre à se méfier de ceux qui lui demandent le secret : un baiser « normal » n'a pas à être caché.

Si l'enfant est inquiet

Les histoires d'enfants enlevés, abusés, violés ou assassinés font régulièrement la une des médias. Les enfants entendent et peuvent s'inquiéter. S'ils posent des questions, il est important de répondre et de rassurer.

On peut rassurer en leur disant que la plupart des gens aiment les enfants et leur veulent du bien, mais que certains, qui ont de gros problèmes dans leur tête, peuvent parfois s'en prendre aux enfants. On ne peut pas reconnaître ces gens juste à leur tête (dans les films pour enfants, les méchants ont une tête de méchants), donc le mieux est de ne pas parler aux inconnus lorsqu'on est seul.

Cette règle-là et quelques autres (« Tu ne suis personne sans mon accord », « Tu m'en parles s'il se passe des choses qui te mettent mal à l'aise »...) doivent être énoncées régulièrement et vérifiées chaque fois que possible.

Avec l'enfant plus grand, à l'approche de ses six ans, on peut faire la part des gens « sûrs » à qui l'enfant peut s'adresser s'il a besoin d'aide.

Les questions sur la sexualité

Apprendre le temps

Le temps est un concept difficile à appréhender pour l'enfant, parce que très abstrait. Bien qu'elles nous semblent à nous tellement évidentes, les notions de temps, pour l'enfant qui vit dans le présent, sont complexes à cerner. Elles se mettent en place progressivement au fil des mois et des années, mais il n'est pas toujours facile de savoir où l'enfant en est de sa compréhension.

L'ÉVOLUTION DES CONCEPTS DE TEMPS

L'apprentissage de l'heure n'est pas au programme cette année. Avant d'apprendre à lire l'heure, il est fondamental de savoir se situer dans le temps. L'enfant apprend cela en trois étapes :

- Le concept d'immédiateté est le premier acquis. L'enfant conjugue les verbes au présent et il sait ce que signifient des mots comme « maintenant » ou « tout de suite ».

- Le futur vient ensuite. « Demain » signifie d'abord tout ce qui n'est pas encore arrivé ou qui n'arrivera pas avant longtemps, puis prend son sens restrictif du « jour après cette nuit ».

- Le passé, encore plus difficile à saisir, vient en dernier. Pendant longtemps, pour l'enfant, « hier » regroupe un temps qui va de ce qui vient de se passer à « quand j'étais bébé ».

AIDER L'ENFANT À SE SITUER

Différents petits jeux peuvent à la fois vous permettre de savoir où en est votre enfant de sa compréhension et l'aider à mieux se situer. En effet, la connaissance de ces concepts aide beaucoup à comprendre tout le reste du langage adulte et les réponses à tous ses « pourquoi »…

Fournir des repères concrets

Évitez d'employer, quand vous parlez à votre enfant, des mots comme « hier » et « demain » qui n'ont pas pour lui de sens précis. Mieux vaut l'aider à se situer par rapport à des points de repère concrets. L'enfant doit sentir que le temps, et son emploi du temps, sont rythmés et reviennent périodiquement. Il y a l'heure du lever et l'heure du coucher, l'heure de jouer, l'heure de manger tel ou tel repas. Il y a les jours d'école et les jours à la maison. Dessiner l'emploi du temps imagé d'une semaine type et l'afficher permettent bien à l'enfant de se repérer. On peut ensuite jouer avec lui en lui posant des questions comme « Que fait-on le matin ? » (ou le midi, l'après-midi, le soir, la nuit).

Manier ensemble les concepts

Dans un deuxième temps, vous pouvez entraîner votre enfant à manier parfaitement les concepts que recouvrent les mots : avant, après, pendant ce temps-là. Servez-vous de questions comme « Que fais-tu après avoir pris ton petit déjeuner ? », « Et juste après le déjeuner ? », « Que fait-on avant de se coucher ? », etc. « Hier » peut alors être défini comme « le jour avant cette nuit, lorsque nous sommes allés au parc » et « demain » peut être appelé « le jour juste après cette nuit ».

Ce qui revient chaque année

Lorsque l'enfant manie mieux le langage et qu'il se situe mieux dans le temps, il se met à employer correctement les temps du futur et du passé des verbes. Vous pouvez alors introduire des repères plus larges : les saisons, Noël, les anniversaires, « quand tu étais petit », « quand tu seras grand ». Ces notions doivent toujours être rattachées au vécu personnel et concret de l'enfant. « Il y a deux ans » n'a pas de sens, mais « quand tu avais deux ans » ou « quand tu étais à la crèche avec Muriel » en ont davantage. De même, les saisons n'existeront pour votre enfant que si vous le laissez expérimenter, avec ses cinq sens, les bourgeons qui sortent, les arbres qui fleurissent, les feuilles qui jaunissent et que l'on fait sécher, les châtaignes que l'on ramasse et fait griller, etc.

Le calendrier

Le temps est beaucoup plus facile à comprendre si l'on se sert d'un calendrier sur lequel on peut cocher les jours, dessiner les saisons de couleurs différentes, entourer les dates anniversaires des membres de la famille, voir approcher la date des prochaines vacances, etc.

Suivre le soleil

Attirez l'attention de votre enfant sur la position du soleil dans le ciel, qui a, pendant très longtemps, permis de connaître l'heure de la journée. Montrez-lui la lune et ses différentes phases qui reviennent chaque mois. Insistez sur tout ce qui permet de comprendre les cycles.

Échanger des souvenirs

Parler à l'enfant du passé et de l'avenir se fait beaucoup plus facilement lorsque l'on se plonge dans l'album de photos. « L'année où j'ai connu ton papa », « la première année où nous sommes allées en vacances à Quettreville », « quand tu avais un an et que ta grand-mère est venue vivre à la maison », « ici, c'est moi lorsque j'avais ton âge », sont des façons d'aborder le temps qui aident beaucoup l'enfant à se repérer.

L'arbre généalogique

Faites avec l'enfant son arbre généalogique, si possible avec une photo pour chaque personne. Inutile de remonter à la quatrième génération. L'important est que l'enfant comprenne qu'il est né à la croisée de deux lignées et qu'il prend à son tour sa place dans une histoire familiale.

Les âges de la vie

Découpez dans des journaux ou des catalogues des silhouettes masculines et féminines de la naissance à la vieillesse et aidez l'enfant à les coller dans l'ordre sur une grande feuille de papier.

Quand vous étiez petits…

Demandez à ses grands-parents de lui raconter comment était le monde lorsqu'ils étaient enfants, ou bien des anecdotes lorsque vous-même aviez son âge.

Divorce et séparation

La séparation des parents signe toujours l'échec de leur projet familial. Pour l'enfant, c'est une épreuve très difficile, même si sa fréquence l'a banalisée. Aider son enfant à la traverser exige des parents qu'ils se comportent en adultes responsables, aptes à gérer leurs différends.

QUELQUES CHIFFRES

Toujours plus de séparations

Les chiffres parlent d'eux-mêmes : près d'un couple marié sur trois divorce en province, un sur deux en région parisienne. Ces chiffres continuent à augmenter, mais dans une moindre proportion. Il faut ajouter à cela les séparations de couples non mariés, très difficiles à chiffrer, mais dont on sait qu'elles sont plus fréquentes encore que les divorces.

Dans 85 % des divorces, les enfants sont confiés à la mère. Mais il ne faudrait pas ne voir là que l'effet d'une monstrueuse injustice : la plupart des pères ne réclament pas la garde de leurs enfants, quand la plupart des mères le font. Lorsque les deux parents revendiquent la garde, les pères l'obtiennent dans environ 40 % des cas. Mais, dans tous les cas, cela fait un nombre toujours croissant d'enfants élevés sans la présence quotidienne, voire sans la présence du tout, de leur père, plus rarement de leur mère.

Vivre avec un seul parent

Il existe donc un nombre toujours plus important d'enfants vivant dans une famille « monoparentale » (bien mal nommée car, d'une manière ou d'une autre, tout enfant a deux parents), soit ayant vécu la douleur d'une séparation, soit ayant été conçus d'emblée par une femme vivant seule. Le dernier recensement de 1999 a confirmé qu'il y a un nombre croissant de parents isolés. Les familles monoparentales ont crû de 22 % en dix ans. À leur tête, dans 85 % des cas, on trouve une femme. Au fait que la garde des enfants leur est plus souvent confiée s'ajoute celui qu'elles se remettent moins souvent en ménage que les hommes après un divorce ou une séparation.

Douleur de la séparation, effets de l'absence du père ou de la mère, familles recomposées : rien que l'aspect psychologique de ces questions pourrait faire l'objet d'un livre entier. Je me contenterai ici de rappeler quelques points importants qu'il faudrait toujours avoir en tête lorsque l'on envisage ou que l'on vit une séparation.

Il faut savoir que, la plupart des divorces survenant après cinq à dix ans de mariage, les enfants que l'on se partage ont, eux, le plus souvent entre trois et six ans.

IL N'Y A PAS DE SÉPARATION RÉUSSIE

Un drame pour les enfants

Se séparer quand on avait fait le projet ou la promesse de passer sa vie ensemble et de construire une famille est toujours un échec. Mais quand on a des enfants, c'est pour eux un drame qu'il ne faut pas sous-estimer. S'il n'y a pas de séparation réussie aux yeux des enfants, il y en a malgré tout de moins traumatisantes, où le respect mutuel gouverne les relations de chaque parent avec son conjoint comme avec ses enfants.

À un certain niveau, les disputes et les bagarres permanentes entre ses parents sont ce qui abîme le plus l'enfant : sans une ambiance chaleureuse au foyer, il ne peut se sentir en sécurité. Aussi vaut-il mieux parfois, quand aucune autre solution n'est envisageable, se séparer plutôt que faire vivre l'enfant au sein de tensions permanentes. Il arrive même que l'enfant se sente soulagé de partager son temps entre deux foyers, dans la mesure où chacun est un lieu accueillant et paisible, alors que le foyer commun était devenu invivable.

Des réactions variables

Même lors d'une séparation vécue par deux adultes capables de ne pas faire porter aux enfants le poids de leurs différends, il faut s'attendre à ce que l'enfant manifeste sa souffrance d'une manière ou d'une autre et être prêt à l'aider ou à le faire aider. La manière dont l'enfant va vivre cette angoisse et cette insécurité dépend à la fois de la situation, de la façon dont ses parents vont lui faire supporter cette séparation et de lui-même : son âge (plus l'enfant est petit, plus la séparation est difficile à appréhender), son tempérament, sa sensibilité, etc.

Les réactions les plus fréquentes à cet âge sont les colères, le repli sur soi, la régression à un stade antérieur du développement, les troubles du sommeil (insomnies, cauchemars), les difficultés alimentaires ou scolaires et les maladies psychosomatiques.

IL FAUT PARLER DE LA SÉPARATION

Dès que la séparation est décidée, il faut en informer l'enfant. Très sensible, il sent que quelque chose est en cours et a besoin d'être rassuré sur ce qui lui arrivera. Il est souvent difficile pour les parents, emprisonnés dans leurs colères, leur tristesse ou leur angoisse, de trouver les mots pour informer les enfants, répondre à leurs questions et les sécuriser. Mais mieux la parole de l'enfant sera accueillie, meilleure sera sa réaction au divorce.

Quand le dire ?

Dès que la décision est prise et qu'elle va être suivie d'effets. Inutile d'attendre que l'enfant se pose des questions ou s'inquiète. Même les très jeunes enfants doivent être mis au courant, avec des mots simples, à leur niveau. L'effet de surprise, avec l'impression que tout s'écroule, peut être redoutable. Il sera moins important si l'enfant a senti le vent souffler et qu'il s'attend, plus ou moins, à votre annonce.

Au moment de parler, vous serez probablement ému et vous aurez peut-être du mal à trouver les mots justes. Aussi serez-vous plus à l'aise si vous avez préparé auparavant ce que vous avez l'intention de dire.

Divorce et séparation

Avec qui ?

Il est souhaitable que les parents annoncent ensemble leur séparation à leurs enfants réunis, à un moment où ils peuvent en parler sans s'agresser, et un peu avant la date effective, afin que ceux-ci puissent s'habituer à l'idée. Cela aide les enfants à percevoir un sentiment d'unité et d'ouverture à leurs questions. Ils seront rassurés de constater que vous pouvez encore communiquer et vous entendre sur l'essentiel : eux.

Le but est de faire sentir aux enfants que leurs parents maîtrisent la situation et qu'ils sont capables de résoudre eux-mêmes leurs problèmes.

Même s'ils sont d'âges différents, vous pouvez parler à vos enfants en même temps. Cela renforcera pour eux l'effet de solidarité.

Comment ?

En évitant si possible le drame et les larmes. Plus vous saurez garder votre calme et mieux cela vaudra. N'oubliez jamais que le besoin essentiel de l'enfant dans cette situation est d'être rassuré. Votre calme fait passer le message souhaité : « Même si mon monde est bouleversé, mes parents gardent le contrôle. »

Autre point important : ce n'est pas le moment de régler vos comptes avec votre conjoint ou d'entamer un conflit. Gardez les reproches personnels et les accusations pour une autre occasion. Ce qui aidera le plus votre enfant à entendre ce que vous avez à lui dire et à accepter cette nouvelle situation sera de constater qu'il existe entre ses parents une relation sinon amicale, du moins tolérante et respectueuse.

Enfin, gardez toujours en tête que vous parlez à un enfant. Employez des mots simples et sobres. Évitez les détails sur votre vie de couple ou vos déboires sentimentaux : cela ne le concerne pas.

Que dire ?

La vérité, simplement, en vous centrant sur ce qui concerne l'enfant. « Tu as senti que cela n'allait plus entre ton papa et moi, malgré nos efforts. Nous avons finalement décidé de nous séparer. C'est triste, mais ce sont des choses qui arrivent. Nous allons nous organiser pour que tu n'aies pas trop à en souffrir. » Lui veut savoir s'il va devoir déménager, s'il changera d'école, s'il vivra toujours avec son chien, s'il pourra continuer le judo, où seront ses affaires, comment s'organisera sa vie… Insistez sur ce qui restera pareil : plus il y aura de changements et plus il aura de mal à les gérer.

À la question du pourquoi, répondez la vérité, mais sans entrer dans les détails de votre intimité ou de vos reproches : vous avez de nombreux désaccords, vous avez évolué différemment et vous n'êtes plus heureux ensemble. Dire du mal l'un de l'autre ne pourrait qu'abîmer les enfants, mais se montrer totalement amicaux et tendres serait source de confusion et d'incompréhension.

Un enfant est très déstabilisé par l'annonce d'une séparation. Son monde vacille. Plus que tout, il a besoin d'être rassuré de manière ferme et tendre, par ses deux parents, sur les deux faits suivants :

- Il reste l'enfant de son père et de sa mère et il ne risque pas de perdre leur amour.

- La séparation n'est en rien la conséquence de son comportement et il n'est rien qu'il aurait pu faire pour l'empêcher.

Entendre ses questions et ses peurs

Quand vous vous serez exprimés, donnez la parole à l'enfant : « Y a-t-il des questions que tu voudrais nous poser ? » Certaines questions vous surprendront peut-être. Essayez d'y répondre tranquillement. Puis, l'entretien terminé, renvoyez-le à sa routine quotidienne. Il n'y a rien de plus rassurant pour l'enfant que de constater qu'il est toujours obligatoire de se laver les dents avant de se faire raconter une histoire au fond du lit…

Cette conversation ne va pas clore le sujet et devra être reprise souvent.

SPÉCIFICITÉ DES 3 À 6 ANS

L'enfant peut se sentir responsable

L'enfant de cet âge ne distingue pas encore très bien le réel de l'imaginaire. Il croit que désirer une chose peut suffire à la faire survenir. Or il a, à cet âge, des fantasmes destructeurs. Il désire souvent éliminer l'un de ses parents pour rester seul avec l'autre. Quand la séparation vient réaliser ce souhait, il y a rencontre du fantasme et de la réalité. L'enfant se sent responsable de ce qui arrive et en ressent une lourde culpabilité.

Centré sur lui, sûr de la perfection de ses parents, l'enfant se croit couramment la cause du divorce, surtout si l'annonce de celui-ci suit une série de reproches qui lui ont été adressés. Il croit que ses parents se séparent parce qu'il a renversé la bouteille d'huile, ou qu'il a fait une grosse colère la veille, ou seulement qu'il n'est pas assez gentil. Il est important d'affirmer de nombreuses fois à l'enfant qu'il n'est pour rien dans la décision de la séparation, car cette culpabilité est réellement destructrice pour lui.

Divorce et séparation

Il croit ce qu'il entend

À cet âge, l'enfant prend les mots au pied de la lettre. Attention à ceux qui dépassent votre pensée! Des réflexions comme: « Je ne peux plus vivre dans cette maison », « Le jour où je me suis marié, j'aurais mieux fait de me casser une jambe! », « Je deviens folle! », « Tout allait bien tant que nous n'avions pas d'enfants », « Tu peux dire que tu nous en auras fait voir », « Moi aussi, je quitterais bien la maison pour faire la vie! », « Ton père (ou ta mère) est… (injures) », peuvent faire réellement beaucoup de mal.

Quant aux mots « mariage » ou « divorce », ils n'ont de sens que s'ils sont définis en termes concrets. Pour l'enfant, la « famille » est constituée par les individus vivant « à la maison », et qui ont chacun un rôle et des tâches différentes dans son éducation. Il a du mal à imaginer que son père peut le rester s'il ne vit plus avec lui, ne lui lit plus son histoire quotidienne, ne l'emmène plus à la piscine tous les mardis soir et n'est plus là pour réparer sa bicyclette. Il aime avoir autour de lui tous ceux qu'il aime et ne peut comprendre pourquoi ses parents ne peuvent continuer à vivre ensemble dans une grande maison, même avec leurs nouveaux conjoints respectifs.

Il a besoin de mots concrets

Les nouveaux arrangements familiaux doivent également être expliqués en termes très concrets. Marquez les jours en rouge sur le calendrier. « Ton papa passera te prendre à la sortie de ton cours de poterie; tu resteras avec lui deux jours et deux nuits, puis tu rentreras dimanche à temps pour voir ton émission de télé » vaut mieux que: « Tu passeras chez lui un week-end sur deux. » L'enfant est rassuré s'il sait, dans les moindres détails, ce que sera sa nouvelle vie et s'il peut poser toutes les questions qu'il désire. Son inquiétude fondamentale, celle à laquelle il faut absolument répondre, pourrait se traduire par: « Et s'ils ne m'aimaient plus? Et s'il n'y avait plus personne pour prendre soin de moi, me nourrir, me soigner? Et si maman quittait la maison à son tour? »

CE QUI RASSURE L'ENFANT

Entre trois et six ans, l'enfant est incapable de comprendre les raisons de la séparation et les conséquences que cela implique. D'où son angoisse. Mais certaines paroles et certains comportements l'aident beaucoup à se rassurer, à se repérer et à maintenir une cohérence affective et psychologique.

- « Tu n'es absolument pour rien dans notre séparation et tu n'aurais rien pu faire pour l'éviter. »

- « On ne divorce jamais d'avec ses enfants. Nous ne sommes plus heureux tous les deux, mais nous sommes chacun très heureux avec toi. Nous resterons toujours tes parents et notre amour pour toi ne changera pas. »

- Accorder à l'enfant une chambre ou un coin à lui dans chacun des deux foyers où il va vivre.

- Respecter les accords sur les heures et les jours de visite. Faire faux bond à l'enfant est grave, de même que se disputer devant lui lors de chaque échange. Ce qu'on lui fait subir est déjà assez douloureux. Il n'y a que si ses parents se respectent et font l'effort de se parler comme des adultes que l'enfant pourra se respecter lui-même.

- S'arranger pour que l'enfant transporte un ou deux jouets affectifs d'un lieu à l'autre et qu'il y retrouve des habitudes communes, celles de sa vie d'avant (le bain avant le dîner, l'histoire quotidienne, la balade au parc, etc.).

- Assurer l'enfant de sa compréhension et de son amour ; ne jamais lui dire du mal de l'autre parent ou lui demander de prendre parti ; respecter les signes de sa souffrance ; ne pas compenser le temps d'absence par des cadeaux mais maintenir de part et d'autre les règles de discipline qui étaient en vigueur auparavant.

TOUT ENFANT A DROIT À DEUX PARENTS...

On ne fait pas un enfant « seule »

De plus en plus de mères décident, dès la conception, « de faire un enfant toute seule », comme dit la chanson. Dans le cas de séparations, près d'un père non gardien sur deux finit par disparaître de la vie de son enfant dans les quelques années qui suivent. Ces deux faits sont dramatiques.

Même le parent qui ne vit pas au foyer a un rôle fondamental à jouer dans la vie de son enfant, dans son éducation et dans son équilibre psychoaffectif. Entretenir chez l'enfant une haine ou un rejet du parent absent, ou simplement empêcher des rencontres régulières et de qualité avec lui, peuvent avoir des conséquences dramatiques sur son avenir affectif et sexuel.

Des références pour se construire

Le garçon a besoin de pouvoir se projeter sans honte ni colère dans cette image d'homme afin de pouvoir en devenir un à son tour. Quant à la fille, elle a besoin de son père pour apprendre à réagir aux hommes, savoir comment ils réagissent à sa féminité et prendre confiance en elle. La mère a un rôle symétrique à jouer.

Françoise Dolto allait plus loin en disant qu'il fallait informer l'enfant du fait que son père payait une pension alimentaire pour lui. Cela prouvait à l'enfant que, même si son père ne pouvait le voir régulièrement pour diverses raisons, il continuait à être partie prenante de son éducation. Plus la disparition de l'un des parents survient tôt dans la vie de l'enfant, plus les conséquences à l'entrée dans l'adolescence risquent d'être marquées.

Parler du parent absent

La mère définitivement seule peut trouver le moyen de lui parler régulièrement de son père et entretenir, dans l'esprit de son enfant, une image respectable, mais non idéalisée de celui-ci. Elle peut aussi chercher, dans son entourage familial ou amical, un homme susceptible d'offrir un modèle à son fils. Mais chaque fois que l'on peut faire autrement, il faut se rappeler que l'enfant a le droit et le besoin de connaître et de passer du temps avec le père et la mère dont il est issu. C'est le devoir du parent gardien de tout faire pour maintenir les relations entre leur enfant et l'autre parent.

Et si vous pouviez passer une année Noël ensemble, sans disputes, avec les quatre grands-parents, et y joindre les nouveaux membres de chaque famille, soyez sûr que votre enfant en serait très heureux.

... ET À QUATRE GRANDS-PARENTS

Maintenir les liens avec les quatre grands-parents de l'enfant, quelles que soient les difficultés du couple, est très important pour l'avenir et pour l'équilibre de l'enfant.

Dans une période de bouleversement familial, les grands-parents peuvent offrir un vrai havre de paix à leurs petits-enfants. Leur maison, elle, ne change pas, et l'enfant peut à la fois y parler librement et y retrouver ses anciennes habitudes. L'enfant s'y sent accueilli et aimé inconditionnellement et pour lui-même.

Ce sera d'une grande aide dans la mesure où les grands-parents s'abstiennent délibérément de prendre part au conflit et de ne soutenir que leur propre enfant contre l'autre parent.

De 4 ans 1/2 à 5 ans

Qui est l'enfant de quatre ans et demi* ?

Pas très différent de l'enfant de quatre ans, l'enfant de quatre ans et demi avance et approfondit les caractéristiques qui étaient les siennes autour de quatre ans. Il maîtrise davantage les compétences qu'il acquiert tout au long de cette cinquième année. Vu les écarts importants qui commencent à apparaître entre les enfants, il devient de plus en plus difficile de dater l'apparition de tel comportement ou de telle acquisition.

Que peut-on dire, alors, de l'enfant de quatre ans et demi, par rapport à ce qu'il était six mois plus tôt ?

- Il a grandi. Il mesure environ entre 100 et 109 cm et pèse entre 15,4 et 19 kg. Les filles sont plus facilement en dessous et les garçons au-dessus de ces moyennes.
- C'est un bon marcheur. Partir en balade dans la campagne ou en forêt avec sa famille est pour lui un grand plaisir. Pourvu qu'il trouve à renouveler son intérêt, il peut marcher d'un bon pas plusieurs kilomètres.
- Dans la vie quotidienne, on constate que son appétit est meilleur et plus facile à satisfaire. Il fait souvent de mauvais rêves remplis d'animaux effrayants. Il devient bien meilleur aux jeux de ballons : il est désormais capable de lancer dans la bonne direction et, souvent, de rattraper.
- Les enfants de son âge l'intéressent toujours plus que les adultes. Des bandes d'enfants se constituent, avec les exclusions et les rivalités qui vont avec.
- Les dessins de « bonhomme » que fait l'enfant gagnent en précision (ainsi que toutes ses productions). Ils sont maintenant dotés de mains, de pieds, de cheveux, d'yeux et d'oreilles. À la demande, l'enfant dessine sa famille, pas selon les tailles respectives des individus mais selon leur importance. Le chien ou le chat, personnage important de la famille, n'est pas oublié.
- L'enfant compte désormais jusqu'à dix-neuf ou vingt-neuf. Le passage d'une dizaine à l'autre est toujours difficile, mais le principe est acquis. À la demande, il peut donner « juste » un, deux, trois, voire quatre cubes.
- Son langage a encore progressé (1900 mots en moyenne), mais ce qui l'intéresse le plus, dans le vocabulaire, ce sont les mots grossiers, les injures,

---

* Tous les enfants sont uniques et leurs développements différents. L'enfant normal ou moyen n'existe pas. Aussi, soyez sans inquiétude si vous ne reconnaissez pas toujours le vôtre dans ce portrait.

les mots absurdes et ceux qu'il invente. Il comprend si bien qu'on peut doré-navant lui parler presque avec le langage que l'on emploierait pour un adulte. Il a assimilé les notions de « le plus », « plus que », « le moins », « moins que », mais « le même » ou « égal » sont encore difficiles.

Il fait encore pipi au lit

S'il s'agit d'un petit accident de temps à autre, il est inutile de s'en préoccuper. Certains apprentissages complexes peuvent mettre un peu de temps à s'installer parfaitement. Mais si votre enfant présente une absence de contrôle de la vessie une fois passé l'âge normal de la maturité physiologique, soit entre trois ans et demi et quatre ans, s'il fait pipi au lit malgré lui souvent ou par périodes, il s'agit bien de ce que les médecins nomment « énurésie ».

UN ENFANT QUI A BESOIN D'AIDE

Quels que soient la situation, l'âge ou le diagnostic, disons d'emblée que gronder, ridiculiser ou faire honte à un enfant qui mouille son lit ne l'aide en rien à régler son problème, mais peut entraîner le développement de sérieuses difficultés psychologiques.

Ce qui ne signifie pas qu'il faille ignorer la situation et ne pas s'en préoccuper. L'enfant énurétique se sent le plus souvent honteux, ou anxieux face à un problème auquel il ne peut rien. Il refuse les invitations à dormir chez les copains et risque de perdre son estime de soi. Aussi faut-il essayer les différentes manières d'aider l'enfant.

MIEUX CONNAÎTRE L'ÉNURÉSIE

On ne peut légitimement parler d'énurésie avant l'âge de quatre ou cinq ans. Fréquente, elle concerne 10 % à 15 % des enfants et encore 4 % des adolescents. Elle touche deux fois plus souvent les garçons que les filles. Elle peut se présenter sous de nombreuses variantes :
- Énurésie diurne (de jour) : elle est liée à un besoin urgent d'uriner et à l'impossibilité de différer, ou énurésie nocturne (de nuit) : la plus fréquente, elle concerne 65 % des cas. C'est de cette dernière que nous traiterons ici.
- Énurésie primaire (de loin la plus fréquente) lorsque l'enfant n'a jamais été propre, ou énurésie secondaire, lorsqu'il recommence après une période de continence d'au moins six mois.
- Énurésie quotidienne (tous les jours), irrégulière (de temps en temps) ou intermittente (par périodes, liée à une perturbation affective particulière).

Avant de poser un diagnostic d'énurésie et de rechercher des causes psychologiques, il faut demander au médecin de s'assurer qu'il n'existe aucune cause physiologique ou médicale. Ceci est particulièrement vrai dans le cas des énurésies secondaires qui peuvent être dues à des infections urinaires. Ces causes-là éliminées, reste à comprendre pourquoi votre enfant n'est pas continent.

LES CAUSES DE L'ÉNURÉSIE

Elles sont nombreuses, diverses, difficiles à repérer et varient selon les auteurs. Elles se conjuguent entre elles, une cause pouvant se trouver estompée ou renforcée par une autre, aussi peut-on rarement se contenter d'une réponse simple. Voici, pour résumer, comment on peut classer les causes de l'énurésie.

Un facteur familial ou héréditaire

Sans que l'on sache bien pourquoi, il existe des familles d'énurétiques, qui se transmettent également un sommeil très profond. Savoir qu'il est « comme papa au même âge » peut rassurer l'enfant sur lui-même et ses parents également, et donner une indication sur l'âge où cela cessera. Mais cela ne signifie pas qu'il faille se contenter d'attendre sans rien faire, car ce serait sous-estimer la gêne de l'enfant. D'une manière générale, plus une énurésie est ancienne, plus elle sera difficile à soigner.

Un facteur lié à la vessie

La cause de l'énurésie peut être physique sans pour autant être médicale. La vessie peut être plus petite que la normale ou la pression à l'intérieur supérieure, si bien que l'enfant a du mal à tenir une nuit entière. Le sphincter (le muscle qui tient la vessie fermée) peut ne pas être suffisamment fort. Dans ce cas, quelques exercices simples peuvent aider.

Un facteur lié au sommeil

Beaucoup d'enfants énurétiques ont un sommeil profond, ce qui ne suffit pas à expliquer qu'ils ne se réveillent pas (d'autres ont un sommeil profond et ne mouillent pas leur lit), mais cela n'aide certainement pas.
Pour une raison que l'on ignore, ces enfants ne s'éveillent pas lorsque la vessie envoie au cerveau le message qu'elle est pleine. Si bien qu'ils ne se lèvent pas pour aller aux toilettes au milieu de la nuit, comme ce serait nécessaire pour eux.

Des chercheurs ont également repéré que les enfants énurétiques rêvent souvent d'eau (jeux, baignades, etc.) ou qu'ils sont en train de faire pipi.

DES FACTEURS PSYCHOLOGIQUES

Je leur consacre un chapitre à part car ils sont nombreux, fréquents et divers. Ils concernent à la fois la personnalité de l'enfant et son environnement affectif. Un exemple connu de tous ? L'enfant qui recommence à faire pipi au lit à la naissance de son petit frère, ou celui qui cesse le jour où il part en classe verte. Essayons de faire un tri.

Des traits de personnalité

Il semble que les enfants un peu « bébé », anxieux, sensibles, d'une part, et les enfants agressifs ou opposants, d'autre part, soient plus souvent que les autres susceptibles de choisir ce symptôme-là. Les premiers parce qu'ils souhaitent rester « le petit bébé de maman » et, en attirant ainsi l'attention, bénéficier de ses soins corporels ; les seconds parce qu'ils trouvent là une manière de s'opposer à ce qui est attendu de leur part. Mais ces motivations, très simplifiées ici, sont bien entendu inconscientes.

L'énurésie comme message

Certains enfants particulièrement intelligents et précoces, trop poussés ou trop tôt responsabilisés par leurs parents, trouvent dans l'énurésie le moyen de montrer qu'ils sont encore petits. D'autres, malheureux et angoissés dans un climat familial pénible, protestent ainsi contre un manque affectif, les disputes entre les parents ou dans la fratrie.

L'apprentissage en question

La façon dont la propreté a été apprise à l'enfant joue un rôle non négligeable dans l'apparition de l'énurésie. Il s'agit souvent d'une mère rigide ou trop pressée, qui a mis l'enfant souvent sur le pot, à heures fixes, à un âge trop précoce. Menaces, félicitations, reproches ou récompenses ont pu accompagner cette éducation et faire de la continence, au lieu d'un phénomène naturel, un nœud affectif complexe.

Plus les parents ont attaché d'importance à l'acquisition de la propreté, plus il y a de chances pour que le symptôme du malaise s'exprime là. Dans d'autres cas, il peut s'agir d'une mère trop sévère, ou bien dégoûtée par les couches de son enfant.

Il fait encore pipi au lit

Des réactions « inappropriées »

Deux facteurs peuvent aggraver le phénomène, en transformant une énurésie occasionnelle en une énurésie habituelle :
- une mauvaise réaction des parents (punitions, moqueries) ;
- au contraire une « trop bonne » réaction (la mère prend plaisir à laver son enfant et à continuer de s'en occuper comme d'un tout-petit).

Le cas de l'énurésie secondaire

L'énurésie secondaire survient le plus souvent à la suite d'un choc affectif perturbant pour l'enfant, lequel n'a pas reçu sur le moment l'aide ou l'écoute dont il avait besoin. Parmi ces événements entraînant une perte du sentiment de sécurité intérieure, on peut citer la séparation des parents, un déménagement, la naissance d'un puîné, un deuil, etc. Pour se sécuriser de nouveau, l'enfant va tenter de retrouver sa petite enfance, celle du temps où il faisait encore pipi au lit et où sa maman s'occupait préférentiellement de lui.

LES TRAITEMENTS DE L'ÉNURÉSIE

Beaucoup d'enfants énurétiques ne semblent pas présenter de problèmes particuliers et leur famille non plus. L'énurésie est dite bénigne, sans troubles associés, et ne met pas en jeu la vie relationnelle de l'enfant. Le pipi au lit vient alors juste compenser une petite angoisse. Beaucoup de ces énurésies disparaissent d'elles-mêmes autour de cinq ans. Aussi est-il inutile de mettre en route un traitement avant cet âge. Mais on peut tirer un bénéfice non négligeable de l'application de l'un ou plusieurs des « conseils de base ». Pour les traitements proprement dits, ils sont essentiellement médicamenteux et psychologiques et dépendent des causes de l'énurésie.

Conseils de base

Ils concernent la façon dont l'enfant et sa famille vivent cette énurésie.
À la mère, on demande de supprimer les couches et de les remplacer par une alèse et de cesser le plus possible d'intervenir. Plus l'enfant peut être autonome, mieux c'est. Il peut par exemple apprendre à mettre et enlever seul ses draps, à les porter dans le lave-linge, à se doucher seul, etc.
Ceci ne doit en aucun cas être ressenti comme une punition, mais comme une prise de responsabilités concernant son propre corps. Lorsque l'enfant perd le bénéfice d'avoir sa mère pour s'occuper de lui et d'attirer ainsi son attention, il arrive qu'il cesse de faire pipi au lit et attire son attention d'une manière plus favorable.

Il fait encore pipi au lit

Les parents doivent également cesser de commenter l'énurésie de leur enfant, de le blâmer, de lui faire honte ou de se moquer : à la place, qu'ils jouent l'indifférence.

Il peut être utile d'expliquer à la famille ce qu'est l'énurésie, car elle est parfois très mal tolérée par l'entourage. Il est bon de rappeler que l'enfant ne met aucune mauvaise volonté à ne pas être propre. Il urine pendant qu'il dort et ne peut donc en être tenu pour directement responsable. S'il pouvait faire autrement, il le ferait très certainement. Discuter de tout cela avec un médecin, un pédiatre ou un psychologue permet de mieux comprendre et de se déculpabiliser.

Il est inutile de priver l'enfant de boire. Au contraire, boire beaucoup dans la journée (jusqu'au goûter environ) peut permettre d'accroître une vessie trop petite. Au dîner, l'enfant peut se contenter d'un verre d'eau. Le soir, on peut en poser un autre sur sa table de chevet au cas où l'enfant aurait soif la nuit.

L'éducation de la vessie

Si vous avez des raisons de penser que l'énurésie de votre enfant est causée ou renforcée par des problèmes de vessie ou de sphincter, voici comment vous pouvez l'aider.

Expliquez à votre enfant qu'une des raisons pour lesquelles il fait pipi au lit est que sa vessie (en forme de poche) ne contient pas assez d'urine et que le muscle qui la ferme n'est pas assez fort pour tenir la poche fermée assez longtemps. Progressivement, il peut changer cela. Pour agrandir la vessie, il suffit de boire beaucoup dans la journée et de se retenir de faire pipi le plus longtemps possible. Pour renforcer le sphincter, il faut, lorsqu'il fait pipi, qu'il s'arrête deux ou trois fois en cours de miction, si possible dès le début, lorsqu'il a très envie. Ces exercices se révèlent à terme, s'ils sont faits régulièrement, d'une bonne efficacité.

Le sommeil trop profond

Souvent, l'enfant fait pipi au lit dans les deux heures qui suivent son endormissement, même s'il est allé aux toilettes avant de se coucher. Une solution pour les parents consiste, dans ce cas, à réveiller l'enfant une heure et demie après qu'il s'est endormi et à l'emmener aux toilettes. Cela ne lui apprendra pas à se réveiller de lui-même mais lui donnera la sensation favorable d'être « propre ».

Dans le cas contraire, on explique à l'enfant qu'il dort trop profondément pour que son cerveau entende le message de « vessie pleine » et qu'on va l'y aider. On peut soit lui donner un médicament qui lui permette de dormir moins profondément, soit lui procurer un appareil genre « pipi-stop ». Il s'agit d'un appareil électrique (totalement inoffensif), qui réveille l'enfant par une sonnerie dès les premières gouttes d'urine. L'enfant peut donc encore se rendre aux toilettes. Cet appareil peut être efficace chez l'enfant de sept ou huit ans, d'accord pour l'utiliser et très motivé. Autrement, il peut être désagréable et de peu d'utilité…

Le traitement psychologique

Je rappelle que les causes psychologiques sont extrêmement fréquentes et, si l'enfant est dans ce cas, tous les traitements cités ci-dessus seront insuffisants à faire disparaître l'énurésie. Mais, comme nous l'avons dit, plusieurs causes sont souvent associées et l'on peut se battre sur plusieurs tableaux simultanément.

Au début de toute psychothérapie, il est souhaitable d'expliquer à l'enfant la raison de sa présence chez le psychologue et le mécanisme du « pipi au lit ». Plus l'enfant sera motivé et désireux de cesser de mouiller son lit, plus le processus s'enclenchera de manière favorable. Le but de la psychothérapie est à la fois de faire prendre conscience à l'enfant des raisons de son symptôme et de lui permettre d'accéder à l'autonomie corporelle et de se prendre en charge. Ces psychothérapies sont généralement de courte durée. Dans les cas plus complexes où d'autres troubles psychologiques sont associés à l'énurésie, une prise en charge plus classique et plus poussée sera nécessaire pour, à la fois, venir à bout du symptôme et rendre à l'enfant sa joie de vivre.

Des jeux pour se préparer à lire

Vous avez trouvé, dans la partie de ce livre consacrée à l'enfant de trois ans et demi à quatre ans, une longue liste de jeux que vous pouvez partager utilement avec votre enfant. Ils l'aideront à développer les aptitudes nécessaires à la lecture et à l'écriture. Entre quatre et cinq ans, la préparation continue. Ainsi votre enfant sera-t-il fin prêt lorsqu'il entrera en Cours Préparatoire et apprendra-t-il à lire en très peu de temps et sans difficulté majeure (sauf problème autre, bien sûr).

FAIRE ÉVOLUER LES EXERCICES

Que pouvez-vous faire maintenant ? D'abord reprendre les exercices précédents et vous assurer qu'ils sont bien maîtrisés, même si vous augmentez le niveau de difficulté. En effet, il est inutile de passer à des notions plus complexes ou plus abstraites si celles-là ne sont pas totalement acquises. Vous pouvez donc arrêter les exercices que votre enfant fait maintenant avec une grande facilité et continuer l'entraînement dans les autres. Par exemple, dans le jeu où l'enfant doit suivre des pointillés avec son crayon, vous pouvez tracer des chemins plus complexes, plus courbes, toujours dans le sens de l'écriture, comme un enchaînement de e ou de l.

Vous pouvez ensuite commencer à travailler d'autres notions, toujours sous forme de petits jeux. Les trois aptitudes suivantes sont très importantes.

Savoir ordonner et comprendre les séquences

Votre enfant doit comprendre que les événements se déroulent selon des séquences, dans un certain ordre logique, car il en est de même pour les mots. On ne peut pas les ranger comme on veut. La séquence, l'ordre, des lettres dans les mots est immuable, celui des mots dans la phrase l'est presque également. Si l'on peut dire : « Soudain le renard lâcha sa proie » et « Le renard lâcha soudain sa proie », on ne peut dire, au risque de ne plus se faire comprendre : « Lâcha sa renard soudain le proie. »

Savoir classifier

C'est-à-dire être conscient que différents objets appartiennent à une même catégorie, voire à plusieurs selon le critère choisi. Cela est très difficile pour l'enfant. Il lui faudra un peu de temps pour comprendre qu'une balle rouge, par exemple, puisse être rangée selon sa couleur avec l'ensemble des objets rouges, selon sa forme avec l'ensemble des objets ronds, selon sa fonction avec l'ensemble des jouets, etc. Vous commencerez par apprendre à l'enfant que pomme, banane, poire, sont « tous des fruits », puis, une fois ces classements bien acquis, que « maman, Martine et mirabelle commencent tous par m… ».

Développer sa discrimination auditive

Et non plus sa discrimination visuelle comme précédemment. L'enfant doit s'entraîner à distinguer, surtout dans le son initial d'abord, quel son commence le mot. Attention à la confusion entre « ch… » et « s… », « p… » et « b… ». Les lettres que j'écris sous cette forme ne doivent pas être lues par leur nom (esse, pé, bé) mais par leur son uniquement, ce qui est beaucoup plus simple pour l'enfant (voir le chapitre « Lui apprendre l'alphabet »).

Des jeux pour se préparer à lire

DE NOUVEAUX JEUX À FAIRE ENSEMBLE

Voici quelques idées de jeux, à adapter, que vous pourrez partager avec votre enfant afin de développer ces capacités.

1. « Qu'est-ce qui vient en premier ? »

Le jeu consiste à ordonner selon une séquence logique les images ou les dessins représentant une histoire. Voici un exemple avec trois dessins très simples : un œuf, l'œuf se craquelle, le poussin est à côté des coquilles. Ou encore : Jean pêche, il sort un poisson de l'eau, il rentre avec son poisson à la main.

Plus le nombre de dessins est élevé et plus les détails à repérer sont nombreux, plus le jeu est difficile. Commencez par des éléments très simples comme ceux cités plus haut, puis augmentez le niveau de difficulté selon le résultat de l'enfant. Au départ, vous devrez l'aider de la façon suivante : vous classez devant lui les images dans l'ordre, vous lui demandez de raconter l'histoire, vous mélangez les cartes, et enfin vous lui demandez de les ordonner de nouveau, en les plaçant côte à côte, de gauche à droite (toujours le sens de la lecture et de l'écriture, à respecter).

2. Les mots à initiales

Posez différents objets sur la table, tous avec une initiale différente. Nommez les objets à l'enfant, puis demandez-lui : « Je voudrais celui qui commence par p… », et il doit vous donner la passoire, etc. Une variante consiste à lui demander de classer les objets par paires, en mettant ensemble ceux qui commencent par le même son. Peu importe si ces mots ne commencent pas par la même lettre : seul le son compte ici. Kiwi et camion vont ensemble, mais pas citron et camembert.

3. Avec l'imagier (1ᵉʳ jeu)

Prenez l'imagier, à la section des animaux par exemple. Demandez : « Je voudrais que tu me montres l'animal qui commence par ch… et qui miaule. » Ce jeu se prête à beaucoup de variantes.

4. « Je vois quelque chose… »

« Je vois quelque chose… » ou « Je pense à quelque chose… », « qui commence par t… et sur lequel on peut s'asseoir », « qui commence par v… et dans lequel on boit », etc. Très vite, vous pourrez jouer à tour de rôle et votre enfant vous posera lui-même des devinettes.

5. « Passe la commande ! »

Le jeu des commandes devient : « Va à la cuisine, ramène quelque chose qui commence par f…, puis va dans ta chambre et ramène quelque chose qui commence par p… »

6. Avec l'imagier (2ᵉ jeu)

Toujours à l'aide de l'imagier, qui rend les choses plus faciles au départ, puis sans lui : « Trouve deux mots commençant par n… »

7. « Finis ma phrase »

C'est un jeu où vous demandez à l'enfant de terminer les vôtres. « Jean se brosse les d… », « Le s… brillait », etc.

PUIS ON DÉCOUVRE LES LETTRES

L'étape suivante, et la dernière avant l'apprentissage de la lecture proprement dite, permet à l'enfant de découvrir les lettres elles-mêmes, de les associer à leur son et de les reconnaître dans des mots. Vous trouverez cela dans le chapitre concernant l'enfant de cinq ans à cinq ans et demi.

La dernière étape de la préparation à la lecture et à l'écriture consiste à associer son et représentation de la lettre. Votre rôle sera terminé et l'institutrice du Cours Préparatoire prendra la relève lorsque votre enfant aura six ans, sauf si vous le sentez prêt et demandeur avant cette date, auquel cas il ne tiendra qu'à vous deux de décider si vous commencez à lui apprendre à lire proprement dit.

Associer l'écrit et l'oral

À l'enfant, qui sait que camion et canari commencent par le même son, on montre les deux mots écrits et on lui fait remarquer qu'ils commencent par la même lettre. Peu à peu, il apprend qu'à chaque son correspond une lettre et va savoir reconnaître laquelle. Le plus facile pour l'enfant, au début, est d'associer une lettre à un mot précis qu'il apprendra comme une paire. Le « a » d'abricot, le « b » de banane, le « f » de feuille, le « m » de maman, etc. Dessinez ces objets, la lettre initiale et le mot entier sur des cartons que l'enfant pourra manipuler (à défaut, vous pouvez acheter un abécédaire bien conçu). Ainsi, dans chaque nouveau mot, il pourra retrouver la lettre et le son qu'il connaît déjà. Face au mot « pirate », il reconnaît le « p » de papa, le « i » de iris, le « r » de radis, etc. Sentir que « p i » se lit pi est généralement vite fait. Le reste n'est que détails et apprentissage des sons complexes.

Comment lui apprendre la politesse ?

L'apprentissage de la politesse est une œuvre de longue haleine. Raison de plus pour s'y mettre rapidement.

DES CONSIGNES MILLE FOIS RÉPÉTÉES

On a l'impression de répéter mille fois la même chose. Au début, c'est « Dis merci à maman », « Prends ta fourchette plutôt que tes doigts », « Dis au revoir à la maîtresse ». Puis : « Enlève tes coudes de sur la table », « Mets la main devant la bouche quand tu tousses », « Ne coupe pas la parole ». Cela vous rappelle quelque chose ? Normal. Si une certaine politesse semble se perdre, ce n'est pas faute d'essayer de transmettre l'essentiel. Mais alors, comment se fait-il que cela soit si difficile ? Pourquoi des enfants tout à fait éveillés et intelligents semblent-ils avoir tant de mal à mémoriser des règles aussi simples ?

UN APPRENTISSAGE À LONG TERME

Commencé dès la petite enfance, l'apprentissage de la politesse ne semble toujours pas acquis à l'adolescence. Les parents sèment des petites graines, arrosent jour après jour… mais ils ne verront le résultat que bien des années plus tard. Si certaines règles vont devenir des automatismes (dire s'il te plaît, merci), la plupart sont appliquées de façon fluctuante. D'autres règles enfin ne seront utilisées que lorsque l'enfant, devenu grand, en ressentira lui-même la nécessité sociale. Il faut donc faire preuve d'une grande patience : inutile d'attendre de nos enfants ce qu'ils ne sont pas encore en mesure de fournir, mais il ne faut jamais renoncer pour autant : on œuvre pour le long terme, pour le jour où une maman nous dira : « Quel enfant charmant vous avez, quelle chance d'avoir un enfant aussi bien élevé ! »

COMMENT S'Y PRENDRE ?

Soyez réaliste dans vos attentes

La politesse que l'on peut attendre d'un enfant dépend de son âge et de son développement. Mais il ne faut pas non plus sous-estimer ses capacités. Un enfant de près de cinq ans peut parfaitement apprendre à ne pas couper la parole ou à ne pas sortir de table sans en demander l'autorisation.

L'enfant ne peut pas non plus être parfait tout le temps. Il comprend vite que, selon les lieux et les situations, il doit plus ou moins contrôler son comportement, ce que nous faisons également.

Le petit enfant de trois ans à six ans

Les bases sont déjà posées : les quatre mots magiques (bonjour, au revoir, s'il te plaît, merci), les débuts du respect et du partage.

La méthode la plus efficace consiste à enseigner une seule règle à la fois. Si « merci » vous semble prioritaire, concentrez-vous sur cette demande et laissez le reste de côté jusqu'à ce que l'habitude soit prise.

Les règles les mieux intégrées seront les règles les plus simples et les plus claires, exprimées en termes positifs, toujours les mêmes, et répétées inlassablement, chaque fois que nécessaire.

Valoriser l'exemple

L'exemple est encore et toujours le moyen le plus efficace d'enseigner la politesse. L'enfant, sans s'en rendre compte, modèle son comportement sur celui des adultes de référence, ses parents. Il est donc toujours utile de jeter un regard critique et objectif sur ses propres habitudes. Si les parents n'appliquent pas eux-mêmes les « bonnes manières » qu'ils prônent, leurs exigences seront sans effet.

LE CAS PARTICULIER DES GROS MOTS

Avec les débuts à l'école démarre l'époque des gros mots. Si les premiers (« caca boudin ! ») font plutôt rire, les vrais nous amusent beaucoup moins.

Expliquez votre position

Les jeunes enfants ne connaissent généralement pas le sens des gros mots, des jurons et des insultes qu'ils répètent pour les avoir entendus à l'extérieur (dans le meilleur des cas !). À vous de leur expliquer que ces mots ont un sens très grossier, qu'ils peuvent être insultants, et que vous ne souhaitez pas le voir s'exprimer de cette façon. Par la suite, vous pouvez également lui donner des mots de remplacement pour exprimer sa colère ou son désaccord.

Ne vous choquez pas

L'enfant de cet âge est volontiers provocateur. S'il sent qu'il peut déclencher une réaction intéressante chez vous en disant de gros mots, il continuera. Ces mots vont être dotés, à ses yeux, d'un pouvoir magique : celui de vous faire réagir.

Il ne vous reste donc que trois solutions :

- Soit vous faites celui qui n'entend pas. Votre enfant va crier. Vous lui expliquez : « Je refuse de t'entendre lorsque tu me parles de cette façon. Emploie des mots corrects et mes oreilles vont sûrement se déboucher. »

- Vous faites celui qui ne comprend pas. « Que dis-tu ? Excuse-moi mais je ne comprends pas ces mots, ils ne font pas partie de mon vocabulaire. Peux-tu parler autrement ? »

- Vous lui dites très calmement que vous n'appréciez pas ce langage et que vous souhaitez qu'il cesse d'employer ces mots. Vous ne vous énervez pas, vous ne criez pas. Si ces mots sont sans valeur, l'enfant cessera de les utiliser.

Prenez garde à l'environnement

Si votre enfant emploie ces mots, c'est bien qu'il les a entendus quelque part.

- Parfois à l'école ou dans la bouche de copains : « Eux parlent comme ils veulent, mais ici, chez nous, nous n'employons pas ces mots. »

- Parfois dans des films, à la télévision. Si vous assistez au film avec l'enfant, expliquez-lui que ces mots, même entendus à la télévision, restent vulgaires et interdits. Ils sont employés là pour choquer, dans une situation qui n'est pas la sienne.

- Parfois dans notre bouche. C'est auprès de ses parents qu'un enfant acquiert l'essentiel de son vocabulaire. Quand nous sommes en colère, nous ne contrôlons pas toujours ce que nous disons. Mais lui, il entend, retient et répète, se sentant légitimé à le faire. Impossible d'obtenir de nos enfants qu'ils s'expriment mieux que nous. Lorsque l'on a compris cela, on fait davantage attention à la manière dont on s'exprime devant eux !

DES RÈGLES POUR LA MAISON

L'enfant peut vite comprendre qu'une certaine façon de s'exprimer ne doit pas franchir la porte de la maison. De même qu'une certaine courtoisie et un certain respect sont nécessaires entre les membres de la famille. Si ces attitudes lui sont enseignées et demandées, si ses parents les appliquent eux-mêmes, cela deviendra une habitude.

Au fil des années, l'influence des copains se fait prépondérante et l'enfant a vite tendance à adopter les règles du groupe. Il faut pourtant continuer à faire respecter les règles importantes à la maison, sans se décourager.

Les parents expliquent qu'ils tiennent à cette politesse et félicitent l'enfant chaque fois que son comportement le mérite. C'est long. Pourtant, au bout de quelques années, ils en récolteront les fruits.

Les principales peurs de l'enfant

La peur est un sentiment universel qui nous protège du danger. Celles de l'enfant sont souvent intenses et déconcertantes pour les parents.

1. LA PEUR DE L'OBSCURITÉ

Chez presque tous les enfants, la peur du noir apparaît à un moment ou à un autre autour de deux ou trois ans. Elle peut prendre différentes formes : monstres, voleurs, etc. Il arrive que, malgré un comportement rassurant des parents, cette peur ne disparaisse pas. Dans ce cas, de petits jeux peuvent l'aider. Le premier consiste à jouer à l'aveugle : les yeux fermés ou avec un bandeau sur les yeux, l'enfant vous suit dans la maison et tente d'identifier les objets qu'il rencontre. Dans un deuxième temps, vous pouvez faire la même chose dans le noir.

Une nuit, passez un moment dans sa chambre avec lui, puis dans le reste de la maison, à identifier calmement les bruits et les ombres. Montrez-lui que vous n'avez pas peur et que chaque source d'une crainte possible peut être expliquée.

Enfin, dans un troisième temps, vous pouvez jouer avec lui en plein jour, mais dans une pièce aveugle (sans fenêtre). Laissez filtrer un fin rai de lumière à travers la porte pour commencer et demandez-lui d'identifier ou de retrouver tels objets que vous y aurez placés. Au début, l'enfant ne restera que quelques secondes dans une pièce sombre, puis le temps pourra augmenter au fur et à mesure qu'il prendra confiance.

Pour finir, sachez qu'il est inutile de forcer à dormir dans le noir un enfant qui a peur. Mieux vaut lui confier une lampe.

2. LA PEUR DE L'EAU

C'est un sujet qui a déjà été bien abordé dans un ouvrage précédent (*Le livre de bord de votre enfant de un jour à trois ans*) concernant la peur du bain chez le petit enfant. Ici, il s'agit davantage de la peur de l'eau sur la figure ou dans les yeux, de la crainte d'être mouillé ou de perdre pied.

Une seule solution : apprendre à nager

Votre enfant arrive à l'âge où il va devoir accompagner sa classe à la piscine et sa peur risque de devenir un vrai problème. Je ne connais pas de meilleur remède, hormis comprendre ce que signifie cette peur et ce qui l'a provoquée, que d'apprendre à nager à l'enfant. Les enfants qui aiment l'eau et qui ont l'occasion d'y jouer souvent apprennent le plus souvent à « nager » tout seuls (c'est-à-dire à pouvoir traverser une piscine en eau profonde, mais généralement pas avec les gestes adéquats) entre quatre et six ans. Mais pour votre enfant, mieux vaut engager un maître nageur compétent. Il doit être soigneusement choisi et au courant de la peur de votre enfant, afin d'adopter une méthode très progressive et essentiellement ludique.

L'eau doit être appréhendée avec plaisir, ou plutôt comme la redécouverte progressive d'un plaisir. Jeter l'enfant à l'eau ou le forcer malgré ses larmes, comme on le voit encore parfois, aboutirait au résultat inverse. Ce n'est que lorsque votre enfant saura nager sous l'eau là où il n'a pas pied qu'il ne craindra plus l'eau.

3. LA PEUR DES ANIMAUX

La peur des animaux réellement dangereux n'est pas gênante. Nul ne vous oblige à fréquenter les panthères, les requins ou les serpents. Inutile, si votre enfant est dans ce cas, de l'obliger à passer ses dimanches au zoo. La peur des chiens ou des chats est plus embêtante car on ne peut, dans notre société, tenir à distance tous les animaux familiers.

Cette peur résulte le plus souvent d'une mauvaise expérience. La seule façon de dépasser cette peur consiste d'abord à retrouver cette expérience et à en parler calmement, puis à se « désensibiliser » progressivement.

Une désensibilisation systématique

Celle-ci se déroule en plusieurs étapes progressives. On n'aborde l'étape suivante lorsque la précédente se vit sans anxiété particulière.

Commencez par lire ou feuilleter ensemble des livres sur des animaux, regardez des émissions de télévision les concernant, apprenez ensemble à mieux les connaître et la manière de se comporter avec eux et regardez-les à distance.

À ce stade, l'enfant est prêt à les approcher, voire à les toucher, si vous lui donnez la main, que vous restez gentiment près de lui et que vous le rassurez constamment. On commence toujours par l'animal que l'enfant trouve le plus gentil, celui qui lui fait le moins peur.

La peur des insectes

Certains enfants, à l'instar des adultes, ont une vraie frayeur des insectes. Celle-ci, comme presque toutes les autres, a le plus souvent une origine psychologique. Là encore, la seule chose que vous puissiez réellement faire est de montrer l'exemple, de ne pas paniquer vous-même à la plus petite araignée ou au passage d'une guêpe et d'apprendre à votre enfant à se comporter en présence des insectes, ceux qui piquent et les autres. Leur observation dans la nature est si fascinante qu'elle suffit parfois à faire vaincre la peur : s'allonger dans l'herbe et regarder toutes les petites bêtes qui y vivent, admirer une araignée qui tisse sa toile, suivre la fourmi qui transporte une miette jusqu'à la fourmilière, etc.

4. LA PEUR DU « VILAIN MONSIEUR »

Nous mettons si bien en garde nos enfants contre les voleurs d'une part et les kidnappeurs d'autre part que certains enfants n'osent plus rester cinq minutes tout seuls ou sortir jouer dans le jardin. Difficile de demander à l'enfant de devenir autonome en allant seul chercher le pain au bout de la rue et de l'effrayer en même temps avec tous les affreux personnages qui rôdent alentour.

Ne créons pas les frayeurs en croyant informer

Autant il est important d'alerter l'enfant sur les dangers résultant de mauvaises rencontres, autant il faut être réaliste et ne pas l'inhiber dans son développement avec des angoisses excessives. Un comportement surprotecteur signifie à l'enfant qu'il vit dans un monde dangereux où l'on doit se méfier de tout et de tous : ceci n'est certainement pas un message adéquat.

Un enfant qui connaît par cœur son nom, son adresse et son numéro de téléphone, à qui l'on a appris que faire s'il était perdu et à qui demander de l'aide et qui sait dire non à un adulte, est un enfant bien préparé à assurer sa sécurité.

5. LA PEUR DUE AUX INFORMATIONS

Des enfants très (trop ?) informés

Les enfants d'aujourd'hui sont quotidiennement exposés aux informations, télévisées le plus souvent, lesquelles ne véhiculent, c'est bien connu, que de mauvaises nouvelles. Chute dans un ravin d'un car de ramassage scolaire, attentat à la bombe dans un centre commercial, guerre en Israël ou avions suicides aux USA… Il est désormais impossible de tenir les enfants à l'abri de toutes ces tragédies, tant ils sont impliqués dans un réseau de communication. Quel enfant n'était pas au courant des attentats américains ? Mais durant cette période, nombreux sont ceux qui ont développé des peurs

Les principales peurs de l'enfant

nouvelles. Et si une bombe tombait sur la maison ? Et si mon père ne reve-
nait pas de son travail ? La résolution des conflits ne suffit pas toujours à
faire disparaître les angoisses...

Une incapacité à relativiser

En dessous de six ans, les enfants ont une conscience limitée du monde hors
de leur environnement proche et n'ont pas les moyens d'appréhender correctement ou de relativiser des événements dramatiques survenus ici ou là.
Incapables de prendre de la distance, ils pensent automatiquement que ce
qui est arrivé quelque part peut leur arriver à eux aussi (ce qui n'est pas toujours faux, malgré ce que l'on dit pour les rassurer). Le jeune enfant va per-
sonnaliser les tragédies, y compris la maladie ou la mort. Même si cette peur
ne s'exprime pas directement avec des mots, elle se traduira par des cauchemars, de l'anxiété ou de maux divers.

Protéger les enfants des images

Pour ces raisons, et parce que les enfants de cet âge ont déjà bien assez de
frayeurs en eux, réelles ou imaginaires, mieux vaut, je crois, ne pas expo-
ser les enfants de moins de six ou sept ans aux informations, notamment
télévisées (du fait des images, ce sont souvent les plus frappantes). Il est préférable d'attendre qu'ils soient couchés pour regarder le journal télévisé où
de nombreuses scènes peuvent être sources de frayeurs nouvelles.
Dans le cas où l'enfant a été exposé et reste inquiet, le mieux est de lui expliquer calmement ce qui est arrivé, en termes généraux et sans détails inutiles.
Ce qui l'intéresse essentiellement est de savoir que ce qui est arrivé à telle
personne ou à tel endroit de la planète a infiniment peu de risques de lui
arriver, à lui ou à ceux qu'il aime. Inutile de mentir en disant que cela n'arrivera « jamais » : l'enfant sent lorsque ses parents ne sont pas sincères. Si
ses parents sont eux-mêmes très inquiets, cela ne fera que renforcer et justifier sa peur (« J'ai bien raison de craindre telle chose puisque maman
aussi a peur »).
Les parents ne contrôlent pas toutes les sources d'information de leur enfant.
Il arrive que les copains d'école jouent un rôle aggravant les inquiétudes
(on a vu cela durant la guerre du Golfe). Dans ce cas, le mieux que les
parents puissent faire consiste à parler avec leur enfant, en l'aidant à exprimer ce qui a pu l'effrayer et ce qu'il craint qui puisse lui arriver. Le dialogue
est encore la meilleure manière de montrer à l'enfant que ces sujets ne sont
pas tabous.

Trop souvent, les parents ont tendance à vouloir rassurer leur enfant et faire taire ses peurs, sans chercher au préalable ce qu'est leur inquiétude spécifique et quel sens elle a. À travers les questions qu'il pose et la façon qu'il a d'exprimer ses sentiments si on l'y encourage, l'enfant dit beaucoup sur ce qui le préoccupe ou l'angoisse. Essayer de comprendre, dialoguer et n'avoir pas peur de sa peur, voilà le comportement parental qui rassure l'enfant.

Comment réagir à ses peurs ?

Pour parvenir à dépasser la peur, l'attitude des parents est déterminante.

TOUS LES ENFANTS ONT DES PEURS

Certains enfants vivent des journées plutôt tranquilles tandis que d'autres semblent l'objet de nombreuses craintes. Mais il est bien rare qu'un enfant ne partage pas au moins l'une de ces peurs si fréquentes à cet âge : peur du noir, des insectes, des chiens, des orages, de la mer, de parler à des inconnus, de se faire mal, etc. Les peurs qu'il avait étant plus petit, peur des bruits violents et des étrangers, peur d'être abandonné, s'atténuent progressivement et laissent la place à d'autres. Les cauchemars sont toujours là, avec leurs monstres et leurs sorcières.

Avoir peur est normal

Il faut bien comprendre que ces peurs n'ont rien d'anormal. On peut bien sûr faire son possible pour rassurer l'enfant et l'aider progressivement à prendre confiance en lui et en ses capacités. Mais c'est surtout parce qu'il grandira et apprendra à faire la part du réel et de l'imaginaire que ses peurs diminueront. Lorsqu'il sera convaincu qu'il est quelqu'un de bien, dont les mauvaises pensées ne nuisent à personne.

LES PEURS ONT UNE CAUSE PSYCHOLOGIQUE

Chaque peur est plus fréquente à un âge donné. Elle témoigne du développement psychique normal de l'enfant. À partir de trois ou quatre ans, l'enfant prend son indépendance. Il utilise son agressivité pour tenter de maîtriser son environnement et l'influencer dans le sens qu'il souhaite. Mais il se sent vite coupable de cela, même s'il commence à savoir que des souhaits malveillants ont peu de risques de se réaliser par la seule force de l'esprit.
Cette culpabilité, ainsi que la crainte d'être puni, souvent plus fantasma-

tique que réelle, revient la nuit sous forme de cauchemars. Ou bien elle se lie à l'anxiété, due souvent au simple fait de grandir, et se trouve projetée sur un objet extérieur qui, en conséquence, est vécu comme dangereux : le chien, l'araignée, etc.

DES PEURS À PRENDRE EN COMPTE

Ce n'est pas parce que ces peurs sont banales et naturelles qu'elles doivent être ignorées. Savoir que la plupart des enfants de cet âge craignent l'obscurité n'est pas une raison pour les empêcher d'avoir recours à une veilleuse pour se rassurer ! Nous allons passer en revue quelques-unes des peurs les plus courantes afin de voir comment y faire face. Certaines peurs particulièrement aiguës peuvent parfois nuire au développement heureux de l'enfant et ne pas diminuer sensiblement avec l'âge. Je pense particulièrement à la peur presque panique de prendre la parole en public ou de rester dans un espace clos : dans ces cas, il peut être utile de faire appel à un psychologue.

COMMENT RÉAGIR ?

Ne pas se moquer

Minimiser la peur, l'ignorer ou s'en moquer ne font aucun bien. Cela peut même accroître l'anxiété et la détresse de l'enfant qui ne se sent pas soutenu. Des phrases comme : « Arrête de te comporter comme un bébé ! », ou « Tu sais bien que les petites bêtes ne mangent pas les grosses ! », n'ont jamais aidé un enfant à se sentir plus courageux. Peut-être n'exprimera-t-il plus ses angoisses pour ne plus vous déplaire, mais cela ne signifie pas qu'il s'en est débarrassé.

Ne pas surprotéger

À l'inverse, ne soyez pas trop complaisant et protecteur à chaque fois qu'une peur s'exprime car vous donneriez l'impression à l'enfant que le danger est réel. Si vous dites à votre fille qui craint les chiens : « Calme-toi, regarde, tu ne risques rien, le chien est bien tenu en laisse », vous ne faites que convaincre l'enfant qu'elle a bien raison d'en avoir peur. Elle hurlera la prochaine fois qu'elle en verra un sans laisse. Attention également aux peurs que nous projetons nous-mêmes sur nos enfants (les souris, les serpents, les araignées, la foule, l'altitude, etc.).

Être aux côtés de son enfant

L'enfant n'est rassuré que si ses parents respectent ses sentiments, mais ne partagent pas sa peur. Comportez-vous de manière rassurante et calme. Vous savez que sa peur est imaginaire (il arrive qu'elle ne le soit pas : dans ce cas l'attitude à adopter est différente, comme nous le verrons plus loin). L'essentiel est donc de soutenir l'enfant dans les efforts qu'il fait pour vaincre sa peur. Être avec lui pour l'encourager à se dépasser. Cela suppose une grande confiance réciproque entre l'enfant et vous. Cela suppose également qu'il puisse parler de sa peur avec vous, raconter ses cauchemars s'il se les rappelle, dessiner ses monstres et tenter d'expliquer ce qu'il craint réellement.

Donner des modèles

L'enfant gagnera beaucoup à imiter le comportement d'un adulte ou d'un aîné qui ne partage pas sa peur. Si la petite fille de tout à l'heure voit sa grande sœur tendre sa main vers le chien et celui-ci lui lécher le bout des doigts, elle aura peut-être envie de faire de même. Un sourire, un commentaire positif inciteront un autre à regarder sous son lit si un monstre s'y cache.

Inciter l'enfant à se dépasser

Certains enfants ont besoin d'être incités à prendre des initiatives. Si l'on est toujours derrière eux, à craindre qu'ils ne se blessent ou ne se perdent, ou, au contraire, si on les jette en avant, ils ne développent pas la confiance en eux nécessaire pour faire face à de petites aventures.

Un commentaire positif sur la façon dont votre enfant s'est sorti de telle ou telle situation pour lui périlleuse l'incitera à recommencer une autre fois. Mais la meilleure réassurance vient encore de la présence et du soutien du père ou de la mère. Grâce à cette chaleureuse et encourageante proximité, il pourra avancer au-delà du point où il aurait normalement fait retraite…

POURTANT LES ENFANTS AIMENT AVOIR PEUR

De délicieux frissons

Les enfants aiment les histoires qui font peur. Ils demandent qu'on relise les même histoires, soir après soir. Qu'on repasse la même cassette. Pour trembler et se sentir soulagé à la même seconde. Oui, ils aiment les histoires qui les font vibrer. Ils n'aiment pas avoir peur « pour de vrai », dans la vraie vie, mais ils adorent jouer avec cette émotion dans un contexte où ils se sentent en sécurité. Ils se régalent d'avance à l'idée du loup qui s'approche ou de la découverte d'un monstre, tout en sachant bien qu'on est là dans l'imaginaire.

L'imaginaire est structurant

Quand un petit garçon se perd dans un grand magasin, il est terrifié. Le même enfant, face à l'histoire des Trois Petits Cochons, ne l'est pas. Pourtant le cochon auquel il s'identifie risque d'être mangé. Il a peur comme lui. L'enfant joue alors avec des sentiments qu'il sait pertinemment terrifiants. Sauf qu'il adapte alors son imaginaire aux mots qu'on lui raconte, et que cela forme un filtre protecteur.

Être plus fort que sa peur

Parce qu'elle est imaginaire, l'histoire peut être lue plusieurs fois. À chaque fois, c'est le même délicieux frisson qui s'empare de l'enfant… jusqu'au moment de la victoire finale. Lui aussi est plus fort… que sa peur. C'est là l'essentiel : l'enfant, qui se sait tout petit, sent bien qu'il n'est pas de taille à affronter le monde. Avec ces histoires et ces contes, il apprend que l'on peut faire face malgré sa peur et que l'on s'en sort. Il découvre que la peur ne fige pas forcément sur place mais qu'elle peut donner du courage. Et du courage, il en faut quand on est petit ! Ainsi, dans la cour de l'école, il reste vigilant tout en sachant désormais qu'il a en lui les moyens de faire face. Les petits peuvent aussi gagner contre les grands, parce qu'ils sont plus malins.

Enfin, dernier avantage à vivre aussi intensément ses émotions : on se sent bien vivant. À l'intérieur du corps de l'enfant, c'est la réaction hormonale commune à tous les stress qui se met en route : le pic d'adrénaline. Déjà, à son niveau, il découvre ce plaisir.

Jouer à se faire peur

Les livres et les films ne sont pas les seules sources d'émotions vives et de frissons. Certains enfants aiment jouer à se faire peur, dès qu'ils sont entre amis, parce que là encore ils se savent relativement en sécurité.

Les petits enfants adorent jouer à colin-maillard, ou à l'aveugle, lorsqu'il s'agit de se laisser conduire par un adulte, les yeux fermés. C'est pour lui un signe qu'il se remet entre les mains de plus grand que lui et qu'il cherche la confiance, en même temps qu'il se confronte à sa peur du noir et de l'inconnu.

Ordre et désordre

Tous les parents le savent : qui dit petit enfant dit fouillis dans la maison. Notre notion de l'ordre et du rangement lui est totalement étrangère. Mettre ses jouets dans une boîte, au fond d'un placard ou dans un coffre, semble particulièrement absurde à l'enfant : ses jouets sont bien là pour qu'il s'en serve et, pour cela, rien de plus pratique que de les garder sous la main.

UN SENS DE L'ORDRE TRÈS PERSONNEL

Ce que nous appelons désordre de l'enfant est en fait un ordre très personnel. Comme nous, l'enfant cherche à organiser son espace d'une manière qui lui convienne et déplace à sa façon ses objets dans la maison. Le jeune enfant a besoin de fouiller, d'explorer et d'emmener ses jouets là où se tiennent ses parents.

Pourtant, l'enfant a aussi besoin d'ordre et de références. C'est un moyen pour lui de s'y retrouver, de créer un monde rassurant. Si les choses sont prédictives (mes petites voitures sont dans la boîte bleue et les biscuits dans le placard sur l'évier), l'enfant se sent en sécurité dans sa vie, qui prend sens.

UNE QUESTION DE TEMPÉRAMENT

Au-delà de ces comportements que l'on retrouve chez tous les enfants, on trouve aussi chez eux les mêmes différences que chez les adultes. Certains, très ordonnés, ne supportent pas ce qui n'est pas à sa place : ils ne peuvent se reposer tant que la cuisine n'est pas rangée et se relèvent immédiatement pour redresser un cadre de guingois. D'autres vivent dans un joyeux fouillis, chaleureux, où ils sont les seuls à se retrouver.

Ces différences tiennent à notre personnalité, à notre éducation et à ce que nous avons fait des injonctions parentales.

On retrouve le même mécanisme avec nos enfants. Certains, la plupart, ne sont heureux que dans le fouillis et le reforment très vite. D'autres ont besoin que certaines de leurs affaires soient rangées à leur idée, dans un ordre qu'ils ont déterminé, toujours à la même place. Ils vont se mettre en colère si on y touche.

Il nous appartient d'apprendre à nos enfants le rangement, mais en respectant leur tempérament. Et sans oublier que l'ordre intérieur est bien plus important que l'ordre extérieur. Or celui-là dépend bien plus des limites et de la cohérence des règles éducatives que de l'aisance à remettre les pièces du puzzle dans leur boîte.

RANGER : UNE QUESTION D'ÂGE

Jusque vers trois ans

Pour le petit enfant, la notion d'ordre n'existe pas. Jusque vers trois ans, ranger ne signifie rien. Pourquoi serait-il « mieux » que les jouets ou les chaussettes soient dans le tiroir plutôt que sur le tapis de la chambre ? L'enfant a besoin de beaucoup d'objets et de mouvements. Il aime manipuler et déplacer. Pour cela, le mieux, c'est de tout avoir à portée de main, demande incompatible avec l'ordre parental.

« Oublier » son blouson dans la cuisine ou son camion dans le salon, c'est aussi s'approprier l'espace de la maison, en faire un nid confortable où il est partout chez lui.

Vers quatre ans

C'est l'époque où le rangement commence à prendre sens. D'une part, à cet âge, l'enfant a le sens de la propriété. Il sait ce qui est à lui et tient à marquer son territoire. Ranger, c'est éviter de se faire piquer ses jouets par le petit frère. Ce qui n'empêche pas l'enfant de continuer à s'approprier ce qui n'est pas à lui.

D'autre part, il a acquis la propreté. Sur le plan psychique, cela signifie que l'enfant est dégagé de certaines contraintes. Il a moins besoin de manipuler et de maîtriser ses objets en permanence, moins besoin de s'opposer également. Il devrait donc se montrer plus disposé aux demandes de rangement.

Enfin, il est à un âge où le désir d'imiter ses parents est très important. Les petites filles comme les petits garçons, qui voient leurs parents mettre de l'ordre et faire du ménage, vont vite désirer en faire autant et, surtout, faire avec eux.

Vers six ans

L'apaisement des conflits intérieurs qui survient à cette époque rend possible l'acquisition d'une certaine discipline de vie. À cet âge, l'enfant peut commencer, sans rappel systématique, à ne plus laisser traîner ses affaires partout derrière lui ou à remettre un jouet en place avant d'en sortir un autre. En revanche, il a encore besoin d'être entraîné et ne peut ranger seul sa chambre.

Ordre et désordre

COMMENT ENSEIGNER L'ORDRE ET LE RANGEMENT

Ne pas attendre de miracles

En matière de rangement, les intérêts de la mère et de l'enfant sont contraires. La mère veut que la chambre et la maison soient relativement rangées, que l'on puisse marcher sans écraser les morceaux de jeux, et qu'il soit possible de passer l'aspirateur partout. L'enfant, lui, veut avoir ses jouets favoris à portée de la main et ne se sent bien que lorsque toutes ses petites affaires sont autour de lui.

Ces intérêts contradictoires ne doivent pas empêcher les parents d'enseigner l'ordre à leurs enfants, mais doivent contribuer à les armer d'une grande tolérance et de beaucoup de patience. Développer chez son enfant le sens de l'ordre demande du temps et de la disponibilité. Cela n'a strictement rien d'inné. Il arrive fréquemment que lorsque l'enfant a enfin acquis les rudiments de l'ordre et mis en place quelques automatismes, l'adolescence survient, qui remet tout cela en question…

Limiter ses ambitions

Il ne serait pas juste d'exiger de l'enfant plus qu'il ne peut fournir. Un petit rangement chaque soir, pour se coucher dans une chambre « apaisée », un grand rangement une fois par semaine, pour que chaque jouet retrouve ses petits morceaux et sa place d'origine, cela semble raisonnable.

Vouloir faire vivre son enfant dans une chambre impeccable, attendre de lui qu'il tienne sa chambre en ordre parfait et qu'il ne laisse rien traîner derrière lui, demanderaient d'exercer une contrainte excessive qui, à terme, pourrait se révéler nuisible.

Se servir du sens du jeu et de l'imitation

Pour que l'enfant participe au rangement de sa chambre (il ne saura pas le faire seul avant longtemps), il est bon d'en faire un jeu plutôt qu'une corvée. L'adulte aide l'enfant et explique ce qu'il fait. Si ce rangement se fait joyeusement (pourquoi pas en musique ?) et qu'on montre bien à l'enfant comment s'y prendre, il aura à cœur de participer.

Sur un autre plan, ranger est tout à fait éducatif. L'enfant est à l'âge où il apprend à classer les objets en catégories et à ordonner. Lui donner comme tâche : « Tu fais un tas avec les Lego, tu mets tous les habits de poupée dans cette boîte rouge et les petites voitures dans la bleue », c'est aussi lui permettre de s'entraîner à des tâches intellectuelles qui sont très intéressantes pour lui.

Ordre et désordre

Expliquer les bienfaits de l'ordre

Lorsque l'on range sa chambre, on retrouve souvent le petit jouet que l'on avait cherché en vain pendant un long moment : c'est l'une des joies du rangement. Lorsque l'enfant égare un objet, on peut lui faire remarquer que, s'il l'avait remis à sa place, il l'aurait retrouvé sans difficulté. Lorsque l'on range avec l'enfant, on lui dit : « Cela y est, nous avons retrouvé tous les morceaux du puzzle. Ce sera bien plus agréable pour toi la prochaine fois que voudras le faire. »

Et lorsque que vous-même perdez vos clés : « Ah, je ne trouve plus mes clés, c'est de ma faute, je ne les ai pas accrochées où je les mets d'habitude en rentrant. » En procédant de cette façon, vous montrez à l'enfant que chacun, à la maison, est responsable de ses propres affaires. Vous n'êtes pas toujours là pour retrouver la chaussure de Barbie ou le crayon violet. À lui de trouver une bonne place pour ses objets et de veiller à les y remettre s'il veut pouvoir les retrouver.

Tolérez des zones de fouillis

L'enfant acceptera d'autant mieux de ranger ce qui peut l'être que vous tolérez certains lieux de désordre. Tout enfant a besoin d'un coffre, d'un tiroir ou d'une simple valise où il peut mettre, en vrac, tout un joyeux bazar dans lequel il plonge périodiquement avec une grande émotion. C'est là généralement qu'on retrouve tout ce qui avait bizarrement disparu.

On peut dire qu'il s'agit de l'équivalent, chez l'adulte, de la vieille malle aux trésors ou de l'armoire du grenier, où l'on entasse de vieux objets chargés de souvenirs, inutilisables mais impossibles à jeter.

Enseigner le respect

Tenir ses affaires dans un ordre minimum, c'est aussi une question de respect.

- Respect des objets dont on se sert, d'abord. Il est plus agréable de lire un livre qui n'est pas déchiré ou corné, de faire un puzzle qui a toutes ses pièces, ou de jouer avec un jeu dont il ne manque pas de cartes.

- Respect des personnes ensuite. À la maison, comme dans toute communauté de vie, il y a des règles qui régissent la vie de tous les jours. Chacun doit y mettre du sien pour que les pièces communes soient des lieux où il fait bon vivre.

À l'inverse, respecter l'enfant, c'est accepter que l'ordre de sa chambre et sa façon de ranger ses affaires soient à son image et non à la nôtre. L'enfant, dans sa chambre, a besoin de se sentir chez lui. Pour certains, un fouillis relatif, quelques jours dans la semaine, est l'écrin où leur personnalité et leur créativité s'épanouissent le mieux.

UNE ORGANISATION PRATIQUE

L'expérience montre que l'enfant range plus volontiers :
- Quand il y voit son intérêt : c'est le côté éducatif dont nous venons de parler. On peut y ajouter une récompense pour les efforts fournis (« Dès que tes livres seront rangés sur l'étagère, tu en choisiras un que je te lirai »).
- Quand c'est facile et pratique. Aux parents d'aménager l'espace dans cet esprit. Voici quelques exemples qui vous y aideront.

Manteau, moufles et chaussures

Ils auront beaucoup plus de chances de ne pas traîner au milieu du salon si vous accrochez des portemanteaux à la hauteur de l'enfant, si vous installez un panier pour recevoir gants et bonnets et si le placard à chaussures est facile à ouvrir.

Il reste ensuite à installer l'habitude. Une phrase comme : « Pas de goûter tant que les affaires ne sont pas rangées » devrait vous y aider.

Délimitez les espaces de jeu

Dans la chambre, il peut y avoir un endroit pour le rangement des poupées, un coin pour les livres et un espace pour les boîtes de jeux, clairement déterminés. Il est plus facile de s'y retrouver.

Si deux enfants partagent une chambre, il vaut mieux que chacun ait un espace de rangement pour ses jouets personnels, en plus des rangements communs. Une caisse ou un tiroir de commode feront l'affaire. De même, il est souhaitable de leur expliquer que le désordre de l'un ne doit pas empiéter sur l'espace vital de l'autre.

Mais, dans la maison également, il est bon que l'enfant sache qu'il ne peut pas s'étaler n'importe où n'importe quand. S'il vient jouer au salon, par exemple, c'est avec votre autorisation, et sous réserve qu'il range avant le dîner.

Simplifiez le rangement

Pour chaque type de jouet, des grandes boîtes en plastique que l'on peut empiler ou glisser sous le lit. Pour les peluches ou les poupées, des paniers d'osier ou un hamac de corde suspendu à bonne hauteur. Pour les livres, les crayons et les boîtes de jeux, des étagères accessibles et solides.

Ordre et désordre

Souvent les chambres des enfants sont de vraies cavernes d'Ali Baba. Il y a tellement d'objets et de jouets divers qu'il est impossible de les tenir rangées. Le mieux est de faire un tri. À la poubelle, ce qui est cassé et irrécupérable. À donner, ce qui n'est plus de son âge mais encore en bon état. À ranger en haut de l'armoire, ce avec quoi il ne joue pas encore ou qui fait double emploi (tous les mois, on sort un nouveau jouet et on en met un hors circuit : l'enfant est ravi d'avoir chaque mois un jouet nouveau ou de retrouver celui qu'il avait oublié). Attention : cela se fait toujours en compagnie et avec l'accord de l'enfant. Pas question de disposer de ses jouets derrière son dos.

Plus l'organisation du rangement sera simple et bien pensée, mieux l'enfant s'y pliera.

Les petites maladies

Le propos n'est pas ici de traiter des maladies graves ou chroniques qui immobilisent longuement l'enfant ou nécessitent son hospitalisation, mais de toutes les petites infections qui empoisonnent, lorsqu'elles se reproduisent trop souvent, la vie des enfants comme celle des parents.

LES MALADIES ONT UN ASPECT PSYCHOLOGIQUE

Bénignes pour la plupart, les petites maladies possèdent toujours une composante psychologique qu'il ne faut pas sous-estimer. En effet, nos maladies d'enfant n'appartiennent-elles pas, par certains côtés, à nos meilleurs souvenirs ? La chaleur du lit où l'on pouvait se rendormir alors que les frères et sœurs, un peu jaloux, s'en allaient à l'école ; le régime purée-jambon, la présence attentive et exclusive de maman... Voilà des privilèges intéressants. L'enfant malade devient en quelque sorte quelqu'un d'important. Il est au centre des préoccupations de l'entourage et suscite l'inquiétude. N'est-ce pas là une position enviable ? Tout cela fait partie de ce que les psychologues nomment « les bénéfices secondaires », c'est-à-dire ce que l'enfant « gagne » à être malade.

LES BÉNÉFICES SECONDAIRES

Une façon de reprendre pied

Ce « gain » peut être simplement source de plaisir et de bons souvenirs, les nôtres en sont la preuve. L'enfant malade redevient un peu comme un bébé que l'on soigne, assiste et manipule. Ce retour en arrière temporaire est parfois indispensable à l'enfant et répond à un besoin profond. Il a « besoin de souffler », de prendre un temps d'arrêt. Le plus souvent, cela sera suivi d'une nouvelle vague de progrès importants.

La maladie introduit une rupture dans la routine quotidienne de l'enfant. Il a davantage de solitude et de temps pour penser. Il voit tourner la vie autour de lui et constate que « le spectacle continue » en son absence, à l'école comme à la maison. Cela peut se révéler source d'interrogations et de maturation importante, que l'on pourrait traduire par : « Ainsi, je ne suis pas au centre du monde et il peut tourner sans moi… »

Une situation attractive

Mais il arrive que les bénéfices secondaires soient trop importants. L'enfant découvre qu'être malade est une situation fort intéressante : il mobilise l'attention de sa mère et se fait dorloter, on lui offre de petits cadeaux, on ne le gronde plus, on est moins exigeant sur les épinards, on le laisse regarder la télévision… C'est tellement plus agréable que d'être en bonne santé que l'enfant va progressivement (et inconsciemment) finir par accentuer de petits symptômes mineurs (mal à la gorge, mal au ventre, etc.) pour retrouver l'état de malade.

Un plaisir partagé par maman…

La mère joue un grand rôle dans la façon dont l'enfant va vivre sa maladie. En effet, elle-même témoigne souvent d'un comportement ambigu. D'un côté, cette maladie l'ennuie : elle l'empêche d'aller travailler normalement, désorganise la vie de la maison, suscite une inquiétude et ne correspond pas à l'image idéale de l'enfant en pleine forme, dynamique et aux joues roses.

Mais, d'un autre côté, la maladie de son enfant offre aussi à la mère des bénéfices secondaires. Ne va-t-elle pas pouvoir jouer auprès de lui le rôle merveilleux de la mère qui soigne, entoure et dorlote son tout-petit, tout entier à elle ? On peut parier qu'elle partage alors avec l'enfant le plaisir de retrouver un temps la relation fusionnelle, lorsque son bébé dépendait totalement d'elle et qu'elle assumait seule les soins du corps. Si ce plaisir, conscient de la part de la mère, n'a qu'un temps, il fait du bien à tout le monde. S'il dure trop ou reste inconscient, il n'est pas sans effet sur la prolongation ou le renouvellement des troubles.

Les petites maladies

LA SOMATISATION

Un langage du corps

Le mot « somatisation » recouvre une idée simple : l'enfant, trop petit pour exprimer ses peurs ou ses conflits, les traduit en langage corporel. Cette notion, « le psychisme a un effet sur le physique », a été expérimentée par tout le monde au moins une fois dans sa vie, à travers le mal au ventre au matin d'un examen ou le nœud dans la gorge au moment de prendre la parole en public.

Même le langage commun rend compte de ce phénomène : « J'étais malade d'angoisse », « J'ai vomi de peur », « Cette histoire me rend malade », etc. L'enfant est généralement inconscient et incapable de réaliser seul ce qui l'habite psychologiquement, que ce soit la jalousie vis-à-vis du bébé, l'inquiétude d'une vérité qu'on lui cache, la peur de l'école ou celle de n'être pas assez aimé. Ce que sa bouche ne peut dire en paroles, son corps va l'exprimer en symptômes, qui sont les mots du corps.

Mettre des mots sur les maux

Dans ce cas, le mécanisme ne cessera que le jour où l'enfant se sentira entendu et compris. Un médecin ou un psychologue peuvent aider les parents à comprendre ce que « dit » l'enfant à sa façon. Les médicaments peuvent le soulager, mais n'atteindront pas les causes, et la même maladie reviendra. Certains enfants font ainsi des otites à répétition, attendant sans doute qu'on leur dise quelque chose que leurs oreilles attendent, d'autres se font plaies et bosses à un rythme anormal, d'autres encore se plaignent régulièrement du ventre sans que la médecine trouve une cause précise. Il serait faux de croire que ces enfants sont des simulateurs : leur souffrance, physique comme psychologique, est réelle et demande à être entendue.

L'ATTITUDE PARENTALE

Comment, alors, se comporter avec son enfant atteint d'une petite maladie ? Voici quelques conseils. Vous en trouverez d'autres au chapitre : « Il est douillet ». Mais n'oubliez pas que les maladies d'enfance, plus rares et plus brèves qu'elles n'étaient autrefois, peuvent et devraient aussi faire partie des bons souvenirs.

Expliquer à l'enfant sa maladie

Expliquer à l'enfant, avec des mots simples, ce dont il souffre et ce qui se passe dans son corps. Quand on sait qu'un vilain microbe a envahi l'organisme, mais que son corps se défend, aidé par les médicaments, et que c'est pour cela que l'on a de la fièvre, on se sent déjà mieux…

Lui expliquer le pouvoir qu'il a sur son corps

Être en bonne santé, cela s'apprend et se mérite. Il se débarrassera plus vite de sa maladie s'il visualise son corps en train de se défendre, s'il ne s'obsède pas sur ses bobos et s'il pense à tout ce qu'il fera de bien une fois guéri.

Ne pas surprotéger l'enfant

Ni le traiter comme une petite chose fragile et délicate. Des phrases comme : « Si tu ne mets pas ton bonnet, tu vas encore avoir une otite », ou « Ne restes pas dans les courants d'air, tu vas t'enrhumer », répétées quotidiennement, sont de vrais appels à la maladie. Pourquoi ne pas dire, plutôt : « Je sais que tu ne t'enrhumeras pas, car tu es vraiment très costaud, mais je crois que tu te sentirais plus à l'aise avec ce bonnet rouge qui te va si bien. » Il n'est sans doute pas inutile de rappeler que ce n'est pas le courant d'air qui rend l'enfant malade, mais la rencontre avec un virus transporté par quelqu'un d'autre.

Ne pas s'affoler pour un rien

Il est également néfaste à long terme de s'affoler et de faire intervenir le corps médical au moindre éternuement ou mal de ventre. Mieux vaut faire confiance à l'enfant : « Tu as peut-être attrapé un petit rhume, mais comme tu es en très bonne santé, ton corps va s'en débarrasser très vite si tu n'y penses pas trop. »

Éviter de rendre la maladie trop séduisante

Cela arrive si on ne l'associe qu'à des choses agréables (cadeaux, attentions, etc.). C'est la bonne santé qu'il faut récompenser, et non la maladie. Pourquoi ne pas offrir un petit cadeau à votre enfant pour le féliciter de n'avoir pas été malade depuis tant de semaines ou de mois ? Voici qui l'inciterait davantage à se maintenir en forme !

Donner l'exemple

L'enfant se comporte souvent comme ses parents. Il aura davantage tendance à se complaire dans la maladie si l'un de ses parents (ou les deux) se plaint souvent, passe beaucoup de temps chez les médecins et s'alite au moindre rhume. À l'inverse, l'exemple d'individus en bonne santé, qui

« n'écoutent » pas leurs petits malaises mais les traitent comme des aléas mineurs de l'existence, a aussi bien des chances d'influencer l'enfant dans ce sens.

Voir l'enfant, pas la maladie

Dans certaines maladies chroniques et demandant une surveillance permanente de l'enfant, les parents ont parfois tendance à ne plus voir en lui que le malade potentiel. Ils risquent, en l'identifiant ainsi à sa maladie et en projetant sur lui leur angoisse, de handicaper finalement leur enfant sur le plan psychologique. Une grande surprotection anxieuse peut à terme faire plus de mal que la maladie elle-même.

LES VIROSES

Entre la naissance et quatre ans, l'enfant subit plus d'une quarantaine d'attaques virales de toutes sortes, dont la plus connue est la rhino-pharyngite.

Il n'existe à ce jour aucun traitement efficace : la médecine peut seulement « soulager les maux » en attendant que cela passe tout seul. Le recours aux antibiotiques n'est nécessaire qu'en cas de complication infectieuse (otite, bronchite, etc.), ce qui malheureusement se produit souvent. Les bébés mis en collectivité ont généralement ces maladies de façon plus précoce, plus répétée et plus intense, puisqu'ils sont en contact presque permanent avec les virus. Les autres enfants les font plus tard. Un jour, tous ont développé suffisamment de défenses et deviennent moins sensibles aux virus du milieu environnant. De ce jour, l'enfant est beaucoup moins malade.

Partons sous la pluie...
à la découverte du monde

La plupart des enfants ont besoin qu'on les incite à expérimenter et à prêter attention à ce qui les entoure. Toute expérience est bonne à prendre et peut être commentée, spécialement lorsque l'on est à l'extérieur et que l'on peut partir à la découverte du monde.

TOUTE EXPÉRIENCE EST BONNE À PRENDRE

Dans la nature, dans la campagne, l'enfant peut à la fois voir, sentir, toucher, goûter, beaucoup plus aisément qu'en ville. Mais les citadins ne manquent pas d'occasions de découvertes, pour peu que leurs parents sachent leur faire prendre conscience de leur environnement.

SORTIR SOUS LA PLUIE

Habituellement, lorsqu'il pleut, on se dépêche de rentrer chez soi se mettre à l'abri de la pluie. Et si, avec votre enfant, vous expérimentiez l'inverse ? Une promenade sous la pluie, par un vrai bel orage, avec ciré, parapluie, bottes en caoutchouc… Il y a tant à regarder…

Ce que font les oiseaux.

Si des insectes, vers de terre ou escargots, en profitent pour sortir.

Si les fleurs et les plantes aiment la pluie.

D'où vient cette pluie, si elle est lourde ou légère, froide ou chaude, propre ou sale. Quels sont les bruits de la pluie sur différentes surfaces, et ceux de l'orage.

Si les odeurs, les couleurs et les lumières changent.

Comment les gouttes glissent de feuille en feuille.

Où s'écoule l'eau.

L'été, le plaisir que l'on peut prendre à laisser l'eau de la pluie glisser sur son visage.

Et tant d'autres choses encore.

Une fois rentrés à la maison, il y a tout le plaisir de se sécher, de se changer et de partager un bon bol de chocolat chaud.

SI VOUS MANQUEZ D'IDÉES…

Des expériences comme celle-ci, vous pouvez en susciter beaucoup. Elles ne coûtent rien qu'un peu de temps et d'enthousiasme, mais apportent énormément à l'enfant. Si vous en avez le désir ou l'occasion, ne manquez pas de l'emmener dans les endroits suivants, auxquels on ne pense pas toujours :

Les visites de lieux différents

D'un phare, d'un musée des transports, d'un refuge de montagne, d'un élevage animal, d'une réserve d'oiseaux, du Salon de l'Agriculture, des Puces, d'un haras, d'une caserne de pompiers.

Voir comment on fabrique

Visites d'usines (de bonbons, de papier recyclé, de glaces…), d'une imprimerie ou d'un journal, d'artistes ou d'artisans que l'on peut voir travailler

Partons sous la pluie…

(souffleur de verre, tisserand, potier, vannier, tailleur de pierre, sculpteur, peintre, apiculteur, boulanger, fabricant de bijoux ou de bougies, marin-pêcheur...).

Les curiosités de la nature
Chute d'eau, rapide, gorge, lac, grotte, dune, récif...

Faire par soi-même
Essayer de : pêcher, faire du bateau à rames, traire une vache, faire voler un cerf-volant, ramasser des crevettes.

Celles-ci ne sont que quelques idées parmi beaucoup d'autres que vous trouverez en faisant l'inventaire des ressources de votre région d'habitation ou de vacances. Il existe aussi des guides donnant une foule d'idées d'activités et de balades à faire avec les enfants. Entre trois et six ans, l'enfant est partant pour toutes les découvertes et toutes les aventures. Il est naturellement curieux et émerveillé de tout. Il apprend vite. Il ne dépend que de vous qu'il s'éveille au monde qui l'entoure et se bâtisse un tempérament d'explorateur...

L'ambiance familiale

La personnalité se dessine dans les six ou sept premières années de la vie. L'ambiance qui règne au foyer et l'atmosphère dans laquelle baigne la vie familiale sont déterminantes dans la conception que l'enfant se fera de l'existence et dans l'élaboration de son tempérament.

SEPT ANS POUR DESSINER UNE PERSONNALITÉ
Des expériences déterminantes
Les activités quotidiennes partagées avec les parents et les frères et sœurs sont autant d'expériences plaisantes ou désagréables qui vont dessiner la personnalité de l'enfant. Des expériences heureuses lui donneront confiance dans son avenir. Des expériences pénibles lui laisseront croire que le monde entier est inhospitalier.

L'enfant reflète en partie ce qu'il reçoit
Les parents sont le modèle essentiel de l'enfant. Si ce dernier reçoit une grande quantité d'affection, il sera à même d'en donner à son tour. S'il est critiqué pour ce qu'il est, il se critiquera à son tour et s'en voudra de n'être

pas comme il devrait être. Il s'accordera la valeur que les autres lui accordent et sera rassuré dans ses peurs si ses parents gardent calme, fermeté et confiance.

Il prend modèle sur ses parents

Tous les parents savent plus ou moins cela, mais le passer dans les faits est bien difficile. On dit à son enfant : « Mais calme-toi ! », alors que l'on est soi-même rentré très énervé après une heure d'embouteillage. On exige de lui qu'il ne se dispute pas avec son frère, alors que l'on se chamaille quotidiennement avec son conjoint. On voudrait l'enfant parfait, alors qu'il est de notre responsabilité de lui offrir une enfance qui le fortifiera pour le restant de sa vie. C'est d'autant plus difficile que nous n'avons pas dépassé les conflits et les difficultés de notre propre enfance.

L'ACCORD ENTRE LES PARENTS

Éviter les disputes devant les enfants

Les conflits répétés entre les parents sont une des choses les plus douloureuses et les plus destructrices pour les enfants. Si les conflits sont conjugaux, il faut en discuter en tête à tête, hors de la présence des enfants. Des adultes responsables ne devraient pas laisser leurs problèmes personnels perturber gravement et durablement l'ambiance générale du foyer. Il y a un temps pour les mises au point à deux (elles peuvent toujours attendre un moment plus favorable) et un temps pour la vie de famille, le plus chaleureuse et rassurante possible.

Se mettre d'accord sur l'essentiel

Si les conflits portent sur la façon d'élever les enfants, il est toujours meilleur, là encore, d'en discuter à froid hors de la présence des enfants plutôt que sur le fait.

Enseigner à un enfant ce que l'on estime être le « bon » comportement (la politesse, l'attention aux autres, le courage, ou autre selon les valeurs familiales) demande de la constance, donc nécessite que les parents se soutiennent mutuellement. Le contraire serait source de confusion pour l'enfant. Il en est de même pour les grands principes éducatifs. L'un est pour la méthode forte, l'autre pour l'indulgence… Discutez-en entre vous et trouvez un accord entre adultes responsables, mais pas juste au moment où votre enfant vient de se relever la nuit pour la troisième fois ou lorsqu'il recrache ses épinards. Adopter une attitude commune face à l'enfant lui ôte

L'ambiance familiale

la possibilité de jouer de votre désaccord et de l'envenimer, ce qui n'est bon pour personne.

Ne pas désavouer l'autre parent

Vous devez également être d'accord sur ce que « non » veut dire.

Est-ce un petit mot comme un autre qui peut enchaîner sur « bon, d'accord » (ce qui devient vite difficile à gérer), ou est-ce un mot qui a un vrai sens et sur lequel, parce qu'on l'utilise avec précaution, on ne revient pas ? Rien de plus mauvais pour l'autorité parentale que la situation où l'un des parents lève l'opposition de l'autre. Mieux vaut dire : « Je ne suis pas d'accord pour que tu fasses du vélo dans la rue et tu le sais, mais puisque ton père t'a donné l'autorisation, alors vas-y, mais fais très attention », ou : « Ta mère t'as déjà dit non, inutile de venir me demander à moi en espérant que je te dirai oui », plutôt que de commencer une scène en vous accusant mutuellement d'irresponsabilité ou de surprotection.

L'enfant saura que vous êtes différents, que vos avis peuvent être opposés, mais que vous vous respectez et que vous présentez face à lui un front uni. À l'occasion, discutez entre vous pour savoir si oui ou non votre enfant a le droit de faire du vélo dans la rue et à quelles conditions. Une attitude désastreuse également consiste à faire le jeu de l'enfant, contre l'autre parent : « Je te donne la permission, mais on ne le dira pas à ton père parce qu'il n'est pas d'accord. »

Deux parents différents mais unis

Inutile, pour autant, d'être d'accord sur tout. Deux individus distincts ne peuvent réagir comme s'ils n'étaient qu'un. Même un seul individu ne réagit pas tous les jours de la même façon : tout dépend de l'humeur, du stress, des événements qui ont précédé la demande. Alors deux…

Vouloir être toujours en parfait accord éducatif relève de l'utopie. L'essentiel est de ne pas passer plus de temps à reprendre son conjoint que son enfant ! L'un peut supporter que l'on crie à côté de lui et l'autre non. L'un tolère que l'on mange dans la voiture si l'on ne fait pas de miettes et l'autre non. Chez grand-père, on peut manger devant la télévision, ou sauter sur le lit, mais pas à la maison.

Un monde en stéréo…

Peu importe ces différences. Ou plutôt tant mieux. Elles sont sources d'enrichissement pour l'enfant car elles lui enseignent que nous sommes tous humains, différents et changeants. Comme lui aussi l'est, il va finir par comprendre la règle fondamentale qui sous-tend tous ces comportements : on évite de faire à autrui ce qui le dérange particulièrement. Or chacun est dérangé par des faits différents.

L'enfant peut comprendre ces incohérences apparentes et les vivre très bien s'il sent que ses parents ont du respect l'un pour l'autre et se soutiennent mutuellement dans leur tâche éducative.

Deux parents, deux échos différents d'une même existence partagée, c'est prendre conscience du monde en stéréo, ce qui est bien plus intéressant qu'en mono !

LES TENSIONS ET LES CONFLITS

Une ambiance électrique, où chacun est à cran, peut être due simplement aux tensions accumulées hors du foyer et que l'on fait supporter aux autres. Un père irritable et surmené qui ne pense, en rentrant, qu'à s'asseoir tranquillement avec son journal. Une mère épuisée que l'accumulation des tâches rend indisponible. Des enfants énervés, chahuteurs et demandeurs, d'autant plus infernaux qu'ils n'auront pas reçu l'attention qu'ils demandaient...

Attention aux mots qui blessent

Tout le monde souffre de cette agressivité flottante, mais les enfants, eux, sont abîmés. Dans les wagons du métro de Philadelphie (USA), de grandes affiches disent : « Attention à ce que vous dites, vos enfants vous croient. » Suivent différents discours parentaux : « Si tu continues, je te laisse là », « Tu es vraiment méchant », « Si j'avais su ce qui m'attendait, je n'aurais pas eu d'enfant », « Qu'est-ce que l'ai fait au Bon Dieu pour avoir des enfants pareils ? », « Si tu continues, j'appelle le contrôleur qui va te mettre en prison », « Vivement la rentrée des classes que je sois débarrassé de toi », etc.

Un surmenage quotidien

Il est si facile de se laisser déborder par toutes les tâches, les soucis, les devoirs. On accumule des tensions, des fatigues, sans toujours réaliser l'effet néfaste de tout ce stress sur le caractère général et l'ambiance de la maison. Puis un jour, on se surprend à se dire qu'on râle tout le temps, ou qu'on s'irrite bien vite...

L'ambiance familiale

Il est parfois nécessaire de faire le point. Prendre le temps de réfléchir et voir ce que l'on peut changer dans sa vie quotidienne. Puis s'y tenir.

Quelles tâches ménagères peut-on déléguer ?

Comment se faire aider pour dégager du temps ?

Quelles techniques de relaxation apprendre pour pouvoir laisser ses soucis à la porte de la maison et, en quelques minutes de détente, retrouver son sourire et la joie d'être ensemble ?

DE QUOI LES ENFANT ONT-ILS BESOIN ?

Discussion, règles et respect

L'enfant, à tout âge mais d'autant plus qu'il est jeune, a besoin d'une structure familiale régulière, de calme, de routine et de souplesse. Les règles lui permettent de se sentir en sécurité, mais le plaisir d'être ensemble en font des limites supportables.

Les parents comme les enfants ont des droits et des devoirs, qui peuvent à l'occasion être discutés ensemble. Cette structure démocratique, faite de fermeté et de respect, est, de l'avis de tous les spécialistes, celle qui répond le mieux aux besoins de l'enfant et réduit au minimum le niveau des tensions et des conflits.

Les parents enseignent par l'exemple à leurs enfants ce qu'ils souhaitent leur voir faire et s'efforcent de maintenir au foyer une atmosphère de confiance, de chaleur et de tolérance. Ils ne font pas tant « pour » leurs enfants qu' « avec » eux. Ils ne les forcent pas à être prématurément autonomes, mais respectent leur individualité et leur accordent une grande marge de liberté.

Une attitude parentale équilibrée

Pour bien grandir, les enfants ont besoin de bien plus que de nourriture. Ils ont besoin d'encouragements, de sécurité, de stabilité, d'optimisme, de gentillesse, d'humour… Il est évidemment difficile de leur assurer tout cela vingt-quatre heures sur vingt-quatre. Pourtant, avec de la bonne volonté (tous les parents en ont) et de l'intuition (elle se développe), il n'est pas si compliqué de devenir des parents acceptables. Ou mieux encore : des parents passables, c'est-à dire bons mais pas parfaits, des parents dont l'enfant apprend à pouvoir se passer, ce qui est bien le but de toute éducation.

Les quatre ingrédients à ne pas négliger sont :

- **La réflexion.** L'éducation des enfants pose une foule de questions. Y réfléchir tranquillement, à deux, c'est se donner une bonne chance de trouver la solution.

- L'émotion. Les enfants sont très forts pour faire monter en nous de violentes émotions négatives : colère, tristesse, exaspération, déception, etc. C'est vrai à tout âge. Il est bon de ne pas trop attendre pour s'entraîner à gérer ses émotions sans les faire « payer » à l'enfant. Ne pas se laisser emporter par sa propre violence, répondre par la patience et la tolérance, sont le meilleur moyen d'être vraiment éducateur.

- L'intuition. Parfois, on « sent » d'instinct ce qu'il est juste de faire ou de dire. Si ce n'est pas sous le coup d'une trop grande émotion, on se fait confiance. Dans le fond de soi, on connaît son enfant, son caractère, ses besoins, et on sait quelles sont ses propres limites. Si une voix parle à l'intérieur avec calme et conviction, il est précieux de l'écouter.

- L'action. Tout cela n'a qu'un but : l'action. Il n'y a pas de doute : éduquer, aimer, cela se fait avec des actes bien plus qu'avec des mots.

Fabuler ou mentir ?

Chacun d'entre nous fait des entorses à la vérité de temps à autre, rationalisant ses petits mensonges par l'adage : « Toute vérité n'est pas bonne à dire. » Mais si nous surprenons l'un de nos enfants en flagrant délit de mensonge, nous en sommes bouleversés !

Comprendre la différence entre la vérité et la fiction est un chemin difficile, qui demande du temps. Jusque vers quatre ans, ce qui est mal, aux yeux de l'enfant, n'est pas de mentir mais de contrarier ou de faire de la peine à sa maman. Aussi l'enfant trouve-t-il plus correct de dire, contre toute évidence, que « non, il n'a pas cassé le vase », puisque dire le contraire ferait de la peine à maman…

INVENTER POUR EMBELLIR LE MONDE

L'imagination du petit enfant est très active. Il découvre qu'il peut, avec les mots, être plus puissant qu'avec les actes. Dans le réel, les adultes sont toujours plus forts que lui. Alors, lui qui se sent si petit, va se servir des mots et de son imagination pour devenir tout à coup fort et grand.

Il va inventer n'importe quoi, des pseudo-mensonges, des rêves fabuleux, et ses désirs vont devenir réalité. Il soutiendra à sa maman que la maîtresse a dit qu'il ne devait pas manger d'épinards parce que cela faisait mal au pied, il dira au copain que son papa possède un hélicoptère et racontera à sa grande sœur qu'il a trouvé, dans le jardin, un trésor pour lui tout seul. Ces fantaisies n'ont rien à voir avec les mensonges des adultes, et il serait bien dommage de les qualifier ainsi. Si l'enfant déforme les faits, c'est qu'il n'a pas une notion claire, jusque vers six ans, de ce qui distingue l'imaginaire du réel. Il croit que s'il y pense très fort, le vase peut ne plus être cassé ou son ours en peluche devenir un vrai.

LA DÉCOUVERTE DU « POUR DE VRAI »

Vers cinq ans, l'enfant commence à savoir que les histoires ne sont pas « pour de vrai ». À la même époque où le Père Noël ne « passe » plus vraiment (comment pourrait-il voler et passer par les cheminées des appartements qui n'en ont pas ?), l'enfant remet en question les fées et les histoires de la télévision.

C'est le bon moment pour lui poser des questions comme : « Crois-tu qu'une histoire comme ça pourrait se passer pour de vrai ? », afin de l'aider à faire la part du possible et du fantastique, du réel et de l'imaginaire. L'enfant invente toujours, mais sait qu'il affabule.

Dire la vérité s'apprend

Lorsqu'il ment consciemment, c'est généralement dans un but bien précis : se rendre intéressant, cacher un acte dont il se sent coupable, éviter un châtiment, etc.

Mentir pour tromper l'autre et faire semblant en imagination sont deux choses très différentes et c'est progressivement que l'enfant apprend à faire la part des choses. Dire la vérité s'apprend. Mais avant tout, il faut comprendre pourquoi l'enfant ment, à l'âge où il commence à en comprendre le sens.

LES RAISONS DU MENSONGE

Faire « son intéressant »

L'enfant désire avant tout que l'on s'intéresse à lui et qu'on l'aime. Comme il confond encore souvent ce qui est et ce qu'il souhaite qui soit, il va raconter des histoires fabuleuses où il va tenir le beau rôle. Soit il aura agi de façon exceptionnelle, soit il aura été témoin d'une scène extraordinaire.

Ce genre d'inventions ne relève absolument pas du mensonge et il faut éviter à tout prix d'y appliquer nos références d'adulte. Elles permettent à l'enfant de compenser ce qu'il ressent comme un manque. Il s'invente une famille plus riche, un père plus glorieux, etc. L'enfant qui fabule beaucoup a sans doute besoin que l'on s'intéresse davantage à lui et que l'on donne de l'importance à ce qu'il est et à ce qu'il fait.

Jouer de la puissance des mots

D'autres mensonges, tout aussi naïfs, sont là, on l'a vu, pour jouer avec la puissance des mots. Pour peu que l'on y croie, la pensée est toute-puissante. Elle permet tous les voyages, tous les plaisirs et toutes les vengeances. Appeler cela fable ou invention et le remettre en question montrent à l'enfant qu'il existe une limite à son imaginaire lorsqu'il veut le communiquer. Dire un mensonge et être cru lui montre que ses pensées n'appartiennent qu'à lui et que nul ne peut lire en lui. Il développe son jardin secret à l'abri des inquisitions.

S'éviter des problèmes

Enfin, les mensonges qui ressemblent à ceux des adultes sont tout simplement utilitaires. Ils témoignent de l'intelligence de l'enfant qui va se servir de la puissance de la parole pour éviter de faire de la peine à l'autre (« Mon père serait déçu s'il savait que j'ai cassé mon camion rouge »), pour y trouver un avantage (« Moi, je n'ai pas encore eu de bonbon ! ») ou s'éviter un châtiment (« Ce n'est pas moi qui ait cassé ton rouge à lèvres, c'est le chat ! »).

Copier les adultes

L'enfant à qui l'on ment, toujours dans son intérêt, bien entendu, parce qu'il est trop petit pour qu'on lui dise la vérité, le sent très bien et adopte cela, à son tour, comme un mode de communication privilégié. Ses parents le font, donc c'est bien.

QUE FAIRE ?

La réaction des parents et de l'entourage va être déterminante pour la suite des événements. Il faut trouver le juste milieu, entre un comportement trop crédule ou trop tolérant qui laisse l'enfant s'habituer à ce genre de discours, et un comportement trop sévère qui risque d'obliger l'enfant à inventer un deuxième mensonge pour justifier le premier. Voici quelques pistes que l'on peut explorer.

Laisser l'enfant fabuler

Si l'enfant fabule sans autre but que de se rendre intéressant ou de jouer avec son imagination, il ne convient pas de l'en empêcher. Ceci n'est pas du mensonge et ne doit pas être traité comme tel. L'enfant ne cherche ni à être « réaliste » ni à éviter une punition. Il sait bien, au fond, que vous ne croyez pas tout à fait à ses histoires. Il veut seulement que vous vous intéressiez à lui, que vous l'admiriez.

Vous pouvez très bien entrer dans son jeu tout en lui faisant comprendre que vous n'êtes pas dupe. Par exemple en employant le conditionnel : « On pourrait dire aussi que moi je serais en fait une reine qui aurait dû s'enfuir de son pays… » Si vous avez bien compris que l'enfant ne dit pas ce qu'il croit réellement être vrai mais ce qu'il souhaiterait, alors vous pouvez renchérir sur lui pour en faire un jeu.

L'humour (contrairement à la moquerie) est toujours une bonne façon de se sortir des situations délicates. En revanche, si l'enfant se raconte seul des histoires fabuleuses, sans vous faire participer, alors ne vous en mêlez pas et respectez son jardin secret.

Ne pas lui mentir

Ne mentez jamais devant votre enfant et ne lui mentez pas. Ce qui entraîne de ne pas dire au contrôleur devant lui qu'il a quatre ans quand il en a cinq, ni de lui affirmer que son poisson rouge est parti en vacances quand vous l'avez trouvé le ventre en l'air. Cela signifie également éviter tous ces petits mensonges qui permettent de ne pas perdre la face ou de ne pas blesser autrui.

Pour vous, la différence entre le vrai mensonge visant à tromper l'autre et le « mensonge social » est évidente. Mais pas pour votre enfant qui n'oubliera pas la façon dont mentir vous a sorti d'un mauvais pas. Aussi, pour l'instant, il est important que vous soyez aux yeux de votre enfant un modèle d'honnêteté et de franchise.

Si votre enfant vous surprend à mentir, le mieux est encore de l'admettre, de s'expliquer et de s'excuser, puisque c'est ce que vous voulez lui voir faire. Personne n'est parfait. Être quelqu'un qui admet ses erreurs est donc un bon modèle.

Quant aux mensonges que vous lui faites parce que vous pensez que la vérité n'est pas de son âge, sachez qu'ils lui font beaucoup plus de mal qu'une vérité dite avec des mots bien choisis et adaptés. Attention : c'est la confiance que votre enfant a en vous qui se joue là.

Fabuler ou mentir ?

Développer le sens du réel et de la vérité

L'enfant à qui l'on a appris la précision et l'attention a tendance à être plus exact lorsqu'il relate un fait. Développer le sens du réel n'empêche pas de raconter des contes de fées, mais enseigne la différence entre les deux.

Dans cette approche, les mots précis sont indispensables. Les choses ont un nom : utilisons-le. Si nous ne le connaissons pas, les dictionnaires sont là pour nous aider. Même dans les domaines plus délicats ou plus techniques, n'hésitons pas à appeler un chat un chat. Ne craignez pas de surcharger la tête de votre enfant : il est à l'âge où l'acquisition du vocabulaire est la plus facile. Répondre à ses questions de manière précise, exacte, brève, claire et conforme à la réalité, permet de lui apprendre à relater un fait avec la même rigueur.

Ne pas mettre sa parole en doute

Une attitude à déconseiller consiste à laisser entendre à l'enfant, lorsque l'on n'en est pas sûr, qu'il pourrait avoir menti. « As-tu pris un chocolat dans ma boîte ? », « Non, maman », « Tu en es bien sûr ? Tu ne me racontes pas d'histoires ? »

Si votre enfant ment, il ne changera pas sa version à la deuxième question. S'il dit vrai, il sera blessé de ne pas être cru et se dira qu'il pourrait aussi bien, la prochaine fois, prendre un chocolat et vous dire que non. Dans un cas aussi bénin, et surtout si vous n'êtes pas sûre de vous, mieux vaut choisir de faire confiance.

Ne pas chercher à le coincer ou l'acculer

Il n'en va pas de même s'il est évident que l'enfant ment.

Vous retrouvez votre collier de perles, cassé, caché dans son tiroir à culottes, et il (elle ?) vous affirme en vous regardant droit dans les yeux que ce n'est pas sa faute.

S'il est vraiment le seul à avoir pu faire cela, pourquoi lui demander d'avouer ? Il se sent malheureux d'avoir cassé le collier, il se sentira encore plus malheureux de mentir. Mieux vaut lui dire : « Je sais que tu as cassé mon collier. Je suis très fâchée. Je pense que tu te sens coupable et triste de cela, et qu'évidemment tu ne l'as pas fait exprès. Mais je vais te punir malgré tout parce que tu n'avais pas à aller le prendre dans ma chambre sans mon autorisation. »

Si vous ne croyez vraiment pas que c'est le bébé qui, depuis son berceau, a renversé l'aquarium, dites tout simplement ce que vous en pensez à votre enfant, sans tenir compte de ses dénégations.

Ne pas le forcer à avouer

Il est tout à fait mauvais également, et un peu sadique, de pousser l'enfant dans ses derniers retranchements pour le forcer à avouer.

L'enfant qui a fait un premier mensonge va rarement revenir dessus. Il préférera plutôt en inventer un second pour protéger le premier et s'enferrer de plus en plus. Par orgueil, pour gagner, l'enfant s'enfonce contre toute évidence. Lui apprendre la franchise ne consiste pas à lui faire admettre sa faute à tout prix.

Il vous en saura toujours davantage gré si vous le laissez sauver la face et si vous dédramatisez la situation. À vous, l'adulte, de dire : « D'accord, restons-en là pour l'instant. Peut-être un jour me diras-tu ce qu'il s'est réellement passé. Pardonne-toi ta bêtise si tu l'as faite et pardonne-moi de t'avoir soupçonné si tu n'y es pour rien. »

Un jour où, avec mes enfants, je mettais ainsi un terme à une scène qui devenait pénible, tout en montrant que je n'étais pas dupe de leurs dénégations, j'ajoutai : « Nous ne reparlerons plus jamais de cela, mais je respecterais beaucoup le responsable de cette bêtise s'il avait le courage de m'écrire son nom sur un papier. » J'entendis mes enfants discuter dans leur chambre pendant un bon moment… puis un petit papier fut glissé sous la porte de ma chambre. Conformément à ma promesse, je n'ai jamais accusé réception.

Ne pas pousser au mensonge

Renforcer l'honnêteté consiste parfois tout simplement à ne pas pousser nos enfants à mentir. C'est également les féliciter chaque fois qu'ils ont spontanément le courage de venir à nous en disant : « Maman, j'ai fait une bêtise… »

Dans ce cas-là, que faites-vous ? Si vous êtes trop sévère, votre enfant se dira qu'il aurait eu plutôt intérêt à mentir…

Tenter d'éviter les récidives

Il est toujours bon de se demander pourquoi un enfant a éprouvé le besoin de nous mentir, ce qui certainement ne l'a pas satisfait et a renforcé sa culpabilité.

Il faut savoir qu'un mensonge, qu'il « passe » ou non, est très douloureux pour un enfant. Or il est possible d'éviter la récidive. Il suffit pour cela de rendre la franchise aussi attrayante que le mensonge. L'adage : « Faute avouée est à moitié pardonnée » est plein de bon sens. Si vous punissez votre enfant trop souvent et trop durement, il va prendre le risque de mentir, car « cela ne peut pas être pire ».

Mettez-vous à la place de votre enfant et essayez de comprendre pourquoi il a fait telle ou telle chose qu'il n'aurait pas dû. À son âge, ses pulsions, ou sa maladresse, sont plus fortes que sa morale. Inutile de lui demander pourquoi il l'a fait : il est incapable de vous répondre. Lorsque l'on sait cela, on a moins envie de se fâcher.

L'accession à la morale

Si le mensonge offre tant d'avantages (être tout puissant, éviter la punition...), pourquoi l'enfant en vient-il à dire la vérité ? C'est peut-être là la vraie question.

Dire la vérité, c'est assumer la conséquence de ses actes. C'est aussi agir conformément à une valeur morale. L'enfant se rendra progressivement compte qu'il a encore plus d'avantages à ne pas mentir : il se sent plus en accord avec lui-même et il répond à une demande importante de ses parents.

La valeur supérieure qu'est l'estime de soi est donc renforcée par la vérité. Mais pour découvrir cela, c'est tout un chemin que l'enfant doit parcourir, avec l'aide et l'exemple de ses parents.

Lui parler de la mort

Nous voudrions tous que nos enfants soient heureux, innocents et mis à l'abri de la souffrance et de la mort qui nous angoissent tant. Mais comment tenir l'enfant dans l'ignorance de la mort ?

LA MORT FAIT PARTIE DE SA VIE

L'enfant y est confronté couramment

- Il joue à la bataille et tue – « Pan ! Pan ! » – ses adversaires, lesquels restent immobiles un moment puis se relèvent en disant : « On dirait que je serais plus mort. »
- Il regarde la télévision où la mort est partout présente, aussi bien dans l'actualité que dans les fictions.
- Il écoute des contes de fées où les ogres mangent les petits enfants, où les héros sont orphelins et où les vieux patriarches « sentent leur mort venir ».

- Il croise des cimetières et des enterrements.
- Il voit mourir son poisson rouge, son cochon d'Inde, les insectes que l'on asphyxie et les fleurs que l'on cueille.
- L'un de ses grands-parents est peut-être déjà décédé.

On peut vraiment dire que la mort, à tout âge, fait partie de la vie de l'enfant. L'enfant a des questions à poser sur elle et, s'il ne le fait pas, c'est certainement qu'il sent combien cela vous embarrasse. Alors, ne ratez pas la prochaine occasion (elles sont nombreuses) de susciter ses questions et de parler avec lui de la mort.

COMMENT EN PARLER ?

Le plus naturellement possible et sans communiquer votre angoisse.
L'enfant a besoin de renseignements simples, concrets et rassurants. Il a surtout besoin de la vérité : dites-la sans fuir. Mamie n'est pas « partie en voyage pour longtemps », le chat ne s'est pas « envolé dans le ciel » : ils sont morts, c'est tout.

L'enfant a besoin de la vérité

Pour l'enfant, sans références mais avec une imagination fertile, ses fantasmes ou ce qu'il va imaginer être la vérité seront toujours pires que la vérité elle-même. Dites la vérité, donc, sans forcément entrer dans les détails mais sans fuir non plus les questions précises. Faites-le en expliquant à votre enfant vos propres conceptions religieuses ou philosophiques, si cela vous aide, mais en faisant la part entre croyance et réalité : « Une fois mort, on ne revient plus jamais sur cette terre sous la même forme, mais moi qui suis chrétien/musulman/bouddhiste/juif/etc., je crois que… »

L'enfant ne partage pas encore nos angoisses

Il faut savoir que l'enfant de cet âge ne partage pas votre angoisse de vieillir ou de mourir. Pour lui, la mort est souvent conçue comme réversible (ce qui est aussi plus ou moins le cas dans plusieurs religions). Ce qu'il craint, plus que la mort, c'est d'être séparé de vous, de se retrouver seul sans personne pour lui donner amour et protection.

QUE LUI DIRE ?

Qu'est-ce que la mort ?

C'est un état où on ne bouge plus, on ne pense plus, on ne souffre plus. Comme dans un très profond sommeil, mais on ne respire plus et on ne se réveille pas. Des questions plus précises de l'enfant peuvent porter sur le cercueil, le cimetière ou l'incinération, la tombe, le rituel. L'enfant a besoin, si l'un de ses proches est décédé, qu'on lui affirme que rien de ce qu'il a pu faire ou penser n'a pu être, ni de près ni de loin, cause de cette mort.

Les occasions de parler de la vie et de la mort ne manquent pas, devant un cadavre d'insecte par exemple. Expliquez qu'il ne respire plus, que son cœur ne bat plus, et que rien, sur cette terre, ne vit éternellement.

Quand meurt-on ?

Nul ne le sait, mais, comme le disait Françoise Dolto très justement : « Quand on a fini de vivre, or aucun de nous n'a encore fini, n'est-ce pas ? »

Pourquoi meurt-on ?

Les convictions religieuses de chacun modifient bien sûr les réponses. En gros, la mort existe, car il n'y a qu'ainsi que la vie peut continuer et progresser. La vie n'existerait pas sans la mort. D'ailleurs tout ce qui vit (plantes, animaux, humains) meurt un jour. Mais nous vivons pour toujours dans le cœur de ceux que nous aimons et qui nous aiment.

QU'ÉVITER DE DIRE ?

Tu me tues avec tes questions ! / Si tu restes dans le froid, tu vas attraper la mort ! / Elle est morte de chagrin. / Je vais mourir de honte si tu continues ! / Grand-père nous a quittés. / Dieu prend les meilleurs pour les avoir près de lui. / Sois courageux, ne pleure pas !

LA MORT DE SON ANIMAL FAMILIER

Une expérience de la vie

La durée de vie de nos animaux domestiques est brève. Ils sont, comme nous, sujets à la maladie, à l'accident et au vieillissement. Si bien qu'il est fréquent que nos enfants soient confrontés à cette épreuve pénible qu'est la perte de leur petit compagnon. Cette perspective fait même hésiter certains parents avant d'accueillir un animal. Pourtant cette expérience de la mort, souvent la première à laquelle l'enfant est confronté, peut être formatrice autant que douloureuse.

Comment anticiper

L'enfant réagira d'autant plus positivement à la mort de son animal que vous aurez déjà évoqué ce sujet avec lui et qu'il sentira qu'il n'y a pas de tabou à en parler. Vous pouvez lui expliquer que le chat et le chien vivent une quinzaine d'années, le hamster deux ans seulement, etc. Quand l'animal de la maison devient âgé, parlez du moment où il ne sera plus là.

Comment lui annoncer la mort de son animal ?

Si le décès est prévisible, avertissez votre enfant qu'il n'y en a plus pour longtemps. Montrez-lui comment il peut dire au revoir à son animal et adoucir ses derniers instants. Si vous devez faire pratiquer une euthanasie, expliquez à l'enfant que le vétérinaire va aider l'animal à mourir en douceur, sans souffrir davantage. Quant à la mort elle-même, elle doit être dite en termes simples : « Le chat était très malade, et il est mort maintenant. »

Comment va-t-il réagir ?

Cela dépend du caractère de votre enfant. À son âge, comme il n'a pas encore de représentation de la mort et assez peu le sens du temps, la réaction sera souvent modérée. L'important est de laisser l'enfant réagir comme il le sent. Ne jugez pas son attitude : donnez-lui le droit d'être triste… ou non. Patience et compréhension permettront que tout rentre dans l'ordre.

Il est important de parler

La mort de l'animal familier va souvent susciter des inquiétudes chez l'enfant. Si la mort emporte son chien, qui peut-elle emporter d'autre ? S'il sent que c'est possible, il posera les questions qu'il a sur le cœur. À vous de trouver les mots vrais qui le rassureront.

Il est important d'aider l'enfant à exprimer ses sentiments, même s'ils vous inquiètent ou vous surprennent.

Faire son deuil

Votre enfant aura peut-être besoin d'un peu de temps pour faire son deuil. Regardez ensemble des photos de l'animal, rappelez-vous ensemble les attitudes et les habitudes qui étaient les siennes et qui faisaient la vie de tous les jours. S'il le souhaite, suspendez une photo au mur de sa chambre.

Il est important pour chacun de pouvoir continuer à évoquer l'animal : « Tu te souviens quand il se couchait sur toi, le soir ? »

La perte de son animal favori n'est pas une épreuve gratuite. C'est l'occasion pour l'enfant d'avancer dans sa compréhension de la vie.

Lui parler de la mort

De 5 ans à 5 ans 1/2

Qui est l'enfant de cinq ans* ?

Au cours de sa sixième année, l'enfant sort de sa période de crise et trouve un nouvel équilibre. Sur tous les plans, il semble plus sérieux, plus compétent, et l'on n'hésite plus à lui confier des responsabilités. L'enfant de cinq ans semble en accord avec son univers : il aime ses parents, sa maîtresse, l'école, les animaux. Curieux de tout et facilement coopérant avec l'adulte, tendre et moins impatient, il se montre le plus souvent d'une compagnie fort agréable.

DÉVELOPPEMENT PHYSIQUE

L'enfant de cinq ans mesure en moyenne entre 105 et 111 cm et pèse entre 16,3 et 20,5 kg. Les filles sont plus facilement en dessous et les garçons au-dessus de ces estimations.

À cet âge, l'enfant saute aisément à cloche-pied ou à pieds joints et possède un bien meilleur équilibre que précédemment. On le sent « bien dans son corps » et plus précis dans ses gestes. Le vélo à petites roulettes n'a plus de secrets pour lui et il s'entraîne sans arrêt à de nouveaux exploits pour lesquels il faut escalader, glisser, sauter, se faufiler, ramper, etc.

La coordination des gestes gagne en précision et le résultat est visible sur les travaux manuels de l'enfant. Il a désormais une préférence marquée pour une main sur une autre et une plus grande aisance avec celle-ci. Les dessins sont aussi de plus en plus détaillés.

CARACTÈRE ET PERSONNALITÉ

Calme et réaliste, l'enfant devient capable de défendre son point de vue dans une conversation. Bien que plus autonome pour tout ce qui touche à son corps et désireux d'être traité comme un grand, il se veut encore très proche de l'adulte et suscite à tout moment son avis ou son approbation. D'une compagnie le plus souvent amicale et serviable, il pleure ou pleurniche moins souvent et moins longtemps, même si la fatigue le rend volontiers fragile. Ses colères sont peu fréquentes et s'en prennent plus volontiers aux objets qu'aux gens.

Les peurs s'atténuent ou deviennent plus concrètes et moins imaginaires :

---

* Tous les enfants sont uniques et leurs développements différents. L'enfant normal ou moyen n'existe pas. Aussi, soyez sans inquiétude si vous ne reconnaissez pas toujours le vôtre dans ce portrait.

peur d'un chien qui montre les crocs, du tonnerre la nuit ou de se faire mal en tombant, par exemple. Le nombre de bêtises diminue mais, pris sur le fait, il se peut que l'enfant nie ou accuse autrui de la responsabilité de sa faute. Bien qu'aimant faire les choses à sa façon et à son rythme, il est de plus en plus sensible au raisonnement de l'adulte et désireux de lui faire plaisir : il respecte les règles, demande la permission et voudrait être « sage ». Les récits fantastiques et les vantardises diminuent car l'enfant commence à faire beaucoup mieux la part entre le réel et l'imaginaire. Ses possessions l'intéressent moins.

VIE QUOTIDIENNE

L'appétit de l'enfant est bon, mais il varie selon les plats et certains de ceux-ci sont totalement refusés. Presque tous les enfants mangent maintenant proprement et certains savent déjà se servir d'un petit couteau pour s'aider ou pour tartiner. Ses manières commencent à copier celles de ses parents s'il mange avec eux à table.

L'enfant est généralement beaucoup moins malade l'hiver et peut rester toute une saison sans manquer l'école. Certains sont sujets au « mal au ventre » ou « mal à la tête » sans cause médicale, d'autre risquent fort d'attraper la varicelle s'ils ne l'ont pas encore eue. L'enfant s'occupe seul de ce qui concerne la propreté de son corps (sauf pour le shampooing) mais se montre souvent réticent pour se laver le visage. Il s'habille entièrement, y compris boutons, pressions et lacets (pas toujours), mais ne prend pas soin de ses habits.

Les besoins de sommeil varient beaucoup et quelques enfants dorment encore à la sieste. Ils font des nuits d'une douzaine d'heures. Les rituels du coucher se relâchent et la plupart des enfants dorment toute la nuit, sauf s'ils sont réveillés par des cauchemars ou des envies d'aller aux toilettes.

LANGAGE

L'enfant parle maintenant de manière tout à fait fluide et avec une grammaire presque correcte. Si quelques petits défauts de prononciation persistent, il faudra s'en occuper cette année. Il maîtrise environ deux mille mots de vocabulaire mais cherche sans cesse le sens des termes nouveaux. Les pronoms sont corrects, ainsi que l'emploi des temps des verbes. Il devient capable d'évaluer les situations avec des expressions comme « facile », « difficile », « je ne sais pas », « j'ai oublié », « je pense que ». Les notions de quantité (la moitié, le plus gros, encore plus, rien...) commencent à prendre sens. Enfin, il adore parler.

VIE INTELLECTUELLE

L'enfant de cinq à six ans interroge et réfléchit beaucoup. Il tente de tirer des conclusions, souvent erronées, des éléments d'informations qu'il a, en les généralisant. Si, par exemple, on lui montre à deux reprises une voiture rouge en lui disant que c'est une Renault, il en déduira que toutes les voitures rouges sont des Renault. De même qu'il a encore du mal à imaginer que tout le monde ne vit pas ou ne pense pas comme lui.

Grâce à l'effet conjugué de l'école maternelle, des parents et de sa propre maturité, l'enfant commence à mieux se repérer dans l'écrit. Non seulement il reconnaît de nombreux mots et de nombreuses lettres dans les livres, mais encore il essaie de les lire et de les écrire (souvent à l'envers et de plus en plus grands vers la fin de la ligne). Il peut épeler un mot qu'il voit autour de lui et demander ce qu'il signifie. Par exemple, sur la brique de lait, demander : « Que veut dire " laïte " ? », en prononçant toutes les lettres. Il aime jouer avec de grandes lettres en bois ou en plastique qu'il assemble sur un tableau magnétique pour former des mots.

L'enfant connaît son prénom, son nom, son adresse et son âge. Il compte et dénombre bien, et s'entraîne parfois à écrire les chiffres. Il lit les chiffres de la pendule et sait souvent ce que l'on fait à neuf heures, à midi ou à quatre heures et demie. Il peut dénombrer un plus grand nombre d'objets, mais il a toujours du mal à compter avec l'index et doit s'y reprendre à plusieurs fois.

JEUX, LOISIRS ET JOUETS

Le Père Noël est devenu un personnage de première importance. Même si l'enfant commence à avoir de sérieux doutes sur sa réalité, cela ne l'empêche pas de passer commande, catalogue en main, avec un grand sérieux. Plus indépendant dans ses jeux, la plupart de son temps se passe encore à imiter les activités de la vie quotidienne de l'adulte. Les petites filles habillent et déshabillent les poupées et jouent à la maman. Les petits garçons jouent aux voitures, à la guerre, au pilote ou au cow-boy. Les activités d'extérieur et les activités artistiques tiennent encore une grande place. L'enfant de cet âge essaie souvent de faire lui-même un livre en associant images et textes recopiés. Désireux dorénavant de rester proche de la réalité, il recopie ou décalque aussi souvent qu'il invente : le résultat compte plus pour lui que la création.

L'enfant aime toujours autant qu'on lui fasse la lecture, mais le goût pour les histoires proches de la réalité ou des récits d'aventure prend progressivement le pas sur les contes de fées ou les animaux qui parlent. Il adore être abonné ou acheter régulièrement un petit journal pour enfants qu'il attend et feuillette avec grand plaisir.

L'intérêt pour la musique se maintient et l'enfant aime beaucoup mettre ses disques de chansons et chanter en même temps. Il danse facilement en rythme. L'attirance pour la télévision est plus vive et l'enfant connaît désormais l'heure et la chaîne de ses programmes favoris.

DÉVELOPPEMENT SOCIAL

L'enfant se place correctement dans le monde des petits, qu'il oppose au monde des « grandes personnes » dont il cherche toutefois à se faire des alliées. Très attaché à son père et fier de lui, l'enfant fait aussi son possible pour satisfaire sa mère, l'aider et rester auprès d'elle (même s'il n'exige plus son attention exclusive). Ses parents sont encore le centre de son monde, puissants et protecteurs. Il joue plus pacifiquement avec ses frères et sœurs aînées, mais a encore du mal, seul avec un cadet, à ne pas « imposer » son droit d'aînesse. Il apprend progressivement à se mettre à la place de l'autre, à penser à l'autre à différents moments, à partager spontanément et à faire des cadeaux pour Noël ou les anniversaires.

L'enfant de cinq ans connaît généralement très bien, à force de les avoir entendues, les règles de la politesse et du bon comportement. Mais, dans les faits, il les oublie fréquemment et il faut encore les lui rappeler.

Très désireux de se faire des copains de son âge, l'enfant de cinq ans est devenu un être sociable et conciliant. Il donne ses idées, mais ne les impose pas. Il accepte qu'un autre enfant prenne le pouvoir ou le privilège qu'il avait l'instant d'avant. Il devient meilleur perdant et dit même, s'il perd aux cartes ou aux dominos : « Ce n'est qu'un jeu ! » Ceci n'est pas évidemment pas le cas pour tous : certains enfants de cet âge ne supportent pas de perdre ou de ne pas diriger le jeu.

L'enfant qui se ronge les ongles

Mordre ou s'arracher les ongles est une habitude que partagent beaucoup de gens, quel que soit leur âge. Chez les enfants, elle peut débuter à n'importe quel moment, dès l'âge de trois ans. La toute première fois se situe probablement dans un contexte d'anxiété particulière, puis l'habitude s'installe, très difficile à déloger (les lecteurs qui ont commencé enfants et s'y adonnent encore me comprendront).

UNE HABITUDE FRÉQUENTE

Bien que fréquent (environ un enfant sur trois et un adolescent sur deux ont rongé ou rongent leurs ongles) et sans gravité particulière chez l'enfant qui se développe bien par ailleurs, se ronger les ongles est néanmoins un signe de tension nerveuse sur lequel il convient de s'interroger. Il n'y a qu'ainsi que l'on pourra aider l'enfant, avant que l'habitude ne soit trop installée.

RECHERCHER LES CAUSES

Trouver d'où vient cette tension est la première chose à faire.
Peut-être l'enfant est-il d'une nature anxieuse, mais à quoi cela est-il dû ?
Est-il trop fréquemment critiqué, harcelé ou corrigé ?
Sent-il que les attentes de ses parents sont telles qu'il sera incapable de les satisfaire ?
Les parents eux-mêmes sont-ils tendus, stressés, exigeants ?
Est-il témoin, dans la vie ou à la télévision, de scènes ou d'images qui peuvent à juste titre l'inquiéter ?
Faire disparaître les causes de la tension de l'enfant est encore le meilleur moyen de l'aider à ne plus se ronger les ongles. C'est en tout cas un préalable à toute autre tentative, si l'on veut vraiment qu'elle réussisse.

DONNER L'EXEMPLE

C'est toujours la meilleure façon d'aider l'enfant. Il est justifié dans son action s'il peut dire à juste titre : « Moi, je ressemble à papa, je me ronge les ongles comme lui ! », ou « Pourquoi j'arrêterais de me ronger les ongles ? Toi, tu dis toujours que tu devrais arrêter de fumer et tu ne le fais jamais ! » Si vous êtes dans l'une de ces situations, pourquoi ne pas envisager un programme vous permettant de vous arrêter ensemble, votre enfant et vous, et de vous soutenir mutuellement dans vos efforts ? À l'inverse, une maman qui a de jolis ongles peut faire partager à sa petite fille le plaisir de s'en occuper, de les limer, de les vernir, de porter une bague pour mettre ses mains en valeur, etc.

LA PRISE DE CONSCIENCE ET LA RELAXATION

Elles peuvent permettre d'établir, avec l'accord de l'enfant, une stratégie pour arrêter de se ronger les ongles. En voici le schéma.

1. Apprendre à relaxer les mains et la bouche

Pour les mains, cela consiste à fermer les poings et à les serrer très fort en comptant jusqu'à dix lentement, puis relâcher brusquement. Recommencer trois fois jusqu'à ce que l'enfant ressente une impression de chaleur et de lourdeur dans les mains.

Pour la bouche, les lèvres et les dents, il s'agit de les serrer très fort, de la même façon, en inspirant profondément par le nez. Relâcher d'un coup, en expirant et laissant les lèvres légèrement entrouvertes. Recommencer trois fois.

Avec l'expérience, les deux mouvements peuvent être faits simultanément.

2. Prendre conscience de deux choses

- D'abord, des effets négatifs de se ronger les ongles : les mains ne sont pas belles, les ongles sont douloureux et on n'est pas agréable à regarder quand on se ronge les ongles (au besoin, on peut placer l'enfant devant un miroir et lui demander de se regarder en train de se ronger les ongles : l'effet est parfois saisissant !).

- Ensuite, examiner comment et quand il se ronge les ongles. Pour cela, l'enfant a besoin de l'aide de ses parents car, bien souvent, il est inconscient du fait qu'il se ronge les ongles.

Il est important de repérer à quels moments particuliers de la journée et de quelle façon cela se produit. Est-ce devant la télévision, quand il est fatigué, ou énervé, quand il dessine ou écrit de l'autre main, etc. ?

En l'absence de ses parents, le vernis à ongles amer permet à l'enfant de prendre conscience qu'il est en train de se ronger les ongles (c'est d'ailleurs sa seule utilité, car il a peu d'effets réels sur l'habitude elle-même). Quand on voit l'enfant un ongle à la bouche, on peut lui faire un petit signe pour qu'il arrête.

Mais surtout pas de reproches : l'enfant doit sentir que ses parents sont avec lui et veulent l'aider. Il ne se ronge pas les ongles « exprès » !

3. Changer la situation, maintenant qu'on la connaît bien

On ronge forcément les ongles d'une main inoccupée. Alors, pourquoi ne pas encourager l'enfant à se livrer à des activités qui lui occupent les deux mains (modelage, découpage, pâte à modeler, collage, couture, etc.)? On peut aussi mettre, dans sa main inoccupée (pendant qu'il dessine par exemple), une balle molle, un morceau de pâte ou un petit mouchoir.

Le besoin d'avoir quelque chose dans la bouche peut être satisfait provisoirement par un chewing-gum (sans sucre, si vous êtes « anti-bonbon ») ou une paille en plastique (si l'enfant est assez grand pour cela).

Enfin, on peut lui proposer un geste de remplacement : lorsqu'il sent l'envie de se ronger les ongles ou s'aperçoit qu'il le fait, il peut s'asseoir sur ses mains en comptant une fois ou deux jusqu'à dix, écraser une petite balle molle, serrer très fort les rebords de sa chaise, ou, plus simplement, effectuer les exercices de relaxation des mains et de la bouche décrits précédemment.

4. Renforcer et motiver

Il est bien entendu que tout ceci ne peut se faire qu'avec l'accord de l'enfant et l'aide de sa volonté. Si celle-ci n'est pas acquise, mieux vaut laisser passer quelque temps. Mais, même motivé, l'enfant a besoin d'être soutenu, dans ses progrès comme dans ses échecs, par des encouragements.

Compter combien d'ongles on peut couper avec la pince chaque semaine, constater comme les mains deviennent plus jolies (pourquoi pas une photo « avant-après » pour constater les progrès ?), offrir un vernis, une bague ou une trousse de manucure, sont de bons renforcements pour une fille. Pour un garçon, on peut offrir un autocollant chaque fois que l'on coupe un ongle, par exemple, et l'encourager à faire une collection.

LES ATTITUDES À ÉVITER

Il faut bien comprendre que l'enfant qui se ronge les ongles est dans l'incapacité d'arrêter du jour au lendemain, même par amour pour qui le lui demande. Aussi lui faire des reproches, se moquer de lui, lui en parler sans arrêt, le punir, le gronder, ne seront d'aucune utilité.

Au contraire, cela ne pourra que renforcer l'idée (que l'enfant a probablement déjà en tête) qu'il est incapable de satisfaire ses parents. Cela augmentera encore la tension qui est à l'origine du fait qu'il se ronge les ongles et aggravera le problème (certains enfants, quand ils sont dans le bain ou dans leur lit, se rongent… les ongles de pieds).

Indépendance et responsabilité

Depuis la naissance jusqu'à la fin de leur adolescence, les enfants veulent être indépendants. C'est le bébé qui prend le biberon des mains de sa maman pour le tenir lui-même, c'est le petit enfant qui dit : « Non, pas toi, moi, tout seul ! » avant d'en avoir vraiment les capacités. C'est le plus grand fier d'avoir fait tout seul son petit déjeuner ou de se débrouiller pour rentrer seul de l'école. C'est le pré-ado qui refuse désormais que sa mère lui achète des vêtements en son absence. C'est enfin l'adolescent qui gère son travail, son argent de poche ou ses premières vacances avec des copains.

LE RÔLE DES PARENTS DANS L'AUTONOMIE

Le travail éducatif des parents consiste à accompagner ce long processus et à soutenir l'enfant dans son désir de grandir, en faisant croître parallèlement son sens des responsabilités. Cela suppose différentes choses.

Le laisser faire par lui-même

Souvent les parents trouvent plus rapide et plus efficace de faire à la place de leur enfant. C'est réaliste à court terme, mais pourtant une erreur à long terme. Un peu de patience au départ offre à l'enfant l'occasion de s'entraîner lorsqu'il en a vraiment envie. Il progresse vite et va finalement savoir se débrouiller bien plus efficacement qu'un enfant qu'on aura laissé trop longtemps en position passive.

Les parents peuvent proposer à leur enfant des choses nouvelles à essayer par lui-même, en accord avec son âge bien sûr. Les enfants n'ont pas besoin d'être poussés. Ils ont parfois besoin d'être entraînés ou soutenus, mais ils ont surtout besoin qu'on leur fasse confiance et qu'on ne les freine pas dans leurs envies d'explorer et d'apprendre, tant qu'ils ne prennent pas de risques inconsidérés. Cet apprentissage du danger fait d'ailleurs partie intégrante de ce sens des responsabilités.

Le laisser expérimenter la frustration et l'effort

Si ses parents sont toujours derrière lui pour l'aider et corriger ce qu'il fait, l'enfant ne progresse pas et ne gagne pas en confiance en lui. Quand on essaie de faire seul une chose que l'on n'a jamais faite, cela ne marche pas du premier coup. L'enfant le sait bien et, même s'il râle un peu, il s'obstine, motivé par la perspective d'une aptitude nouvelle.

Le rôle des parents est d'encourager de la voix : « Ce n'est pas facile ce que tu fais, mais je te fais confiance, je crois que tu vas y arriver. » Quand enfin l'enfant y parvient, il est d'autant plus fier qu'il l'a fait seul. Se précipiter pour faire à sa place, ce n'est pas l'aider. Dans certains cas, les frustrations sont trop importantes, ou bien l'enfant n'est pas encore capable de parvenir à son but, même avec de la persévérance. Les parents sentent cela. Leur rôle est alors de féliciter l'enfant pour ce qu'il a déjà fait, de le rassurer sur l'avenir et de ne pas le laisser se décourager trop profondément.

Lui montrer comment faire

L'enfant apprend par imitation. C'est parce qu'il a vu ses parents faire qu'il va s'y essayer à son tour. Inciter son enfant à l'indépendance, c'est donc avant tout lui montrer comment on s'y prend pour qu'il sache faire quand ce sera son tour. Et comme une fois ne suffit pas, c'est dès maintenant que vous pouvez lui montrer comment vous vous y prenez pour différentes tâches quotidiennes :
- Comment vous vous servez des couteaux sans vous couper.
- Ce que veulent dire les panneaux de signalisation.
- Comment vous préparez un plat ou le retirez du four sans vous brûler.
- Comment vous nettoyez la cage du hamster.
- Comment vous vous servez de tel ou tel appareil.
- Comment vous videz le lave-vaisselle ou préparez ses céréales.
- Comment vous vous lavez les dents en passant soigneusement partout.

Respecter ses choix et ses idées

L'enfant est fier de ce qu'il fait par lui-même. S'il se sent trop souvent rabroué ou critiqué, il ne fera plus, ou il ne montrera plus ce qu'il fait. Il est donc important de montrer son enthousiasme pour les explorations de l'enfant et de soutenir sa curiosité.

Mais il est important aussi de respecter ses choix. Votre petite fille a choisi seule ses vêtements. Toute fière, elle a assorti hardiment un pantalon à carreaux avec un pull à rayures. Si vous l'accueillez par : « Tu ne vas quand même pas sortir habillée comme cela ? » et que vous la faites se changer, vous risquez de commettre un faux pas. Qu'importe le « bon goût » : cette éducation-là se fera plus tard. Ce qui compte pour l'instant, c'est féliciter cette petite fille de son initiative.

Tout enfant, aussi jeune soit-il, a des goûts propres, des désirs et des opinions à lui. Quoi que vous en pensiez, respectez-les. Ce qui ne veut pas dire y souscrire. Si votre enfant déteste les pommes de terre à la vapeur alors qu'il les adore en purée, c'est son droit. Comme lorsqu'il préfère tel pantalon à tel autre. Tout désir peut donner lieu à un dialogue et une négociation, c'est ce qui en fait la richesse.

Ne vous attardez pas sur les erreurs

Il arrive à tout explorateur de se tromper, et votre enfant en est un. Il se peut même que l'enthousiasme et la maladresse conjugués débouchent sur des initiatives « discutables ». Ou qui méritent une intervention. Mais il faut veiller à encourager tout ce qui va dans le sens de l'indépendance, même si le résultat laisse à désirer. L'enfant a besoin de se sentir soutenu à chaque étape de son apprentissage. Il a besoin de sentir que ses parents sont fiers de lui lorsqu'il grandit et apprend de nouvelles choses. C'est ainsi qu'il gagne de la confiance en lui. Les erreurs ? Les « bêtises » ? On les répare ensemble, on en tire les leçons, et on oublie.

LE SENS DES RESPONSABILITÉS

Il doit croître avec l'indépendance. Le concept de responsabilité est surtout accessible aux enfants qui ont passé l'âge de raison. Mais il est bon d'en poser les bases dès le plus jeune âge, de façon très graduelle. Il n'y a pas d'indépendance possible sans capacité à assumer une part, même minime, de responsabilités. Cela passe par deux axes essentiels :
- Faire prendre conscience à l'enfant des relations de cause à effet observées dans la vie quotidienne, et plus particulièrement dans la sienne. « Tu vois, tu as beaucoup traîné pour prendre ton petit déjeuner, maintenant nous sommes en retard pour l'école » ; « Comme tu as été vraiment très agréable cette semaine, nous avons décidé de t'emmener au cinéma dimanche » ; « Tu n'as pas voulu manger au dîner, maintenant tu as faim. »
- Lui donner de multiples occasions d'agir, d'être responsable d'une chose et de voir par lui-même les conséquences de ses actes. L'action, avec ses essais, ses réussites et ses erreurs, est le meilleur enseignant à la responsabilité. S'il y a erreur, on aide l'enfant à faire face aux conséquences, sans l'en dispenser, mais en le soutenant avec affection. On l'aide à se pardonner également, à en tirer les leçons et à recommencer. N'oubliez pas le dicton affirmant qu'il n'y a que ceux qui ne font rien qui ne se trompent jamais.
Les parents sont aussi un bon exemple s'ils montrent à leurs enfants qu'ils essaient sans toujours être sûrs de réussir, qu'ils prennent des responsabilités et qu'ils assument les conséquences de leurs actes. Cela passe par les petits gestes de la vie quotidienne : « J'ai oublié de baisser le feu sous la casserole. Tant pis pour moi, je vais devoir nettoyer la cuisinière. »

Indépendance et responsabilité

L'INDÉPENDANCE ET LA RESPONSABILITÉ À SON ÂGE

Il est difficile de dire ce qu'un enfant d'un âge donné peut faire seul. Tout dépend de ce qu'il a déjà appris, et cela peut varier beaucoup d'un enfant à l'autre, selon ce qui l'intéresse. Les idées qui suivent ne sont donc qu'indicatives.

Dans tous les cas, l'enfant a besoin d'être encouragé, félicité et remercié pour ce qu'il fait de bien et pour l'aide qu'il apporte.

S'occuper de soi et de ses affaires

Cela consiste à apprendre à se laver seul, à se brosser les cheveux, à s'habiller, à mettre ses vêtements dans le panier à linge sale, à se préparer ses céréales du matin, à mettre ses chaussons en rentrant de l'école et à ranger ses jouets.

Participer aux tâches ménagères

Chacun, selon son âge, peut faire quelque chose pour la maison et avoir des « tâches d'intérêt collectif ». Cela peut, par exemple, consister à :
- Mettre les couverts sur la table lors des repas, voire mettre la table.
- Ranger les couverts propres du lave-vaisselle.
- Laver les légumes de la soupe ou les crudités.
- Ramasser les feuilles dans le jardin.
- Aider à étendre le linge ou à le plier.
- Participer aux diverses tâches de bricolage dans la maison.

Donner son avis

Chaque fois que c'est possible, demandez à votre enfant son avis, ses arguments, et essayez d'en tenir compte. Il peut décider, au supermarché, si vous prenez des yaourts aux fruits des bois ou aux fruits exotiques. Au parc, si on commence par nourrir les canards ou faire un tour de balançoire. À la maison, s'il regarde la cassette de *Bambi* ou celle du *Roi Lion*. En dessert, s'il veut une pomme ou une poire. Le matin, s'il veut le pull bleu ou le pull rouge. Le soir, quel livre il souhaite que vous lui lisiez…

L'enfant apprend ainsi faire des choix, à les argumenter et à les défendre. Se sentant respecté dans sa personnalité, il aura plus de facilité à accepter que, sur de nombreux points, vous ne lui laissiez malheureusement aucun choix !

Commencer à réfléchir à ses actes

Il n'est pas trop tôt pour commencer à réfléchir avec votre enfant, dans des conversations très ouvertes et sans vouloir lui « faire la leçon ».

- On peut discuter d'une attitude agressive qu'il a eue envers un copain, et l'inciter à se mettre à la place de ce dernier.

- On peut l'inciter à prendre soin de son animal en lui expliquant ce qu'est la responsabilité envers ceux que l'on aime, envers les plus faibles.

- On peut, au lieu de se fâcher d'une bêtise sans mauvaise intention, lui donner les moyens de la réparer lui-même.

- On peut l'aider à ne pas toujours rejeter la faute sur les autres (« C'est elle qui a commencé ! »), mais à prendre la part des événements qui lui revient. Cela suppose de le féliciter de sa franchise lorsqu'il avoue une bêtise, plutôt que de le gronder.

En conclusion, si les parents sont un bon modèle d'autonomie et de sens des responsabilités, et s'ils y initient leurs enfants au long des années, c'est un cadeau de grand prix qu'ils leur font, en les laissant aller de l'avant dans la confiance et dans l'amour.

Les débuts de la lecture

La première tendance des parents qui souhaitent initier leur enfant à la lecture est de lui apprendre les lettres de l'alphabet. Eux ont souvent appris à lire de cette façon, qui leur semble la plus évidente. Comme dans un jeu de construction, l'enfant apprend le nom des briques, puis les assemblera pour former des mots. Quand il connaîtra le nom des lettres a et b, il « ne restera plus » à l'enfant qu'à enchaîner sur « b-a-ba ». Mais, justement, cela ne marche pas, ou très difficilement. Ce qui rend cette étape si ardue, c'est que « b-a » ne fait pas « ba » pour l'enfant, mais « béa »…

APPRENDRE LES SONS DES LETTRES

N'enseignez pas l'alphabet

Tous les spécialistes sont d'accord sur ce point : apprendre l'alphabet à ce stade est source de confusion. L'enfant ne peut apprendre la suite des lettres que comme un perroquet, mais il ne pourra pas utiliser cette compétence pour lire. En revanche, un apprentissage utile, et qui peut vous occuper, comme source de jeux, dans les mois qui viennent, consiste à apprendre à l'enfant les lettres par leur son. La lettre « b » ne s'appelle plus « bé » mais « b… », par le son qu'elle produit, et que l'on retrouve identique dans bouteille, bretelles et banane.

Les lettres ont un nom et un prénom

Les enfants admettent très bien que les lettres, comme eux, ont deux noms. L'un pour le son, par lequel elles doivent être nommées, et qui correspond à leur prénom. L'autre pour l'alphabet, qui permet, plus tard, de chercher les mots dans le dictionnaire, et qui correspond à leur nom de famille. Ce nom-là sera appris lorsque l'enfant sera déjà bien engagé dans le processus de la lecture.

Connaître les cinq voyelles principales et le son d'une douzaine de consonnes (b, c, d, f, l, m, n, p, r, s, t, v) permet à l'enfant de lire seul un grand nombre de mots simples écrits sur le mode « consonne-voyelle », comme « to-ma-te » ou « ba-na-ne ». Cette nouvelle compétence le rend très fier et le met en bonne voie sur le chemin de la lecture.

COMMENT S'Y PRENDRE ?

Lire et épeler sont des actes basés sur le langage, donc sur le son. Ce qui signi-fie qu'apprendre le son des lettres apprend à épeler correctement, donc à savoir lire et écrire.

Des jeux pour s'amuser et apprendre

Le son de la voyelle, puis de la consonne, est ce qui doit être appris en pre-mier. Le symbole visuel pour les représenter vient ensuite, dans un deuxiè-me temps. Pour cela, prenez un imagier. Demandez à votre enfant de vous montrer toutes les images correspondant à des mots comprenant le son « a ». Puis toutes celles commençant par le son « m… » (maison, mobile, etc.).

Vous n'avez pas d'imagier sous la main ? Jouez avec tous les objets qui vous entourent. Vous pouvez aussi aborder le jeu à l'envers et demander à l'en-fant par quel son commencent le mot « maison », le mot « pot ». La bon-ne réponse est le son de la lettre, « m… » et « p… », et non « èm », ou « mai », « pé » ou « po ».

Ces petits jeux peuvent avoir lieu dans n'importe quelles circonstances, dans les embouteillages comme en épluchant les légumes.

Puis vient l'écrit

Cette étape acquise, vous pouvez commencer à attirer l'attention de votre enfant sur la façon dont s'écrivent les sons.

Faites-lui constater que les mots qui commencent par le son « p… » commencent tous par la même lettre. Si vous prenez l'habitude de pointer les lettres en les nommant par leur son (jamais par leur nom), puis en lisant le mot, votre enfant comprendra très vite.

Il sera le premier, dans la rue, à vous montrer du doigt une affiche et à vous demander quel est ce mot qui commence par « b… » et qui a un « e… » après. Quand vous lui lirez un petit livre, il vous surprendra en vous demandant : « Est-ce que ce mot veut dire Babar ? », « Tu as dit papa ; où c'est écrit ? » Certains enfants repèrent très vite, de cette façon, certaines formes qu'ils sont tout heureux de reconnaître par la suite. Cette première étape, fondamentale, vers la lecture renforce chez l'enfant le désir d'apprendre. Elle lui montre que lire est à sa portée et elle entrouvre la porte qu'il n'aura plus alors qu'à pousser, avec votre aide ou celle de son enseignant.

L'enfant timide ou renfermé

Peut-être naît-on avec déjà une ébauche de caractère : les bébés ont dès la naissance des tempéraments différents.

Un caractère dès la petite enfance

Il est certain que la personnalité se dessine précisément ensuite en fonction de l'exemple parental, de l'éducation reçue et du milieu culturel.

Les Dupont sont plus expansifs que les Durant, les Italiens que les Suédois. Autour de la table familiale, l'ambiance diffère d'une famille à l'autre. Certains parents insistent beaucoup sur la socialisation de leur enfant, d'autres moins. Tout cela aura un effet sur le comportement de l'enfant, qui se sentira plus ou moins à l'aise en société ou qui se liera plus ou moins facilement. Loin de moi l'idée que tout est joué à cinq ans et que la personnalité de l'enfant ne changera plus. Mais les grands traits sont certainement dessinés. Les lignes de force qui ont agi jusqu'ici vont, le plus souvent, continuer à influencer l'enfant dans la même direction.

Les petits timides

Certains enfants sont plus timides que d'autres :
- Ils ont davantage de difficultés à se lier.

- Ils préfèrent jouer seuls à inventer des histoires ou à feuilleter des livres plutôt que de se risquer à affronter les autres.

- Ils ne prennent pas volontiers la parole en classe.

- Ils ne disent spontanément ni bonjour ni au revoir aux adultes que leurs parents rencontrent, sans que leur politesse soit en cause. Leurs parents en sont gênés lorsqu'ils refusent de dire bonjour au voisin ou de parler à Tante Betty au téléphone. Simplement, ces enfants ressentent une telle crainte des inconnus qu'ils peuvent en devenir partiellement ou totalement inhibés.

Des enfants qui ont besoin d'aide

Les conséquences peuvent être pénibles pour l'enfant, lorsque ses parents ne sont pas là pour l'aider.

L'enseignant ne remarque pas toujours la gêne de l'enfant, car il s'agit justement d'un enfant sage qui ne pose aucun problème et reste le plus souvent dans son coin. Mais lui peut souffrir de ne pas oser demander de l'aide ou de dire qu'il n'a pas compris. Lever la main est pour lui une difficulté, parler en public aussi.

De telles craintes peuvent devenir un handicap pour l'enfant lors de sa scolarité. Aussi faut-il l'aider à évoluer.

QUE FAIRE POUR AIDER UN ENFANT TIMIDE ?

Ne lui collez pas l'étiquette du timide

Même si vous pensez qu'il l'est.

L'excuser auprès du voisin en disant : « Excusez-le, il est timide » ne peut que renforcer la difficulté de votre enfant. De telles prophéties finissent toujours par se réaliser. L'étiquette est si pratique qu'elle le dispense de changer. Mieux vaut dire : « Paul ne vous connaît pas encore bien, il vous parlera la prochaine fois. »

Acceptez l'idée que vous ne pouvez pas forcer votre enfant

Ni à parler, ni à se comporter de façon plus sociable qu'il ne le fait.

Ce n'est qu'en prenant progressivement confiance en lui que son attitude changera, pas en étant placé de force sous les projecteurs.

Fixez clairement ce que vous attendez de votre enfant

Puis faites-le-lui savoir. Dites-lui que, même s'il choisit de ne pas aller plus loin dans la conversation, il doit au moins dire bonjour, merci et au revoir. Félicitez-le chaque fois qu'il le fait de lui-même.

Ne parlez pas à la place de votre enfant

Ne faites pas les démarches à sa place, même s'il ne répond pas aux questions qu'on lui pose ou s'il vous paraît très timide. Il doit apprendre à se prendre en charge sans que vous lui « sauviez la mise » à chaque occasion. Aidez-le en revanche à se mettre à la place de celui à qui il refuse de parler.

Faites-lui par exemple des compliments sincères et spécifiques

« J'aime ton humour, c'est un grand atout dans la vie de savoir faire rire les gens », « Tu es vraiment bon en gymnastique, il faudrait que tu continues à en faire. » Cela aidera votre enfant à prendre confiance en lui. Encouragez-le à parler dans le cadre familial, là où il se sent en sécurité.

Jouez au lion

Votre enfant est un gros lion. Il doit rugir, très fort (cela demande de l'entraînement...), afin de vous faire peur. Il peut aussi jouer à sauter sur vous comme s'il vous attaquait. Cela lui sera plus facile s'il cache son visage derrière un masque.

D'une manière générale, tout déguisement, lui permettant d'entrer dans la peau d'un autre personnage, peut l'aider à s'exprimer. N'hésitez pas à lui prêter des vêtements d'adulte et une trousse de maquillage. Inscrivez-le à un groupe de théâtre ou d'expression corporelle s'il y en a un près de chez vous.

SI CELA NE SUFFIT PAS

Près d'un enfant sur deux se dit timide. Mais, à certains, cela pose un réel problème. Si ces petits conseils ne suffisent pas et que vous sentez votre enfant en souffrance à cause de cela, il peut être nécessaire de se faire aider par un psychologue. Avec lui, vous comprendrez les raisons des difficultés de votre enfant et serez mieux à même de lui venir en aide.

DÉVELOPPER SA CONFIANCE EN LUI
Une dimension essentielle

S'il a confiance en lui, l'enfant est capable d'entreprendre. Il va vers les autres sans crainte. Ses appréhensions, il parvient à les dominer pour aller

L'enfant timide ou renfermé

de l'avant. Autonome, il sait faire les choix qui le concernent et les défendre. Il ne se laisse pas démonter par un échec et décide d'essayer encore. Tout cela est si important dans le monde d'aujourd'hui qu'on ne peut que s'interroger : comment un enfant construit-il cette bonne image de lui-même qui le suivra toute sa vie ? Ma conviction est que les parents ont un rôle essentiel à jouer.

Encourager et soutenir

Prenons un exemple. Un enfant veut assembler deux morceaux de puzzle. Ses parents l'encouragent de la voix, sans faire pour lui, et il recommence : quand enfin il y parvient, seul, il a toutes les raisons d'être fier de lui. Beaucoup plus que si l'adulte l'avait aidé ou fait pour lui.

Encourager l'initiative et la persévérance, tout en restant en retrait, permet à l'enfant de triompher seul des difficultés et de s'en sentir plus fort.

Quatre à cinq ans, c'est l'âge de la jalousie et des rivalités. Difficile d'accepter de n'être que l'un des enfants dans le cœur de maman, que l'un des élèves dans celui de la maîtresse. Développer la coopération aux dépens de la compétition, lui montrer qu'il est unique et l'amour qu'on lui porte également, voilà ce qui pourra l'aider.

Avoir confiance en lui

À chaque étape de son développement, l'enfant livre ses propres batailles. Avec son corps, ses émotions, son intelligence, il traverse les difficultés. Il se remodèle et s'en sort plus indépendant et plus fort. Il n'est pas souhaitable que les parents lui évitent cela ou montrent qu'ils ont peur pour lui : leur rôle est d'être vigilants et disponibles pour soutenir, encourager, discuter. Offrir une base de repli attentive et affectueuse.

Le parent idéal n'existe pas. Celui qui est là, qui a une bonne image de lui-même et confiance en ses valeurs et son propre projet éducatif fera très bien l'affaire et saura transmettre cette force intérieure.

Pour qu'il s'estime, ne dites pas, dites :

- « Tu es méchant quand tu déchires », mais : « Déchirer ce livre est vraiment une bêtise » (c'est l'acte qui est répréhensible, pas l'enfant).
- « Tu es gentille », mais « C'est très gentil de ta part d'avoir partagé tes jouets avec Paul » (le compliment est spécifique et précis).
- « Tu es vraiment pénible », mais : « J'ai beaucoup de mal à supporter quand

tu cries comme ça » (on emploie le « je » qui parle de soi, plutôt que le « tu » qui accuse).

Tendre un miroir fidèle

Les jeunes enfants n'ont aucun moyen de juger de leur valeur, de leur caractère ou de leurs compétences. Ils se jugent à travers ce qu'on leur dit d'eux. Parents, enseignants, proches, sont le miroir où l'enfant se regarde. C'est donc notre responsabilité de lui donner une bonne image de lui-même. Il en aura un grand besoin dans quelques années, à l'âge où, quoi que vous lui disiez, il se mettra à douter de lui.

Ne pas le comparer

Les parents n'ont que trop tendance à comparer leurs enfants, à leur désavantage : l'aîné parlait mieux, le petit voisin connaît déjà son alphabet, on aurait voulu qu'il soit plus déluré, qu'elle soit plus intéressée par l'école, etc. Si bien que les enfants reçoivent le message suivant : « Tu n'es pas comme je voudrais que tu sois », ce qu'il interprète par : « Tu n'es pas assez bien ».

Il n'est jamais pertinent de comparer un enfant à un autre, ou à un enfant idéalisé. C'est celui-là, présent, qui a besoin qu'on mette en avant ses qualités et ses performances.

Il regarde trop la télévision

Bien que les études soient parfois contradictoires en ce qui concerne l'influence de la télévision sur les problèmes des enfants, toutes s'accordent à dire que l'excès nuit :
- d'autant plus que l'enfant est jeune,
- d'autant plus que les programmes sont violents et non prévus pour son âge.

DES EFFETS DIFFICILES À CERNER

Le temps passé devant l'écran

Le petit écran est accusé de bien des maux, tant par les parents que par les enseignants. La plainte essentielle est : « Mon enfant regarde trop la télévision, que faire ? » Dans d'autres familles, l'enfant la regarde tout autant mais cela ne gêne personne, au contraire : la télévision fait partie des loisirs de chacun. Alors comment quantifier ce « trop » ? Y aurait-il un optimum de consommation télévisée au-delà duquel l'enfant court des risques, ne communique plus suffisamment avec son entourage ?

Et si le problème était pris à l'envers : que la télévision soit une réponse au manque de communication ?…

Voyons les chiffres

En France, les enfants de cinq ou six ans regardent la télévision, en moyenne, entre quinze et vingt heures par semaine, soit une à deux heures par jour quand il y a classe, et deux fois plus le mercredi et en fin de semaine.

Toutes chaînes confondues, le jeune téléspectateur se voit offrir environ quatre-vingt-dix heures de programmes hebdomadaires spécialement conçus pour lui, composés essentiellement de dessins animés, lesquels commencent très tôt le matin, pour que les petits enfants puissent les regarder avant de partir à l'école.

Aux États-Unis, où il y a plus de chaînes et des programmes pour enfants plus attractifs et plus variés, les enfants du même âge regardent la télévision entre vingt-cinq et trente heures par semaine, soit quatre heures par jour en moyenne (l'école se termine plus tôt également).

Est-ce trop ?

Si l'enfant est un téléspectateur attentif et assidu, certainement, car ce temps ne peut qu'être pris sur autre chose. Mais si l'enfant utilise la télévision comme fond sonore pendant qu'il fait autre chose, comme on le faisait auparavant de la radio ?

Et si c'est justement parce qu'il n'a pas autre chose de plus intéressant à faire qu'il allume le poste ? Et si c'est simplement parce que le poste est déjà allumé lorsqu'il rentre de l'école ? Les études ne peuvent répondre à ces simples questions qui montrent combien le problème est complexe.

La télévision n'est pas mauvaise en elle-même

Elle n'est qu'un objet : tout dépend de l'usage qu'on en fait. Elle fait partie de notre vie culturelle et n'est pas près d'en sortir, alors autant apprendre à vivre avec.

L'avoir ou non, la regarder ou non, en limiter ou non l'usage aux enfants, sont des choix éducatifs personnels sur lesquels les psychologues n'ont pas forcément à se prononcer, si ce n'est pour poser les éléments de la réflexion et donner quelques conseils à ceux qui souhaitent en limiter l'usage.

LES QUALITÉS ET LES DÉFAUTS DE LA TÉLÉVISION

Essayons de passer en revue brièvement ce qui a pu être dit à ce propos. Nous verrons que presque tous les arguments peuvent se retourner : dans ce genre de débat, personne n'a raison ni tort. Il faut raison garder et faire ses choix personnels.

La télévision est une source d'informations variées

Elle ouvre l'enfant au monde qui l'entoure, abolissant le temps et l'espace. Sans doute, s'il ne se limite pas à des dessins animés japonais.

Le problème est que, pour l'enfant de cinq ans, tout ce qui n'est pas « émission pour enfants » est difficilement compréhensible et presque impossible à assimiler. Succession trop rapide d'informations, vocabulaire trop compliqué, manque de références culturelles, etc. Plus embêtant : l'enfant de cet âge ne fait pas toujours bien la part entre le réel et l'imaginaire et a tendance à prendre pour vrai ce que la télévision affirme ou montre. Cela dit, il apparaît à certains enseignants, par exemple, que l'enfant qui regarde la télévision raisonnablement connaît plus de vocabulaire et comprend mieux le monde que celui qui ne l'a jamais regardée, mais ceci n'est qu'un critère parmi beaucoup d'autres.

La télévision développe le vocabulaire des enfants

Ainsi que leur niveau de langage et de compréhension. Ceci est important dans les familles où le français est une seconde langue, ainsi que dans les milieux où le vocabulaire parlé à la maison est pauvre par rapport à celui de l'école.

Mais attention : écouter n'est pas communiquer. L'enfant « n'entre pas » dans le langage si celui-ci n'est pas nécessaire pour échanger avec autrui…

La télévision énerve les enfants

Elle les abrutit, leur fatigue les yeux, les rend passifs, nuit à la communication familiale, provoque des troubles du sommeil, banalise la violence, donne une image négative du monde, ou au contraire une image édulcorée et merveilleuse (tout dépend si l'enfant regarde principalement les informations ou la publicité), détourne les enfants de la lecture, les fait se coucher tard, etc.

Oui, sans doute. Mais rien de tout cela n'est de la faute de la télévision. Seul l'usage que l'on en fait, le temps que l'on y passe et le choix de ce que l'on regarde en sont responsables.

Est-ce vraiment la télévision qu'il faut incriminer si les enfants se couchent tard et « piquent du nez » le lendemain à l'école, ou plutôt les parents qui ne savent pas imposer à leur enfant une heure de coucher raisonnable ? Ou encore les conditions économiques qui font que l'enfant, de son lit, entend ou voit la télévision ?

La télévision est une bonne baby-sitter

D'ailleurs, les parents n'hésitent pas à en faire usage. Exact. Là encore, est-ce la faute de la télévision, ou celle du système scolaire, ou celle de la société, si les enfants, surtout ceux des milieux modestes (ce sont ceux, confirment les statistiques, qui passent le plus de temps devant le poste) ne se voient rien proposer de plus attirant, intéressant ou distrayant entre l'heure de la sortie d'école et celle du retour des parents ?

Les enfants qui ont le choix entre d'une part la télévision, d'autre part un lieu où s'amuser, jouer au foot, faire une partie de petits chevaux, écouter de la musique, chanter, manger, bavarder, peindre ou écouter des histoires, n'hésitent généralement pas. Il n'y a que dans les milieux favorisés que la mère qui travaille peut embaucher une jeune fille pour aller récupérer ses enfants à l'école, leur donner leur goûter dans le parc et les conduire à la poterie ou à la leçon de piano…

SAVOIR FAIRE USAGE DE LA TÉLÉVISION

À chacun ses choix éducatifs. Certains parents préféreront se passer de la télévision ou l'interdire totalement à l'enfant scolarisé. Sur le plan individuel, cela signifie souvent plus d'échanges avec les parents, davantage d'activités partagées : formidable. À condition que l'enfant ne se sente pas trop exclu ou différent de ses petits camarades, dont il ne partage pas toutes les références et les allusions.

D'autres parents ont renoncé à réglementer l'usage de la télévision. Souvent parce qu'ils la regardent beaucoup eux-mêmes, ou parce qu'ils n'ont pas les moyens d'offrir autre chose à l'enfant, ou encore parce qu'ils voient là un bon moyen d'éveil et de découverte pour l'enfant et ne voient pas au nom de quoi ils l'interdiraient.

Enfin, il y a la grande majorité de ceux qui naviguent entre les deux, craignent que la télévision ne devienne une drogue pour leur enfant et aimeraient bien quelques conseils sur la façon de détourner de temps en temps leur enfant de la télévision, afin qu'il en fasse une consommation raisonnable. La télévision positive, en quelque sorte, celle qui éveille et distrait sans abrutir. Voici donc quelques conseils.

Montrez l'exemple

Il est très difficile pour un enfant de devoir quitter une pièce où d'autres sont réunis devant un programme qui semble passionnant. Ne pas inciter l'enfant à allumer le téléviseur commence par ne pas l'allumer soi-même, en tout cas pas avant que l'enfant ne soit couché, ni le matin dès qu'on a posé le pied par terre.

Choisissez (ou faites-le choisir) ses émissions

- Montrez à l'enfant le programme de télévision et expliquez-lui comment vous-même le lisez afin de choisir les émissions qui vous intéressent.
- Lisez-lui ce qui le concerne et aidez-le à choisir les émissions qu'il aura le droit de regarder au cours de la semaine.
- S'il s'agit d'une série, regardez le premier épisode avant de décider si vous autorisez votre enfant à suivre cette série. En effet, il est toujours plus difficile d'interrompre une habitude.
- Tenez compte de l'âge de l'enfant, de la durée de l'émission ou du dessin animé, du transmis, du langage employé, de l'esthétique (dessin simple, lisible), du rythme (pas trop rapide).
- Pour savoir si une émission ou un film correspond bien à un enfant, il suffit parfois d'observer le comportement de ce dernier pendant et après la diffusion. Est-il calme, intéressé sans être fasciné ? Puis on discute avec lui de sa compréhension du sujet. Enfin, on se fie à son impression générale d'adulte (c'est-à-dire d'ancien enfant).

Méfiez-vous aussi des dessins animés

Souvent les parents laissent volontiers leurs enfants devant les dessins animés, sans en vérifier le contenu, pensant qu'il s'agit forcément de programmes prévus pour eux, donc qu'ils ne peuvent pas être néfastes.

Ce n'est pas si simple. L'action du dessin animé est très souvent agressive. Y alternent de la bagarre, de la poursuite, des cris. La brutalité envahit le psychisme de l'enfant. Celui-ci peut s'habituer à cette brutalité dans les relations et en faire un mode relationnel. L'enfant est excité par le programme, sans pour autant y prendre un réel plaisir.

Le bon dessin animé, c'est celui qui montre un héros positif, auquel l'enfant va s'identifier. Dans sa peau, il va être surpris, vivre différents sentiments, résoudre une énigme ou régler un problème. Le message a du sens pour l'enfant, et il est en accord avec les convictions que transmettent ses parents.

Il regarde trop la télévision

Regardez la télévision avec lui

Partagez ses émissions, faites-lui partager les vôtres. Ainsi vous pourrez en parler, réagir à ce qui est dit, commenter au fur et à mesure et lui permettre d'exercer son esprit critique. Mais n'utilisez pas le vôtre à considérer comme « nul » tout ce qu'il aime !

Votre présence permet de discuter des informations, dont certaines peuvent être violentes, de la réalité ou du caractère de tel ou tel personnage ou aventure (« Crois-tu que cela puisse arriver pour de vrai ? »), dans tous les cas d'entamer un dialogue, donc une prise de distance avec ce qu'il vient de voir.

Ne laissez pas la télévision empiéter sur le temps de communication familiale

L'écran est tel qu'il attire forcément l'œil et le regard et coupe court à toute conversation collective. Pas de télévision pendant les repas, sauf décision exceptionnelle, petite fête où chacun emmène son assiette devant un programme à partager.

Cela veut dire aussi ne pas couper court à la mise au lit de son enfant et à son désir de parler avec vous à seule fin de ne pas rater le début du film.

Ne prenez pas la télévision pour une « école bis »

C'est le cas des parents qui n'autorisent à l'enfant que les émissions à vocation culturelle. La télévision est un instrument de loisir, de plaisir. Vous pouvez d'ailleurs vous en servir en tant que récompense ou promesse, si cela vous semble correct : « Tu pourras regarder ton dessin animé après la promenade au parc », ou lorsque tu auras mis la table, que tu auras pris ta douche, etc. Je doute que la perspective d'une émission sur l'ancienne Égypte ait la même efficacité.

Posez les règles clairement

Votre enfant doit savoir à quelles émissions il a droit, à quel moment de la journée ou de la semaine, pendant combien de temps, etc. Une règle claire est toujours plus facile à faire accepter qu'une attitude qui varie selon les jours et les circonstances.

Rappelez-vous que devoir arrêter une émission en cours est très désagréable, alors ne laissez pas votre enfant commencer à regarder s'il n'a pas le temps d'aller au bout. Ou bien posez clairement les choses au début du programme et avertissez-le dix minutes avant que vous allez arrêter la télévision pour telle raison.

Au besoin, mettez le compte-minutes. Quand il sonne, vous arrêtez.

Offrez-lui une alternative

Je ne connais pas un enfant qui préférerait regarder la télévision plutôt que de partager une activité de loisir ou de jeu avec son père ou sa mère ou simplement passer un moment ensemble, à deux, à faire la cuisine ou à bricoler.

« Arrête la télévision et va ranger ta chambre ! » n'est pas promis à un grand succès, alors que : « J'ai besoin de toi pour m'aider à préparer l'omelette, tu sais si bien casser les œufs et les battre ! », ou « Tu veux prendre ta revanche aux dominos ? » ont de grandes chances de marcher...

Usez du magnétoscope

Aujourd'hui, beaucoup de foyers qui ont un téléviseur possèdent aussi un magnétoscope. Il devient alors beaucoup plus facile de gérer le problème de la télévision.

- Une émission intéressante mais à un horaire inapproprié n'exige pas que l'enfant se couche tard, se lève tôt ou retarde le moment de passer à table : on l'enregistre.

- On peut emprunter des cassettes ou en faire de ses films favoris.

- On peut regarder une émission avant de décider si on autorise l'enfant à la visionner.

- On peut interrompre la diffusion pour discuter et expliquer, ou voir l'émission en deux fois.

UNE CONCLUSION... PROVISOIRE

La télévision est un outil. On peut en faire un excellent moyen de connaissance et de loisir à condition de s'en servir d'une manière judicieuse. La relation entre le jeune enfant et la télévision doit être « accompagnée » par l'adulte.

Cela signifie :

- prendre soin des programmes regardés par l'enfant (au besoin les visionner d'abord s'il doit regarder le programme seul) ;

- en parler ensuite avec lui : ce qu'il a compris, ce qu'il a ressenti.

Alors une bonne histoire, une bonne émission, cela peut être une expérience qui combine merveilleusement plaisir et découverte.

Il regarde trop la télévision

Développer son esprit scientifique

Faire preuve de curiosité et d'esprit scientifiques, c'est s'intéresser au monde qui nous entoure et être capable d'élaborer de nouvelles connaissances à partir de l'observation, de l'étude et de l'expérimentation. Justement ce que fait l'enfant toute la journée !

QU'EST-CE QU'UN ESPRIT SCIENTIFIQUE ?

Si les parents soutiennent leur enfant dans ses découvertes et lui permettent d'en faire de nouvelles, il gardera pour toute sa vie ce bien précieux qu'est un esprit scientifique.

Explorer la science, c'est s'intéresser à la vie elle-même. Les conséquences en sont multiples :

- Cela développe la pensée logique, le raisonnement, la mémoire visuelle, l'attention aux détails, l'organisation mentale, la poésie même, toutes choses qui lui seront utiles dans beaucoup de domaines.

- C'est également une aide pour passer progressivement du monde magique où tout est possible mais imprévisible, au monde adulte et réel des faits, des informations et des joies des vraies découvertes.

- Enfin, attirer l'attention de l'enfant sur les merveilles de la nature, n'est-ce pas le meilleur moyen de lui donner envie, à son tour, de protéger la beauté, l'équilibre et la variété de son environnement ?

L'ENFANT FAIT DE LA SCIENCE SANS LE SAVOIR

Entre trois et six ans, tous les enfants sont curieux de ce qui semble nouveau et veulent savoir comment marchent les choses. La part de l'adulte est simple :

- L'enfant sera intéressé si l'adulte est enthousiaste et lui communique le sens du merveilleux.

- Il le sera également si les activités choisies partent de l'intérêt de l'enfant. Le rôle de l'adulte se borne en réalité à accompagner cette curiosité et à permettre à l'enfant d'explorer.

- Les enfants apprennent en faisant, et non en écoutant ou en lisant des livres. Le mieux est même de ne pas trop parler, car les explications, supposées donner la « bonne » réponse, stoppent souvent les spéculations, la créativité et l'expérimentation.

- Être l'adulte qui sait tout face à l'enfant qui ne sait rien tue dans l'œuf l'approche scientifique qui consiste bien souvent à repartir de zéro.

- L'action est toujours à favoriser : « Qu'est-ce qu'il se passe si je mets cela dans l'eau ? », « Essaie, tu verras. »

DISCUTER SCIENCE

Chercher ensemble les réponses précises

Beaucoup des questions de l'enfant ne se prêtent pas à une expérimentation.

Si vous avez peu de temps, une réponse brève est suffisante. Sinon, il est intéressant de chercher avec l'enfant la réponse auprès de personnes plus compétentes ou dans des livres spécialisés. À son tour, l'adulte peut poser des questions qui orientent la curiosité dans une autre direction, ou qui suggèrent de nouvelles idées.

L'enfant a besoin d'éléments d'informations exacts et précis. Mieux vaut dire « je ne sais pas » et lui montrer où trouver l'information, plutôt que de hasarder une réponse fausse.

En science, les mots ont leur importance et demandent aussi une certaine précision : mieux vaut dire « un chêne » ou « une hirondelle » que « un arbre » ou « un oiseau ».

Susciter la réflexion

Certains enfants posent peu de questions. Dans ce cas, c'est à l'adulte de lui en poser. « Je me demande bien comment cela marche… » peut être un bon point de départ.

Ou encore :

« Qu'arriverait-il si nous lâchions le ballon dehors ? »

« Crois-tu que cette branche flotterait ? »

« Qu'est-ce que l'oiseau est en train de faire ? »

« Pourquoi l'avion ne tombe-t-il pas ? »

« Pourquoi l'eau de la mer est-elle grise ? »

« Comment peux-tu savoir, sans sortir, s'il y a du vent ? »

Susciter la créativité de l'enfant

Après avoir posé la question, attendez un moment pour laisser à l'enfant le temps de réfléchir. Si vous sautez sur la première réponse en disant : « C'est idiot ce que tu dis, réfléchis un peu, voyons ! », votre enfant n'osera plus ouvrir la bouche. Montrez-lui plutôt que toute hypothèse vaut quelque chose et discutez toutes ses suppositions, quelles soient justes ou non, sans forcément vous arrêter sur la bonne. Avec le temps et la confiance en lui, la qualité et la quantité des réponses de votre enfant vont augmenter. Il faut se montrer patient : la combinaison de l'expression créative et de la résolution de problèmes demande un certain entraînement...

FAIRE DES EXPÉRIENCES

Les sujets que l'on peut explorer avec les enfants sont multiples. Ils dépendent des occasions rencontrées et de vos centres d'intérêt communs. L'idée générale est de toujours impliquer l'enfant afin qu'il soit acteur des événements et non simple spectateur passif.

La routine quotidienne

Elle permet beaucoup d'apprentissages si on prend le temps de la commenter.
- Le sommeil, les aliments, le temps sont autant de choses qui peuvent être discutées.
- Les jeux d'eau avec récipients, passoires, flacons, entonnoirs permettent d'explorer les volumes et les contenances.
- En promenade au parc, on discute de ce que l'enfant voit, ramasse, craint, etc.
- Une petite coupure : on explique la circulation du sang, la désinfection et la cicatrisation.

Faire la cuisine

Cuisiner avec l'enfant permet de discuter de nombreux concepts scientifiques importants à aborder, comme l'effet du froid, du mélange, de la cuisson, les goûts et les saveurs, ce qui fond à froid ou à chaud, ce qui se mélange ou non, etc. L'enfant apprend à mesurer, compter, verser, couper sans risque, découper des ronds ou des bâtonnets.
Il sera d'autant plus intéressé qu'il pourra consommer rapidement ce qu'il a préparé !

L'apprenti jardinier

Tout le monde se souvient d'avoir fait germer des lentilles, des haricots secs, des pépins ou un noyau d'avocat. Avec peu de compétences, un petit peu de terre et un livre simple de jardinage, on peut aller bien au-delà : observer ses fleurs et manger ses propres radis.

« Comment ça marche ? »

C'est une question essentielle à laquelle l'enfant doit pouvoir chercher à répondre chaque fois que c'est possible. Alors laissez-le démonter un stylo-bille, une râpe à gruyère ou une lampe de poche, laissez-le regarder à l'intérieur d'une pendule ou d'une montre, attirez son attention lorsque vous cousez à la machine, que vous changez les plombs ou les bougies de la voiture.

Bricoler avec vous est une grande joie pour votre enfant.

Une maison pour les insectes

Fabriquez, dans une boîte vide et transparente ou dans un coin du jardin, une petite maison pour un insecte.

Mettez dedans un scarabée, une chenille, une fourmi ou une petite araignée. Regardez-le vivre. Au bout d'un moment, rendez-lui sa liberté.

Rencontrer les animaux

La connaissance des animaux passe aussi par le fait d'aller à la campagne, à la ferme, au zoo, à l'aquarium. La conscience que l'on se fait d'un animal que l'on voit vraiment est très différente de celle que procure l'image.

Laissez à l'enfant tout le temps dont il a besoin pour se familiariser avec l'animal, puis aidez-le à observer : combien a-t-il de pattes, que mange-t-il, comment s'appellent ses petits, etc.

Essayez de ne pas transférer à votre enfant votre peur des insectes ou des reptiles, mais apprenez-lui à respecter les animaux et à aimer leur liberté. Les petits d'animaux ne sont pas des jouets et doivent parfois se défendre pour se faire respecter.

Un lieu pour les trésors

Fabriquez pour votre enfant une grande boîte à trésors, ou mieux, une étagère, qui sera son musée personnel. Il y rangera ses souvenirs d'exploration, l'unique ou le merveilleux trouvé dans la nature, un objet spécial qu'il aura étudié à fond : caillou, cristal, coquillage, dent de vache, fleur séchée, scarabée, fossile, puce informatique, graines de tournesol, etc. La boîte à œufs, avec ses petits casiers, se prête très bien à ce type de rangements.

Inventez des jeux avec votre enfant

Ils ont pour but de le faire se pencher plus attentivement sur son environnement.

Voici quelques exemples :

- retrouver un oiseau ou une fleur dans un guide ;

- cueillir et coller tous les verts différents que l'on trouve dans la nature ;
- deviner les matières qui absorbent l'eau et celles qui ne l'absorbent pas, les objets qui flottent et ceux qui tombent au fond ;
- observer les étoiles et les repérer sur une carte du ciel ;
- se servir d'un chronomètre ou d'un microscope, d'un niveau à bulle, d'un mètre ruban, etc.

Il n'est pas nécessaire d'habiter la campagne pour développer l'intérêt scientifique de son enfant. Il suffit d'une bonne dose d'enthousiasme, de temps, de patience et de plaisir à faire des choses ensemble.
Vous trouverez dans le commerce de nombreux livres qui vous indiqueront des expériences à faire avec votre enfant ou comment fabriquer simplement ensemble des choses qui « marchent ».

Apprendre à bien se nourrir

Plus l'enfant grandit, plus il devient responsable de ce qu'il mange. Pour cela, quelques informations simples lui sont indispensables.

LA NÉCESSITÉ D'INFORMER
En dehors des repas familiaux, il y a ce que l'on prend seul dans le placard, ce qui est proposé à la cantine, les gâteaux que les enfants amènent à l'école, les bonbons que la maîtresse donne, ceux qu'il va acheter à la boulangerie, tout ce que les publicités télévisées incitent à essayer, etc.
Aux informations, il y a la vache folle, le mouton tremblant, le poulet aux hormones, les OGM, les risques d'obésité, etc.
Une information sur la nourriture et les différents aliments sera précieuse à chaque enfant pour lui apprendre à bien se nourrir et à choisir seul ce qui est bon pour lui.

LES CATÉGORIES D'ALIMENTS
Le plus simple est de commencer par lui enseigner les cinq catégories permettant de regrouper les aliments.
1. Fruits et légumes, crus et cuits.
2. Lait et dérivés (fromage, laitages, etc.).
3. Viande, poisson, œufs.
4. Graines et céréales (pain, pâtes, riz, etc.).
5. Sucres et graisses (bonbons, huile, beurre, etc.).

Pour cela, vous pouvez prendre cinq feuilles, une pour chaque groupe d'aliments, et vous amuser, avec votre enfant, à découper dans les magazines des photos d'aliments que vous collerez ensuite sur la feuille correspondante. Quand votre enfant aura bien compris le système, vous pourrez entamer un autre jeu : « Dans quels groupes mets-tu ce que tu as mangé au goûter et au déjeuner ? » Certains plats sont difficiles à classer parce qu'ils relèvent de plusieurs cases. Le gâteau, par exemple, contient à la fois de la farine, du sucre et du beurre, mais vous pouvez vous limiter pour commencer aux aliments simples.

UNE ALIMENTATION SANTÉ

Expliquez ensuite à votre enfant qu'un repas équilibré (ou au moins une journée alimentaire équilibrée) doit contenir un élément de chacune des quatre premières catégories.

La cinquième est moins utile sur le plan alimentaire (elle est là pour le plaisir et c'est déjà beaucoup !), car d'autres aliments d'autres groupes contiennent déjà du sucre et des graisses, soit par eux-mêmes, soit dans la façon dont ils sont cuisinés.

À partir de là, il devient plus facile d'expliquer à l'enfant :
- pourquoi les repas de la cantine sont conçus de cette façon ;
- pourquoi vous insistez pour qu'il mange des fruits ;
- ce qu'il doit prendre comme dessert pour équilibrer son repas.

Lui-même s'amusera à chercher sur les tableaux s'il a bien mangé un élément de chacune des quatre catégories. En discutant, il s'apercevra souvent de lui-même qu'il consomme trop d'une catégorie et pas assez d'une autre. Vous chercherez alors ensemble par quoi il peut remplacer le croissant du goûter ou les bonbons de dix heures.

L'ordinateur et les jeux vidéo

De plus en plus de foyers sont maintenant équipés soit d'une console de jeux vidéo, soit d'un ordinateur personnel avec des jeux ou des logiciels pour enfants. Les parents se posent beaucoup de questions sur ce nouveau comportement des enfants, qui passent un nombre croissant d'heures seuls devant un écran, qu'il soit de télévision ou d'ordinateur. Faut-il accéder à leur demande d'acheter une console ? Faut-il en limiter l'usage ? Quels en sont les effets sur les enfants ?

DES JEUX TRÈS SÉDUISANTS

Force est de constater que les enfants (les garçons davantage que les filles) adorent ces jeux et ce qu'ils permettent : appuyer sur des boutons, agir sur la machine, influencer le déroulement du programme, avoir un partenaire interactif toujours disponible, etc.

L'enfant aime expérimenter avec la machine et il en découvre rapidement toutes les possibilités. Pas intimidé et mis face à des situations toujours différentes, il peut rester concentré longtemps.

L'enfant face à l'écran est à la fois heureux de faire comme les plus grands et fasciné par les programmes conçus spécialement pour lui, qu'il peut repasser encore et encore, selon son propre désir. Jamais la machine avec laquelle il joue ne lui dit qu'il est temps d'arrêter pour préparer le dîner ou qu'elle est lasse de jouer avec lui. Au contraire, elle exprime : « C'est bien, recommence », ou « Tant pis, tu feras mieux la prochaine fois ! ».

DES INCONVÉNIENTS…

Les éducateurs reprochent beaucoup de choses à ces jeux sur écran, souvent avec raison. Les arguments principaux tournent autour de la convivialité. Le jeu vidéo est une baby-sitter encore bien plus efficace que la télévision puisque l'on peut créer son propre programme et qu'il « communique » avec l'enfant. Mais pendant ce temps, l'enfant n'apprend pas les choses concrètes de la vie de tous les jours, ou pas toujours ce que l'on voudrait (la morale des jeux vidéo laisse souvent à désirer).

Le jeu vidéo éloigne l'enfant du livre, de la création manuelle ou artistique, des relations avec ses pairs et du jeu partagé en famille.

Enfin, la fascination est telle qu'il est parfois difficile de « décrocher » l'enfant de sa machine.

… ET DES AVANTAGES

Les arguments pour démontrer, à l'inverse, que les jeux vidéo sont bons pour l'enfant ne manquent pas non plus.

- Ces jeux augmentent la coordination entre l'œil et la main, donc la rapidité de réaction.
- Ils développent l'habileté à repérer les détails.
- Ils habituent aux claviers et aux écrans qui sont les outils du futur.
- Ils aident l'enfant à acquérir les compétences nécessaires à l'apprentissage de la lecture et de la logique mathématique.
- Ils donnent à l'enfant timide ou peu sûr de lui un sens de l'accomplissement et du pouvoir (avoir réussi à abattre vingt-huit avions ennemis n'est pas mal, surtout lorsqu'on n'a fait que quinze la veille…).

L'ordinateur et les jeux vidéo

- Ils augmentent le temps d'attention et la durée de concentration de l'enfant.
- Enfin, ils développent les capacités de raisonnement.

FINALEMENT, QUE DÉCIDER ?

On manque beaucoup de recul pour évaluer les conséquences à long terme de la pratique régulière de ces jeux. Tout dépend, finalement, comme pour la télévision, de l'usage qui en est fait et de ce qu'on en attend. Il est toujours bon que l'enfant se familiarise de bonne heure avec les ordinateurs auxquels il sera forcément confronté au cours de sa vie, mais pas aux dépens d'autres apprentissages tout aussi importants. Je conclurais donc en trois points, et laisserais chacun faire son choix.

1. Au choix, préférer l'ordinateur

Mieux vaut un ordinateur qu'une console vidéo, dans la mesure où d'autres à la maison, plus âgés, sont susceptibles de s'en servir. L'ordinateur, outre les jeux, offre une très grande variété de programmes pédagogiques pour les enfants et des fonctions de traitement de texte : tout jeune enfant apprenti lecteur prend plaisir à écrire à la machine et à voir son texte apparaître sur l'écran. Pour les enfants précoces, le clavier permet d'écrire avant que la main ne soit assez habile pour former les lettres.

L'écart de prix reste important entre les deux types de machines, même si celui des ordinateurs baisse chaque année, mais la différence de fonctionnalité compense largement cela.

2. Surveiller l'usage qui en est fait

Choisissez attentivement vos logiciels et vos jeux. Le mieux est de les essayer avant, car ils sont de qualité et de mentalité très variables. Vous pouvez en partie vous appuyer sur le désir et le choix de l'enfant lui-même, mais regardez attentivement ce qu'il en est.

Assurez-vous qu'il fait un usage raisonnable de la machine. En effet, celle-ci ne doit pas venir remplacer les échanges en famille ou avec les copains, le dessin ou le bricolage, les jeux d'extérieur, la lecture de livres sur les genoux de maman, etc.

En fait, on constate souvent que le jeune enfant s'intéresse aux jeux vidéo par périodes, puis les délaisse pour autre chose en attendant de les redécouvrir, comme il fait pour tous ses autres jeux.

L'ordinateur et les jeux vidéo

3. Oubliez les ordinateurs pour tout-petits

On trouve sur le marché du jouet de nombreux petits ordinateurs pour enfants qui, pour un prix élevé et sous des noms divers, sont censés apprendre à l'enfant à reconnaître les chiffres, les lettres, les animaux, etc.

Tous ces apprentissages peuvent être faits autrement, pour beaucoup moins cher.

L'expérience montre que, passé l'engouement du début, l'enfant se lasse vite. Un vrai ordinateur offrira les mêmes possibilités, plus bien d'autres, et pourra suivre l'enfant pendant plusieurs années. L'investissement se trouve alors rentabilisé.

Quant aux apprentissages fondamentaux, ils ne « passent » bien que s'ils sont conviviaux…

Communication et conflits

La communication est une nouvelle utopie à la mode, conquérante. Elle a une image très positive de dialogue et d'échange ; pourtant, au niveau de la société, il n'y a jamais eu autant de solitude et d'individualisme. Nous n'avons jamais eu à notre disposition autant d'outils pour communiquer (Internet, téléphones portables offerts à Noël dès l'âge de dix ans), mais bien peu de gens se préoccupent de savoir ce que l'on va dire. C'est comme si l'enjeu n'était plus le message, mais le fait de communiquer.

UNE NOUVELLE FAÇON D'ÉLEVER LES ENFANTS

L'éducation des enfants n'a pas échappé à cette mode. Communiquer est devenu impératif. Dès la naissance, il faut parler à son bébé. Tout interdit doit être expliqué, toute demande, justifiée. Le dialogue ne doit jamais être rompu. La règle est devenue : « Parlez et tout ira mieux. » Mais les choses ne sont pas si simples : d'une part, tout le monde n'est pas aussi à l'aise avec la parole ; d'autre part, on communique de bien des façons, et le non-dit est souvent bien plus « parlant » que les mots qui sont effectivement prononcés.

QUELQUES NOTIONS DE COMMUNICATION

Chacun se croit volontiers un bon communicateur. Ce n'est pourtant pas si simple. Cela vaut la peine d'interroger ses proches à ce sujet.

Voilà quelques notions de base qui sont valables dans tous les cas, donc avec les enfants.

- Il ne faut pas confondre ces quatre notions : ce que je veux dire / ce que je dis / ce qui est entendu / ce qui est compris. Chacun trouvera dans sa vie des exemples de ces malentendus, où l'on croit pourtant avoir été très clair.

- Dans toute communication, l'important n'est pas ce qui est dit, mais ce qui est compris par l'autre. Il faut donc parler sa langue, c'est-à-dire employer les mots qu'il peut comprendre.

- Communiquer demande de voir (les gestes des mains, les réponses non verbales, tout ce que dit le corps) et d'écouter vraiment (ce qui est dit mais aussi les variations de voix). Cela suppose que l'on n'est pas en train de s'occuper d'autre chose, ou tout simplement de ce que l'on va répliquer.

QUAND LES CONFLITS SURVIENNENT

Léa, six ans, laisse traîner ses chaussures dans l'entrée ; Thomas, quatre ans, transforme chaque soir la douche en drame ; Antoine, cinq ans, est « accro » à la télévision et hurle quand on veut l'en distraire… Dans la vie quotidienne avec des enfants, les occasions de conflits sont permanentes. Les enfants ont des besoins et des exigences. C'est légitime. Mais les adultes également et ils ont parfois du mal à les faire respecter. Cela donne lieu à de multiples désaccords qui émaillent le quotidien. Il est bon de réagir avant que ne se développent de vrais problèmes.

Les parents se lassent de répéter cent fois la même chose et d'essayer en vain de se faire obéir. Certains renoncent ou abandonnent, d'autres crient ou punissent : dans aucun des cas, l'enfant n'est incité à plus d'autonomie et d'autodiscipline, et le problème va rapidement se déplacer dans un autre domaine.

Écraser, manipuler ou fuir… N'y aurait-il pas un meilleur moyen de s'en sortir ? Avant d'en arriver au rapport de forces, qui se traduit le plus souvent par des cris, des disputes ou des punitions, il y a quelques techniques de « dialogue en cas de crise » qu'il est bon de connaître.

Essayez d'admettre tout d'abord que les conflits sont inévitables

Les enfants sont par nature dérangeants, égocentriques et turbulents.

Les enfants et les parents ont des besoins, mais ce ne sont pas les mêmes : l'un veut jouer quand l'autre veut se reposer, l'un veut manger sa tartine de confiture sur le canapé quand l'autre craint pour les coussins, etc. Tout ceci est parfaitement normal. Ces conflits sont sains et font partie de l'éducation. L'important est de ne pas les craindre et d'apprendre, avec l'enfant, à les gérer dans le respect de chacun.

Ensuite, et ce n'est pas contradictoire, évitez les conflits qui peuvent l'être (il en restera toujours assez !)

Mieux vaut avoir des exigences limitées, mais précises. Trop d'exigences submergent l'enfant qui préfère tout laisser tomber en bloc. Des demandes floues lui permettent de se glisser entre les mailles. Au lieu de dire simplement : « Range ta chambre », il vaut mieux préciser : « J'aimerais qu'avant ta douche tu ramasses tous les morceaux de Lego et que tu les mettes dans le bac bleu. »

Établissez des règles claires

Beaucoup de conflits peuvent être évités si quelques règles indiscutables sont mises en place et que chacun dans la maison s'y plie. Si l'enfant met la table les jours pairs et son frère les jours impairs, il n'y a pas à en rediscuter chaque soir. Si tout le monde, adultes compris, accroche son manteau dans l'entrée, il n'y a pas de raison pour qu'un enfant le laisse par terre dans le salon.

Les enfants admettent très bien qu'il y ait des règles, mais ils ont un grand sens de la justice. Ces règles doivent être cohérentes et les parents doivent montrer l'exemple, ce qui est beaucoup plus efficace à terme que d'essayer d'imposer des comportements par la force.

COMMENT GÉRER LE DIALOGUE DANS LE CONFLIT
D'abord déterminez qui a le problème

Un petit enfant qui pleure la nuit a clairement un problème de sommeil, qui va devenir, à force, celui du petit frère qui dort dans la même chambre et celui de ses parents. En revanche, l'enfant qui ne mange pas ses haricots n'a aucun problème, seuls ses parents en ont éventuellement un.

L'enfant qui a un problème n'a pas besoin qu'on le rassure mais de sentir qu'on comprend ses difficultés et qu'on les partage. Il suffit dans ce cas de se mettre à sa place pour mieux comprendre ses sentiments.

Mais, la plupart du temps, les problèmes naissent de ce que l'on nomme la mauvaise conduite des enfants, ou leurs bêtises, et cela n'est un problème que pour les parents. Réfléchissez, et vous verrez que dans ces petits conflits du quotidien, c'est très souvent le parent qui a le problème.

L'enfant, lui, se comporte comme il lui semble naturel de le faire, de manière à satisfaire ses désirs ou ses impulsions. L'enfant, lui, ne voit pas pourquoi il serait obligé de manger des carottes, de se presser le matin ou de se laver les dents.

Or, c'est évidemment à celui qui a le problème de le résoudre… C'est donc à l'adulte de prendre habilement l'initiative.

Savoir commencer ses phrases par « je »

L'attitude la plus courante, lorsque nous voulons arrêter un enfant ou modifier son comportement, consiste à intervenir en commençant la phrase par « tu ». Par exemple : « Tu me casses les oreilles », « Tu manges comme un cochon ! », « Si tu continues, tu va avoir une fessée. » Comme tout jugement, toute critique ou toute menace, cela provoque immédiatement, chez celui qui est en face, une réaction de défense ou d'agressivité en retour.

Le « je » est beaucoup plus efficace. Il permet de se positionner face à l'autre, tranquillement. Il permet de décrire les faits avec le plus d'objectivité possible et sans agressivité.

Par exemple : « J'ai mal à la tête lorsque tu cries comme cela. » Mieux vaut dire : « Je suis énervée » ou « Je te demande d'aller te coucher » que : « Tu m'énerves », ou « Tu as vu l'heure, va te coucher ».

Lorsqu'il s'agit d'aborder un problème que vous pose le comportement de l'enfant, il est important aussi de le faire à la première personne, en exposant les faits, mais sans accuser. Par exemple : « Lorsque j'attends aussi longtemps que tu sois prêt, cela me met en retard pour mon travail », « Je ne peux pas parler au téléphone si le son de la télévision est si fort. »

Ne pas hésiter à exprimer ses émotions

Bien souvent, l'enfant ne perçoit que notre réaction et ses effets, sans bien comprendre ce qui la motive. Parler à son enfant, c'est lui expliquer, non seulement la vie et ses lois, mais aussi les émotions. Lui dire : « J'ai eu très peur lorsque tu as lâché ma main pour traverser la rue » lui permettra de comprendre pourquoi vous êtes toute pâle et en colère.

Ce n'est pas très facile, mais il est important de dire la vérité de ce que l'on ressent :

« Cela m'irrite, en rentrant, de trouver tes chaussures dans l'entrée. »

« Je me sens gênée de sortir avec toi si tu refuses de te coiffer. »

« Cela m'inquiète quand tu te couches tard, j'ai peur que tu ne manques de sommeil. »

« Je suis triste que tu aies piétiné les fleurs que je venais de planter. »

Communication et conflits

Montrer de l'empathie, de la compréhension, avec ce que ressent l'enfant

Parce que vous montrez à l'enfant que vous comprenez ses désirs, ses envies, ses impulsions, il va se montrer à son tour attentif à vos besoins et à vos demandes. Attention : dire à l'enfant qu'on le comprend ne signifie pas qu'on tolère son comportement. Le « non » passera mieux si vous dites avant : « Je sais que tu as très envie de mettre ta robe bleue, mais… », « Je comprends que tu aies envie de voir la fin de ton feuilleton, mais… »

Comme parent, il nous revient de distinguer, dans les demandes de l'enfant, ce qui relève du besoin (à satisfaire) et ce qui relève du désir (à entendre, comprendre, discuter).

Chercher ensemble une solution

Lorsque l'adulte parle de lui-même, décrit les faits et montre de la compréhension, l'enfant ne se sent pas agressé, mais au contraire incité à proposer une solution. Résoudre correctement un conflit, c'est trouver une solution qui satisfasse les deux partenaires, sans que l'un se sente écrasé par l'autre. L'enfant, qui a participé au choix de la solution, se sent motivé pour l'appliquer. On travaille ensemble pour améliorer la vie de tout le monde.

Un conflit se résout à froid, ensemble, quand on a un petit moment calme devant soi. L'adulte commence par définir le problème clairement : « J'ai un problème. Je suis très irritée de trouver les restes de votre goûter sur la table quand je rentre. Du coup, cela me met mal pour la soirée », ou bien : « Je suis excédée quand je dois te demander cent fois d'aller te laver. Qu'est-ce qu'on peut faire ? »

Plutôt que d'imposer votre solution, qui aurait peu de chances d'être appliquée, vous incitez chacun à proposer des solutions, même les plus farfelues. À ce stade, on ne juge pas, on se contente de noter. Plus personne n'a d'idées ? Alors vient le moment de réfléchir sur les solutions proposées. Chacun argumente, négocie, modifie, jusqu'à ce que l'on parvienne à une solution acceptable par chacun, sur laquelle un engagement est pris. L'important est qu'aucun des partenaires n'ait l'impression d'avoir été écrasé, d'avoir perdu. L'accord doit vraiment être un compromis qui tient compte des besoins et des difficultés de chacun. Reste à mettre au clair les détails de l'application. Quelque temps plus tard, on fait le point.

L'avantage de cette manière de procéder est qu'elle va souvent faire apparaître des problèmes sous-jacents, inconnus jusque-là : la vraie cause du conflit était ailleurs. Alors vont jaillir des solutions originales, et non plus stéréotypées, qui auront de bonnes chances de réussir. C'est ainsi que Margot, douze ans, a décidé de faire le lit de son frère tous les jours si celui-ci lui nettoie ses chaussures une fois par semaine. Ou que Stéphane s'est engagé à nourrir régulièrement le cochon d'Inde, à condition de ne plus avoir à changer la cage, dont le foin le faisait éternuer.

Parfois, on réalise que la solution trouvée ne fonctionne pas. L'idée n'était pas bonne, ou bien l'un des partenaires n'a pas tenu ses engagements. Il ne reste plus qu'à retourner à la case départ…

Sauter une classe ?

Il y a encore peu de temps, le problème de sauter ou non une classe se posait essentiellement en section des moyens de l'école maternelle. Les parents désireux que leur enfant entre à cinq ans au Cours Préparatoire devaient faire une demande motivée à l'Inspection d'Académie. L'enfant passait des tests, l'institutrice donnait son avis et une commission décidait. C'était lourd, compliqué et un peu perturbant pour l'enfant qui risquait de « rater » ses tests. L'avantage est qu'une commission « objective », auprès de laquelle vous pouviez faire appel, prenait la décision et que votre enfant était vu par un psychologue.

LES CYCLES : UNE RÉFORME INTÉRESSANTE…

Aujourd'hui, avec la réforme des cycles, les procédures se sont simplifiées. La loi dit que l'enfant peut mettre entre deux et quatre ans à effectuer un cycle de trois classes (le cycle qui nous occupe regroupe grande section-CP-CE1). Cela signifie qu'un enfant en avance, mûr et motivé, a toute possibilité, avec l'accord des enseignants et du directeur, de faire trois classes en deux ans. Quand un autre, qui a eu du mal une année, peut reprendre son souffle en prenant quatre ans pour faire trois classes.

… MAIS EN FAIT PEU APPLIQUÉE

Dans les faits, ceci est très peu appliqué. Faire un cycle en deux ans reste extrêmement rare, et refaire une section revient toujours à redoubler.

Si parents et enseignants sont d'accord et s'il existe une vraie souplesse pédagogique à l'intérieur d'un cycle, pas de problèmes. Dans la réalité, les choses sont moins simples. Des conflits et des problèmes difficiles à résoudre se posent. Que peuvent faire les parents si les enseignants s'opposent au changement de classe en cours d'année ou au saut de classe ? Qui, si l'enfant ne voit pas de psychologue, décide de son niveau de maturité et de l'opportunité « affective » d'une avance scolaire ? Sur quels critères décide-t-on ? Qui a le dernier mot ?

TOUTE SOUPLESSE EST UN PROGRÈS

On peut raisonnablement penser qu'avec le temps de nouvelles procédures vont être mises en place. Déjà ces cycles, lorsqu'ils sont appliqués, rendent la vie beaucoup plus facile à l'enfant qui saute effectivement une classe.

Tout ce qui vise à introduire de la souplesse dans le système scolaire, tout ce qui vise à prendre en compte l'individualité de chaque enfant et non simplement sa date de naissance ou l'application des mêmes règles pour tous, est à favoriser.

Les enfants, certaines années, accélèrent le rythme de leurs acquisitions ; d'autres années, ils marquent le pas ou semblent ralentir, puis repartent. Chaque enfant a son propre rythme et cela devrait pouvoir être pris en compte.

LE SAUT DE CLASSE : UNE DÉCISION GRAVE

C'est pourquoi la question : « Faut-il faire sauter une classe à cet enfant ? Est-ce bon pour lui ? » est encore plus importante. Il faut savoir que les enseignants, qui y sont pour la plupart opposés pour les enfants des autres, sont, parmi les différentes professions, les plus nombreux à faire sauter une classe à leurs propres enfants !

Une exigence élevée

Cela dit, ils ont raison de freiner les élans de parents qui pensent à l'avenir de leur enfant mais oublient de regarder ce qu'il est maintenant. Sauter une classe implique bien sûr un niveau scolaire suffisant, mais également :
- une bonne maturité affective, car l'enfant va désormais être entouré d'enfants plus âgés que lui,
- de la motivation et un surcroît de travail,
- une bonne capacité de travail et de concentration,
- d'être prêt pour les apprentissages fondamentaux de la lecture, de l'écriture et des mathématiques.

Des motivations à éclaircir

Pour que l'enfant fasse une bonne scolarité, il faut qu'il ait plaisir à aller à l'école. Le mettre en difficulté dès l'âge de cinq ans n'est pas forcément une bonne solution. Une fois qu'il aura commencé avec le travail scolaire et les devoirs, il n'arrêtera plus pendant de longues années.

Les parents sont-ils bien sûrs que leur enfant ne bénéficierait pas davantage d'une année de plus à jouer tranquillement, sans se soucier d'être meilleur que les autres ? Quelles sont les vraies raisons de leur demande ? Est-ce vraiment le besoin de l'enfant ou bien la vanité des parents, ou encore leur inquiétude face à l'avenir ?

Prendre le temps de consulter

Pour démêler tout cela, il me semble qu'une consultation avec un psychologue, scolaire ou libéral, serait utile. Si le psychologue, l'enseignant, l'enfant et ses parents sont d'accord sur l'opportunité de sauter une classe, alors il faut s'y lancer avec enthousiasme. Il serait absurde de freiner les enfants de cinq ans qui sont effectivement prêts et désireux d'apprendre davantage.

VISER D'ABORD LE RESPECT ET LE BIEN-ÊTRE DE L'ENFANT

Le devoir des parents, en matière d'éducation, est davantage de « répondre » à l'enfant que de faire pression ou de pousser en avant. Détendre l'enfant, ne pas le mettre face à des obstacles trop hauts, ne pas lui imposer trop tôt notre stress…

Quand les parents font pression sur l'enfant, ils ont souvent en tête une image idéale de ce qu'il devrait être et craignent qu'il ne réussisse pas au mieux de ses possibilités. Alors que l'enfant n'est pas un robot et qu'il a surtout besoin, pour épanouir ses capacités, que l'on respecte sa personnalité, qu'on lui fasse confiance et qu'on lui permette d'évoluer dans un milieu stimulant. « Répondre » à l'enfant, c'est cela : être capable d'évaluer ses réels besoins et d'y répondre en le considérant comme unique.

LE CAS DE L'ENFANT PRÉCOCE

Dans cette période d'inquiétude sociale et de dévalorisation des diplômes, nombreux sont les parents qui aimeraient bien que leur enfant fasse preuve d'une certaine précocité intellectuelle : un an d'avance scolaire, ce serait toujours cela de gagné. Mais comment savoir si l'enfant a réellement les compétences de cette course à la réussite ?

Comment reconnaît-on un enfant précoce ?

Certains enfants sont nettement en avance sur leur âge dans presque tous les domaines : langage, logique, apprentissages, capacités physiques et créatives, etc. Ils représentent environ 5 % de la population enfantine : ce sont ceux que l'on appelle les enfants précoces.

Le portrait idéal de la petite fille ou du petit garçon précoce est celui d'un enfant vif, qui réussit sans effort, doté d'une excellente mémoire, créatif, curieux, passionné et capable d'une grande concentration. Mais tous n'ont pas d'emblée cette aisance. Différents des autres, les enfants précoces se repèrent assez facilement à certaines caractéristiques qu'ils ont en commun. À vous de savoir si votre enfant possède plusieurs de ces traits.

- Il a parlé de bonne heure et possède un grand vocabulaire.
- Il a appris à lire avant le Cours Préparatoire.
- Curieux de tout, il pose beaucoup de questions originales et adore résoudre des problèmes. Il a un avis, volontiers critique, sur tout.
- Il a un grand pouvoir d'attention, d'observation et de concentration.
- Il aime la compagnie des adultes et des enfants plus âgés.
- Il a un sens de l'humour très développé.
- Il est sensible à l'injustice et ressent de la compassion pour autrui.
- Il est énergique, indépendant, solitaire et imaginatif.
- Il a une faculté de raisonnement et de logique étonnante.

Que faire ?

Si vous pensez que votre enfant est précoce, il est important que vous consultiez un psychologue qui lui fera passer des tests. Il saura aussi vous conseiller sur la conduite éducative à tenir. Parfois un saut de classe peut être souhaitable : cela oblige l'enfant à faire des efforts et entretient sa motivation scolaire. Il existe certaines filières qu'il peut aussi être intéressant de connaître.

Pour faire face à sa curiosité intellectuelle insatiable, vous pouvez inscrire votre enfant dans un club informatique, à un cycle de conférences ou à des cours de langues pour enfants. Mais ce qui lui fera le plus grand bien sera d'être mêlé à des enfants de son âge dans des domaines où il ne sera pas forcément le meilleur : sport, théâtre, activité artistique, etc. Il verra que tout ne passe pas par l'intelligence logique et apprendra à développer amitié et solidarité.

De 5 ans 1/2 à 6 ans

Qui est l'enfant de cinq ans et demi* ?

Peu différent de l'enfant de cinq ans, l'enfant de cinq ans et demi gagne encore en maturité et approfondit les caractéristiques qui étaient déjà les siennes il y a six mois. Il maîtrise davantage les compétences qu'il acquiert tout au long de sa sixième année, notamment dans le domaine intellectuel, où l'enfant motivé se montre très performant. Vu les écarts qui s'accroissent d'un enfant à l'autre, il devient plus difficile de dater l'apparition de tel comportement ou de telle acquisition. Voici néanmoins quelques points qui apparaissent le plus souvent autour de cet âge et dont on peut dire qu'ils le caractérisent.

L'enfant mesure, en moyenne, entre 107,5 et 115 cm et pèse entre 17,2 et 21,3 kg. Les filles sont plus facilement en dessous de cette fourchette et les garçons au-dessus.

Il délaisse le vélo à petites roulettes pour s'essayer au vrai vélo, ainsi qu'à de nombreuses autres activités physiques demandant un bon sens de l'équilibre, comme le patin à roulettes, le patin à glace, le skate ou la corde à sauter. Il commence à savoir s'élancer sur une balançoire, ce qui demande un bon sens du rythme et de la coordination. Enfin, il distingue correctement sa gauche de sa droite et montre, à la demande, son pied droit ou son bras gauche.

Son caractère est moins facile, moins accommodant et l'on voit poindre la nouvelle crise de l'année suivante. Les pleurs peuvent être plus fréquents ainsi que les accès de colère, de bouderie ou de rancune. Les gros mots plutôt amusants tournent aux jurons et les menaces se font parfois vengeresses.

Certaines peurs, que l'on croyait apaisées, reviennent en force : peur de l'obscurité, de la solitude, des animaux, de se perdre ou de perdre sa mère. Les cauchemars reflètent ces peurs, mais l'enfant en fait généralement moins grand cas. D'ailleurs il aime raconter ses rêves, bons ou mauvais, au petit déjeuner.

* Tous les enfants sont uniques et leurs développements différents. L'enfant normal ou moyen n'existe pas. Aussi, soyez sans inquiétude si vous ne reconnaissez pas toujours le vôtre dans ce portrait.

Son comportement est plus chaste, à la fois moins voyeur et moins exhibitionniste. Son intérêt pour les toilettes diminue, mais il s'intéresse encore beaucoup aux bébés et à l'époque où il en était un.

Son sens moral commence à se développer. Il juge facilement, dans les comportements qu'il voit chez les autres, ce qui est bien et ce qui est mal, c'est-à-dire ce qui est conforme aux injonctions parentales et ce qui ne l'est pas. Il reprend volontiers ses parents si leurs comportements ne sont pas en accord avec leurs paroles ou avec le discours qu'il entend au-dehors (mettre sa ceinture de sécurité, ne pas fumer, respecter l'environnement, etc.).

Toujours doté d'un sens aigu de la propriété, l'enfant semble alterner entre ne rien pouvoir prêter ou partager et tout donner. Il fait volontiers des collections diverses (cailloux, emballages de chewing-gums, autocollants, etc.) mais prend peu de soin des objets en général. Il a une tirelire dans laquelle il garde ses sous, dont il connaît souvent le montant exact. Sans posséder encore un grand sens de la valeur matérielle des choses, il passe un grand temps dans les magasins avant de décider à quoi il va destiner ses économies. Le choix entre le bonbon rouge et la sucette violette, à moins qu'il n'attende la semaine prochaine pour pouvoir acheter le chewing-gum vert…, peut lui prendre facilement dix minutes.

L'enfant reconnaît maintenant beaucoup de lettres. Il va bientôt passer à l'apprentissage de la lecture proprement dite. Quand on lui lit une histoire, il essaie de suivre sur le texte autant qu'il regarde les images. Il reconnaît un grand nombre de mots.

Il compte bien et dénombre une vingtaine d'objets en pointant avec son index tout en comptant. Il peut aussi, en comptant sur les doigts d'une main, réaliser de petites additions ou soustractions telles que : « Tu cueilles deux fraises, puis je t'en donne deux autres. Combien en as-tu en tout ? », « Tu as quatre bonbons, tu en manges un. Combien t'en reste-t-il ? »

L'enfant écrit sur le haut de la feuille et de gauche à droite, mais il arrive qu'il dessine les lettres ou les chiffres à l'envers (notamment le 1, le 7 et le 9).

Il peut retenir, si on les lui apprend, sa date de naissance et son numéro de téléphone. Il sait demander son chemin dans la rue et téléphoner s'il a le numéro. Il va seul à la boulangerie acheter le pain.

Il désire et est prêt à entrer à l'école élémentaire.

L'enfant grognon ou boudeur

Dans une fratrie, il arrive que l'un des enfants soit le plus souvent gai et positif alors qu'un autre semble toujours de mauvaise humeur. Une fois les rôles distribués, il semble bien difficile d'en changer. Le premier sera de plus en plus gentil pour être aimé davantage, le second ne fera pas d'efforts puisque tout le monde le dit désagréable…

CHACUN SON TEMPÉRAMENT

Certains enfants sont particulièrement sensibles à toutes les vibrations négatives, soucis parentaux par exemple, et prendront sur eux de n'en rien laisser paraître. D'autres, au contraire, exprimeront leur malaise par de fortes colères et des refus obstinés. D'autres, enfin, bouderont ou feront des caprices sans fin.

Tous les enfants sont différents et peuvent changer eux-mêmes d'une période à l'autre. Tous ressentent le monde qui les entoure de manière différente et ont des façons personnelles de réagir.

QUE SIGNIFIE CETTE MAUVAISE HUMEUR ?

Et vous, quand vous êtes de mauvaise humeur, quelle en est la raison ? On croit un peu trop facilement que nos enfants sont à l'abri de tout souci. Comme ils ont tout pour être heureux et que nous avons tout fait pour cela, nous acceptons mal qu'ils nous renvoient l'image de l'insatisfaction.

« Il a tout pour être heureux »

C'est là que surviennent ces fameuses phrases, avec toutes les variantes possibles : « Avec tout ce qu'on fait pour toi, tu n'es pas encore content », « Moi, à ton âge, je n'en avais pas le dixième et je ne faisais pas la tête », etc. Or ce n'est pas parce que les enfants ont « tout pour être heureux » qu'ils n'ont aucun souci.

- Certains peuvent avoir des difficultés qu'ils ne savent pas exprimer autrement que par leur mauvaise humeur : jalousie, difficulté avec l'école, anxiété, sentiment d'injustice, etc.

- D'autres peuvent réagir ainsi par solidarité avec des questions qui « flottent » dans l'air sans avoir vraiment été exprimées : grossesse de la mère, craintes professionnelles, projet de déménagement, etc.

- En dernier lieu, il en va des enfants comme des adultes : certains ne sont pas du matin (ou du soir) et « se lèvent du pied gauche » lorsqu'on les réveille au milieu d'un beau rêve pour aller à l'école. Ou encore rouspètent lorsque, déjà fatigués, on leur demande encore de fournir un effort.

Une existence exigeante

Il faut bien se rendre compte que, dans notre société contemporaine, les enfants partagent le stress de leurs parents. Non seulement parce que, vivant très proches les uns des autres, ils subissent les retombées des tensions parentales. Mais également parce qu'ils sont eux-mêmes victimes de trop de tensions et de trop d'exigences.

À peine nés, on exige d'eux qu'ils dorment seuls et qu'ils ne pleurent pas la nuit. Puis, très vite, ils doivent être capables de faire pipi où l'on dit, de ne pas manger avec leurs doigts, de rester assis tranquillement, de compter jusqu'à dix et de ne pas toucher aux bonbons dans les magasins. Puis de se lever tôt le matin, aller à l'école et au centre aéré, bien dormir, bien manger, prêter ses jouets, apprendre à rouler en vélo, aller au cours de danse, dire bonjour aux inconnus, faire la fierté de leurs parents dans tous les domaines, cela est bien pesant lorsque l'on n'a que quelques années de vie, même si l'on veut faire plaisir de tout son cœur à ces parents si exigeants.

UN REFLET DE L'AMBIANCE GÉNÉRALE

Un autre facteur explique le tempérament plus difficile de certains enfants : l'environnement familial. J'ai déjà évoqué plusieurs fois la valeur de l'exemple : il prend ici aussi tout son sens.

Comment des parents qui râlent sans cesse contre la grève du métro, la qualité de la baguette, les chaussures qui traînent, la migraine ou la pluie qui n'arrête pas de tomber auraient-ils des enfants d'une humeur égale et souriante ? Les enfants prennent sur eux l'ambiance générale de la maison et l'humeur particulière de ceux qui les entourent.

Les parents doivent montrer à leur enfant que l'on peut laisser ses soucis professionnels hors de la maison et prendre sur soi, pour les autres, de sourire même si l'on a des ennuis. Ne pas se mettre à crier parce que l'enfant crie ou garder sa bonne humeur même s'il râle est une autre bonne manière de lui montrer l'exemple et de ne pas lui donner trop de prise.

Au lieu de cela, certains parents sont ravis de retrouver chez leur petit dernier le caractère irascible de l'oncle Antoine, ou celui qui était le leur au même âge. L'enfant qui sent en face de lui un accueil plutôt favorable à son tempérament négatif risque bien de s'y laisser enfermer.

L'enfant grognon ou boudeur

QUE FAIRE ?

Chercher la raison

La première étape est d'accepter la situation et d'admettre que l'enfant, comme n'importe qui, a droit à des moments de mauvaise humeur.

Si cela est ponctuel, il y a sûrement une raison qu'il serait bon de connaître. Dans un moment d'intimité et de dialogue, le soir au coucher par exemple, votre enfant vous confiera sans doute ce qui le perturbe à ce point. S'il est régulièrement rogue le matin au réveil, peut-être n'a-t-il pas envie d'aller à l'école : il faudrait savoir pourquoi. Si c'est en fin de journée, peut-être est-il trop fatigué par des horaires trop surchargés…

Ne pas se montrer complaisant

L'enfant doit comprendre que sa mauvaise humeur permanente nuit à l'ambiance générale, dont il est responsable au même titre que tout membre de la famille. Mais attention : réagir trop vivement apprend à l'enfant à « faire marcher » ses parents, ce qui enferme chacun dans son mécanisme. Entrer dans son jeu en lui renvoyant la même mauvaise humeur engage dans un engrenage douloureux.

Mieux vaut rester serein, si possible, et dire calmement à l'enfant une chose comme : « Tu n'as pas l'air très aimable. C'est ton droit, mais c'est désagréable pour nous. Veux-tu aller un moment dans ta chambre et revenir lorsque tu te sentiras mieux ? »

Ne pas réagir vivement

Ignorer la mauvaise humeur de l'enfant est encore le meilleur moyen de la faire disparaître. N'y faites même pas allusion. Mais félicitez l'enfant lorsqu'il en sort : « Lucie, c'est tellement agréable de te voir sourire. C'est un vrai plaisir de t'avoir avec nous quand tu es de bonne humeur. »

Prendre le temps d'expliquer

À froid, expliquez à l'enfant l'effet que peut avoir son attitude sur les autres. Aidez-le à se mettre à votre place et suggérez-lui des façons de se reprendre lorsqu'il est de mauvaise humeur.

L'humour peut vous aider (« Oh ! Bravo, ta composition du bouledogue est parfaite ; tu t'entraînes pour jouer au théâtre ? »)… mais il doit être manié avec précaution car il a parfois l'effet inverse !

L'aider à arrêter de bouder

Rappelez-vous ce que vous ressentiez lorsque, enfant, vous boudiez dans votre chambre... L'envie de revenir, mais la fierté d'y renoncer. L'envie que l'on vienne vous rechercher, mais la certitude que vous refuseriez...

L'enfant qui boude est avant tout un enfant malheureux, qui cherche s'il est aimé et s'exclut pour le vérifier. Aussi est-il souvent nécessaire de lui tendre la main, sans pour autant le supplier dix fois de revenir : « Tu sais, nous t'aimons très fort et nous aimerions beaucoup que tu reviennes avec nous dès que tu t'en sentiras l'envie. Alors ne boude pas trop longtemps, car tu te punis toi-même ! »

Il ne veut pas lâcher son doudou

Alice ne peut s'endormir sans son doudou, vieille couverture en lambeaux, sale et encombrante. Camille traîne partout un vieux chien en peluche et suce encore son pouce. Damien ne veut pas lâcher le biberon d'eau qu'il tète en s'endormant, mais aussi lorsqu'il est triste ou fatigué.

UN OBJET TANT AIMÉ

Quand les parents se lassent

Les parents ont pourtant incité leur enfant à s'attacher à un objet particulier destiné à le rendre, à l'époque, plus autonome : il s'endormait sans problème avec sa peluche dans les bras, blotti dans l'odeur et le toucher familiers.

Mais vers cinq ou six ans, parfois plus tôt, les parents commencent à s'impatienter et à trouver cette habitude bien énervante. L'enfant, donc toute la famille, en est devenu dépendant.

Perdre le doudou ou s'éloigner de la maison sans lui devient une véritable affaire d'État. Le laver peut poser un problème, alors qu'il tient raide de crasse. Les parents s'inquiètent des conséquences sur la position des dents d'un abus de biberon ou de tétine. Ils peuvent même être gênés en public par une habitude qu'ils trouvent ridicule à l'âge de leur enfant et se demandent comment la faire cesser.

L'enfant est très attaché

Mais l'enfant, lui, y tient.

Son doudou, quelle que soit sa forme, c'est un coin de sa petite enfance qu'il a besoin de préserver. L'endroit de son cœur où il reprend des forces pour aller de l'avant et devenir un grand. Enfouir son visage dans l'odeur intime de son doudou, c'est retrouver l'époque où sa mère, disponible, était là pour le consoler, le bercer.

Pourquoi tel enfant a-t-il besoin de se rassurer ainsi alors que d'autres ne comptent plus que sur eux-mêmes ? Pourquoi Paul est-il depuis toujours terriblement attaché à sa couche en tissu, quand Pierre n'a apparemment jamais eu d'objet favori et changeait de peluche chaque soir ? Je l'ignore, mais ce dont je suis sûre, c'est que tant que l'attachement est fort, les parents ne peuvent décider seuls de retirer l'objet.

On ne le supprime pas sans l'accord de l'enfant

Supprimer de force un bon objet sécurisant pourrait avoir sur l'enfant des conséquences psychologiques autrement plus embêtantes (angoisse, cauchemars, manifestations psychosomatiques, etc.).

Se moquer de lui ou exiger qu'il cesse sont des attitudes qui posent, après coup, plus de problèmes qu'elles n'en résolvent. Les parents d'aujourd'hui sont si pressés que leur petit grandisse ! Le petit, lui, ne demande qu'une chose : que l'on respecte ses besoins et son développement affectif propres.

QUEL COMPORTEMENT ADOPTER ?

Ne pas s'inquiéter inutilement

Certains enfants peuvent se sentir plus insécures, craindre de grandir et avoir besoin d'être aidés pour devenir plus autonomes. Mais s'ils sont gais, actifs, équilibrés, en bonne santé, bien intégrés parmi leurs camarades, pourquoi s'inquiéter ?

Dans le cas où le doudou reste dans le lit, ne suit pas l'enfant à l'école et ne pose de problèmes à personne, respectez la vie privée de votre enfant et laissez-le gérer seul son domaine affectif. Dans le cas où l'habitude devient vraiment gênante (l'enfant ne peut aller à l'école sans son doudou ou le pouce entraîne une déformation du palais, etc.), voici quelques attitudes que vous pouvez essayer.

Ne pas s'en prendre au doudou

L'idée générale est de ne pas s'attaquer directement au doudou, mais à ses causes. Occupez votre enfant à des choses qu'il aime, montrez-lui les joies qu'il y a à grandir, donnez-lui des responsabilités, traitez-le comme un grand et attendez que le doudou perde peu à peu de sa nécessité.

Laisser l'enfant gérer les oublis

Ne rappelez pas à votre enfant de prendre son doudou quand par hasard il l'oublie : c'est un excellent moyen pour lui, une fois la crise passée, de s'apercevoir qu'il peut vivre et dormir sans lui.

Troquer pour un objet plus gérable

Si l'habitude n'est plus tenable, proposez-lui de la remplacer par une autre, plus vivable. Remplacer une couverture ou une couche en tissu par un petit mouchoir très doux, prendre une toute petite peluche qui tient dans la poche à la place du gros ours, etc.

Se mettre d'accord sur une utilisation raisonnable

Essayez d'obtenir que le doudou ne suive pas l'enfant partout : qu'il reste dans le lit la journée ou dans la voiture lors des balades.

Renforcer l'autonomie affective

Envoyez votre enfant passer une nuit chez un copain, un week-end chez ses cousins, puis une semaine dans un gîte d'enfants. Mêlé à d'autres et fort occupé, votre enfant risque bien de laisser le doudou dans la valise pour les seuls moments de cafard.

Décider la séparation avec l'enfant

Prévenez votre enfant que, maintenant qu'il devient grand, et vu les problèmes que cela pose (voûte palatine déformée par exemple), il va devoir envisager de se séparer de son doudou ou d'arrêter de sucer son pouce ou sa sucette lorsqu'il s'en sentira prêt.

C'est à lui de fixer la date (son anniversaire ou Noël font fort bien l'affaire : c'est un cadeau qu'il se fait à lui-même).

Soutenez-le dans ses efforts, soyez à ses côtés et offrez-lui un cadeau de grand. Ce genre d'habitudes disparaît en général en moins d'une semaine, mais les deux ou trois premiers jours peuvent être difficiles. L'enfant doit lui-même être désireux d'arrêter et très motivé.

N'oubliez pas que votre enfant a besoin de cette habitude, elle est utile à son équilibre. Alors laissez-lui, à son propre rythme, la liberté de décider seul du jour où il se sentira assez fort pour renoncer à ce dernier repli de sa petite enfance.

Le développement du sens moral

Nous sommes à une époque où il peut sembler incongru de parler du sens moral. Pourtant, dans un monde d'incertitudes où les repères deviennent de plus en plus flous, une structure morale interne peut aider grandement les adolescents à faire face sans angoisse à leur engagement dans la société. Or ce n'est pas à quinze ans, ni même à dix, qu'il faut se préoccuper d'aider l'enfant à trouver un sens à sa vie, car ces dimensions fondamentales de la personnalité se mettent en place dès la naissance et l'approche des six ans est une étape importante.

UNE FONCTION COMME LES AUTRES

À certaines époques, l'enfant était considéré comme naturellement bon à la naissance : seuls la société et l'environnement le corrompaient. Quiconque s'est un peu occupé de jeunes enfants sait qu'ils ne sont pas spontanément gentils et généreux… À d'autres époques, au contraire, on considérait que le bébé naissait dépravé et capricieux, en état de péché, et que seuls le baptême et une éducation rigide pouvaient le sauver (la religion catholique a même inventé les limbes, lieu d'accueil pour les nouveau-nés morts sans le baptême, donc refusés au paradis).

Aujourd'hui, ces deux visions sont dépassées. On sait que tout enfant naît avec des dispositions morales, comme il a des dispositions à la parole ou à la sociabilité, et que celles-ci vont s'organiser progressivement.

L'INFLUENCE DE L'ENVIRONNEMENT

L'influence parentale

On peut définir le sens moral très simplement comme l'aptitude intérieure à distinguer le bien du mal, le bien étant ce qui entraîne à la fois estime de soi et estime de l'autre. Mais cette simplicité apparente masque en fait l'immense complexité de cette dimension de l'appareil psychique.

Bien que le sens moral se trouve sous l'influence de nombreux facteurs, psychologiques, culturels ou autres, les études montrent qu'il dépend pour une grande part de l'attitude parentale. Que les parents en aient conscience ou non, qu'ils soient ou non à l'écoute de leur enfant et désireux de l'instruire, ils ont sur lui une influence considérable, tant par ce qu'ils disent ou font que par ce qu'ils omettent ou taisent.

Une quête personnelle

Ce n'est pas pour autant que l'enfant, devenu grand, adoptera le code moral de ses parents. L'enfant a besoin de provoquer les certitudes parentales, d'en rechercher la cohérence ou au contraire les failles et d'expérimenter par lui-même. Il se forgera ainsi ses valeurs personnelles, mais à partir de ce qu'il aura reçu.

Si les parents choisissent de ne pas s'occuper particulièrement de cette éducation-là, leur simple comportement ainsi que les influences extérieures s'en chargeront (copains, enseignants, télévision, etc.).

LA MATURITÉ PSYCHIQUE

Il faut bien comprendre que le point de vue moral de l'enfant sur les événements soit très différent de celui des adultes et qu'il évolue en fonction de son âge.

On ne peut parler de sens moral chez le très jeune enfant, qui se sent spontanément le centre du monde. Très tôt, il va devenir sensible à l'approbation ou à la désapprobation d'autrui, qui se traduiront par le ton de la voix, le sourire ou le froncement de sourcils. Au fond, il ne souhaite que faire plaisir à ses parents et les fondements de sa morale, jusque vers six ou sept ans, sont simples : est bien ce qu'approuvent ses parents.

Le sens moral suit des stades successifs

Piaget a beaucoup travaillé à éclairer quel était le niveau de conscience morale de l'enfant en fonction de son âge et ce qu'étaient ses croyances. Il a ainsi défini des stades que chaque enfant traverse.

Au stade 1, le bien et le mal n'existent qu'en fonction de leurs conséquences : fessée, récompense, punition, sourire, etc.

Au stade 2, le bien est principalement ce qui vise à satisfaire ses propres besoins (ou ceux d'autrui). Les attitudes de provocation ou d'opposition ne témoignent d'aucune méchanceté : l'enfant cherche à comprendre quelles sont les limites qui régissent sa vie. À ce stade, les comportements désobéissants ou coléreux font partie du développement normal de la personnalité.

Au stade 3, le bon comportement est celui qui est approuvé ou qui plaît, celui qui se prête à réciprocité également. L'apparition massive du « je » et du « moi » ne signifie pas que l'enfant est égoïste, mais qu'il prend davantage conscience de son individualité et entend la faire respecter.

Au stade 4, l'enfant a intégré les règles et commence à respecter l'autorité et l'ordre social : il est le premier à reprendre son père qui dit un gros mot ou sa mère qui ne boucle pas sa ceinture de sécurité !

Savoir se mettre à la place des autres

À partir de l'âge de cinq ou six ans, l'enfant commence à pouvoir se mettre à la place d'autrui et cela accompagne des transformations psychologiques qui vont modifier la personnalité tout entière. Il se prépare à « l'âge de raison ».

Ce qu'il comprend des autres l'aide à se comprendre lui-même plus finement, de même qu'il projette sur les autres ce qu'il sent en lui.

À cinq ans, il a encore souvent la tentation de tricher (ce qu'il fait) et s'inquiète de la tricherie des autres. Il est capable de mentir pour éviter une punition. Il aime posséder et collectionner, mais ne prend pas grand soin de ses objets, que l'on retrouve oubliés dans le jardin, sous un lit ou dans une poche de pantalon.

L'ATTITUDE PARENTALE

Une éducation cohérente

L'attitude éducative au cours de la période qui va de la naissance à sept ans environ est déterminante, car l'enfant n'a pas encore de valeurs propres. Cela concerne aussi bien les parents que ceux qui ont la charge de l'enfant pendant la journée.

L'attitude la plus favorable est cohérente et ferme. Elle indique et explique clairement les limites, de sécurité et d'éducation, que l'enfant doit respecter. Elle n'attend pas de l'enfant plus d'autocontrôle qu'il ne peut en fournir.

Cette éducation morale consiste d'une part à transmettre les valeurs familiales jugées essentielles en les expliquant, sans oublier de les appliquer soi-même. Mais elle permet aussi à l'enfant de construire son propre système de jugement en le laissant expérimenter et en valorisant ce qui vient de lui-même (une idée originale ou la preuve de sa créativité).

Essayer d'être juste et empathique

Le développement du sens moral de l'enfant est également encouragé par une attitude de justice vis-à-vis de l'enfant : un comportement arbitraire et inconstant ne pourrait que susciter une attitude de révolte, due au sentiment d'injustice.

L'enfant évoluera d'autant mieux qu'il sera capable de se mettre à la place des autres et d'éprouver pour eux de l'empathie. Il n'existe qu'une seule manière de parvenir à cela : que les parents eux-mêmes éprouvent de l'empathie pour leur enfant et qu'ils soient capables, en se mettant à sa place, de comprendre les raisons de ses comportements.

Se mettre à la place de l'autre s'apprend. Si une fillette revient de l'école avec une petite bague qu'elle a trouvée par terre dans la classe, des questions comme : « Comment te sentirais-tu si tu avais, toi, perdu ta bague dans la classe ? », « Que penserais-tu de l'enfant qui, l'ayant trouvée, la donnerait à la maîtresse afin qu'elle demande à qui est cette bague et te la rende ? » l'aideront à réfléchir.

DONNER DES REPÈRES

L'éducation morale est une vaste entreprise. Son but n'est pas que l'enfant croie à ce qu'on lui dit de croire (les valeurs respectables pour les uns ne le sont pas pour d'autres et ce choix se doit d'être personnel). Elle vise à lui offrir des points de repère et des possibilités d'expérience qui seront pour lui autant de boussoles dans un monde d'incertitudes.

Les enfants, aujourd'hui plus que jamais, ont besoin de lignes pour les aider à définir leur conduite et les objectifs de leur existence. Cette éducation morale perd tout son sens si elle tente de s'imposer à coups de châtiments et d'autoritarisme. Délicate, elle ne peut se baser que sur le respect et la confiance mutuels. Ses seules armes sont l'humour, l'affection et la capacité qu'auront les parents à mettre leurs actes en conformité avec leur discours...

Emprunter ou voler ?

Il s'agit là de l'une des questions qui bouleversent le plus les parents. Lorsqu'ils s'aperçoivent que leur petit Paul est rentré de l'école avec un nouveau taille-crayon ou une petite voiture inconnue dans la poche, ils l'imaginent déjà, plus tard, purgeant une peine de prison pour vol qualifié à la centrale la plus proche !

Peu importe que l'objet soit de peu de valeur ou qu'ils se souviennent d'avoir fait de même étant petits, la plupart des parents sont horrifiés et anxieux lorsque leur enfant vole quelque chose.

EST-CE VRAIMENT DU VOL ?

En fait, il est encore difficile de parler de vol à cet âge, c'est-à-dire tant que le sens de la propriété n'est pas clairement établi pour l'enfant. La notion de « à moi » se développe assez tôt et « être volé » prend rapidement un sens pour l'enfant. Mais la notion de « pas à moi », donc de voler à l'autre, est plus complexe.

« Tout est à moi ! »

L'enfant « chaparde », parce qu'il passe par une période où tout ce qu'il voit et désire est sa propriété potentielle. Le « territoire » de ce qui est « à moi » va de ce qu'il possède réellement à ce qu'il aimerait posséder. Le jeune enfant pense que tout ce dont il peut se saisir lui appartient.

Cela impose une grande vigilance aux parents, notamment lors des courses au supermarché : il n'est pas rare de trouver dans la poche de l'enfant un stylo ou une barre de chocolat. On lui explique alors que cela ne lui appartient pas, ce qu'il a bien du mal à admettre.

On approche de l'âge de raison

Peu à peu, vers six ans, l'enfant aura bien compris la notion d'appartenance, les limites de ce qui est à lui et de ce qui est aux autres. La notion morale du bien et du mal commencera à avoir un sens plus clair. Alors il pourra être question de vol.

Il n'y a donc aucun lien inéluctable entre le petit de quatre ans qui vole un jour des bonbons dans l'armoire à friandises et l'adolescent qui vole un vélomoteur.

La nécessité de réagir

Cela ne veut pas dire que le vol de l'enfant n'a pas de sens et qu'il est inutile d'y réagir. La mise en place du sens moral commence très tôt. À partir de quatre ou cinq ans, l'enfant peut déjà faire la part des choses. À presque six ans, il sait ce que voler veut dire.

Si les petits vols se répètent, il est nécessaire que les parents interviennent et apprennent à leur enfant les règles sociales de l'emprunt, de la propriété, de l'échange et de la restitution. La réaction parentale doit être nette, et intervenir avant que le vol ne soit devenu une habitude de comportement.

L'exemple des parents est essentiel. Il est important qu'ils se montrent honnêtes et condamnent le vol. Mais ils peuvent aussi entendre le vol répété comme l'expression d'un malaise chez leur enfant.

Emprunter ou voler ?

POURQUOI L'ENFANT VOLE-T-IL ?

Un acte souvent porteur de sens

Si les parents parviennent à oublier le côté moral de l'affaire, car bien souvent il n'y a aucun but lucratif dans le vol de l'enfant, qu'ils cessent de s'angoisser sur leur responsabilité éducative et s'interrogent lucidement, ils découvrent que cette action a un sens particulier pour l'enfant.

L'enfant a le sentiment de récupérer d'un côté, d'une manière inappropriée sans doute, quelque chose dont il croit manquer d'un autre côté.

Quelques exemples pour comprendre

- Il vole l'argent que sa mère a laissé traîner parce qu'il croit qu'elle l'aime moins depuis que son petit frère est né.
- Il vole une petite voiture chez un copain pour attirer l'attention de son père qui a quitté la maison, ou qui ne prend pas le temps de jouer avec lui.
- Il vole un jouet dans la classe parce qu'il croit se venger ainsi de l'institutrice qui l'a réprimandé, donc ne l'aime pas.

Compenser une perte

- Dans d'autres cas, voler est pour l'enfant une manière de compenser une perte qu'il a subie à la suite d'un changement dans son existence. Naissance d'un puîné, déménagement, mère qui retravaille, conflits parentaux, sont autant de situations où l'enfant peut essayer, en s'appropriant un objet matériel, de recréer le bon environnement qu'il aimait ou de faire appel de sa détresse.

La culpabilité

Enfin, il existe des cas où l'enfant souffre d'une culpabilité importante dont il ne parvient pas à comprendre le sens. Voler, puis se faire gronder, est une manière de donner une traduction à ce sentiment d'être coupable et cela peut procurer à l'enfant un réel soulagement. Ce sont ces valeurs de message, d'appel, qui expliquent pourquoi les petits larcins sont si facilement découverts. Et pourquoi il faut y répondre.

COMPRENDRE, PUIS RÉPONDRE

Si vous pensez avoir compris la raison profonde pour laquelle votre enfant a volé un objet, c'est à ce niveau qu'il faut rassurer votre enfant sur l'amour et la qualité d'attention que vous lui portez.

Interrogez-vous et interrogez-le sur ce qu'il vit actuellement. Est-il heureux à la maison ? À l'école ? A-t-il le sentiment de n'être pas assez aimé ? Inutile de faire à votre enfant une leçon de morale à l'âge où il sait déjà qu'il a mal agi. Mieux vaut lui montrer que, si vous condamnez son acte, vous vous intéressez avant tout à sa personnalité et à ses problèmes du moment. L'enfant a volé parce qu'à un moment, une pulsion interne plus forte que sa morale l'a poussé à le faire. Plutôt que de le culpabiliser inutilement, mieux vaut essayer d'entendre sa vraie détresse.

NI CONDAMNER NI TOLÉRER

Il va vous falloir réagir également sur le vol lui-même, et la nature de cette réaction est déterminante pour la suite des événements. Une réaction rigide et excessive est déconseillée : l'enfant n'est pas un voleur et le traiter comme tel ne peut avoir que des conséquences néfastes. Mais une tolérance, voire une complaisance trop grande, n'a pas non plus d'heureux effets car alors l'enfant risque de tirer de trop grands bénéfices de son attitude et prendre de plus en plus de plaisir à voler.

Que faire, alors ?

- D'abord gronder raisonnablement. L'enfant doit savoir que voler, c'est mal et que vous désapprouvez tout à fait ces comportements.
- On peut demander à l'enfant d'imaginer combien lui-même aurait honte si l'un de ses parents était arrêté pour vol. Les parents doivent dire la loi à leur enfant, la lui faire appliquer, et l'appliquer eux-mêmes. Par exemple, si un commerçant se trompe en leur faveur, rendre l'argent et expliquer pourquoi à l'enfant.
- Ensuite, accompagner l'enfant pour qu'il rende l'objet à la personne à qui il l'a pris et qu'il s'excuse. Même si vous faites cela correctement, c'est-à-dire en préservant l'amour-propre de l'enfant et sans prononcer le mot vol, cette scène est très désagréable, et c'est une des raisons pour lesquelles votre enfant hésitera à recommencer.

APPRENDRE LE RESPECT DE LA PROPRIÉTÉ

Il existe d'autres façons, à plus long terme, d'apprendre à l'enfant à respecter la propriété d'autrui.

Tout a un prix

Si votre enfant n'en est pas encore bien conscient, expliquez-lui que tous les objets ont un prix. Tout ce qui est dans la maison, vous l'avez acheté. Ou bien vous l'avez reçu en cadeau de quelqu'un qui l'a acheté. Quand vous allez dans un magasin, vous payez pour ce que vous prenez (lui ne vous voit que mettre ce qui vous tente dans votre chariot puis tendre une carte que l'on vous rend ensuite…).

À chacun ses affaires

Expliquez-lui que chacun, à la maison ou au-dehors, a ses propres affaires. Celles-ci peuvent être tentantes. Il est souvent possible de les emprunter, mais il faut demander d'abord. L'échange et le don existent aussi, mais tout cela se négocie ou se dit.

Ne pas faire à autrui ce qu'on ne veut pas qu'on nous fasse

Suggérez à votre enfant de se mettre à la place des autres. Que penserait-il si le petit voisin lui prenait sa voiture rouge et ne voulait pas la rendre ? Ou si sa sœur lui prenait son argent dans sa tirelire pour le mettre dans la sienne ?

Surveiller ses mains

Apprenez-lui que l'on peut gouverner ses impulsions. Françoise Dolto disait à l'enfant qu'il devait apprendre à gouverner ses mains pour qu'elles ne ramassent pas n'importe quoi. Faire la queue à la caisse d'un supermarché, entre deux rangées de friandises, met souvent l'enfant face à de terribles tentations.

Félicitez-le s'il y résiste et, pourquoi pas, permettez-lui de se choisir un bonbon, qu'il paiera lui-même avec l'argent que vous lui donnerez.

Récompenser l'honnêteté

Renforcez et récompensez les réactions honnêtes en général. Racontez des histoires et des contes de fées où l'honnêteté a payé. Montrez-lui l'exemple lorsque vous avez l'occasion de vous conduire honnêtement, en renvoyant un portefeuille égaré à son propriétaire ou en cherchant à qui appartient le ballon oublié dans le bac à sable.

UN MONDE DE TENTATIONS

Vous ne pouvez pas mettre votre enfant à l'abri de toutes les tentations: cacher les bonbons et votre porte-monnaie ; ne pas le confronter à d'autres jouets d'enfants, ne plus l'emmener dans les magasins, tout cela est impossible. Aussi vaut-il mieux lui apprendre à se contrôler.

Emprunter ou voler ?

Mais les parents doivent comprendre que ce contrôle de ses actes qui leur est, à eux adultes, tellement évident, soit très difficile pour l'enfant. Ses impulsions sont plus fortes que les nôtres et il ne peut résister que jusqu'à une certaine limite. Au-delà, c'est aux parents de comprendre que leur enfant ne puisse être mis impunément face à de trop grandes tentations. Il n'est pas coupable d'y succomber, il a seulement l'âge qui est le sien. Les croyants de tous âges ne demandent-ils pas à Dieu : « Ne nous soumets pas à la tentation » ? Ils savent que c'est plus sûr que d'apprendre à y résister…

L'enfant qui « chipe » n'est pas un futur délinquant. La pire attitude serait de lui coller une étiquette. En fait, la plupart des enfants s'essaient à ces comportements, puis reviennent vite à une manière de faire plus conforme à ce que les adultes leur demandent. C'est une question de netteté, d'amour, d'exemple et de patience.

Il ne prend pas de petit déjeuner

Pour ceux qui ont appris à l'apprécier, le petit déjeuner est souvent le repas préféré. Varié, chaleureux, c'est le repas des gourmands, celui où chacun peut prendre ce qu'il aime.

LE REPAS PRÉFÉRÉ DES GOURMANDS

Déjeuner rapide de la semaine ou brunch du dimanche, c'est toujours une façon de bien commencer la journée. Malheureusement, rythme de vie aidant, ce repas est le premier à « sauter » lorsque nous sommes pressés. Manque de temps, manque d'appétit… et l'on part sans avoir rien avalé qu'un café noir pris debout ou une barre de chocolat glissée dans la main au moment du départ.

LE « PETIT CREUX » DE ONZE HEURES

Tant que l'enfant est à l'école maternelle, la collation du matin est là pour rattraper l'absence de petit déjeuner pris à la maison. Ce n'est malgré tout pas l'idéal, car l'enfant prend l'habitude de ne pas manger le matin et de sortir le ventre vide dans le froid. De plus, le contenu des collations n'est pas toujours idéal sur le plan diététique. Une fois à l'école primaire, l'enfant n'aura plus de collation et toujours pas d'appétit le matin. Or les enseignants mettent souvent les parents en garde contre le « petit creux d'onze heures » qui épuise les enfants et ne les met pas dans les meilleures conditions pour travailler. Si l'enfant n'avale rien avant le déjeuner, on peut estimer qu'il est resté environ dix-sept heures sans rien avaler…

COMMENT S'Y PRENDRE ?

Que faire alors si votre enfant n'a jamais faim le matin et qu'il fait la tête dès que vous approchez de lui un bol de lait ?

Regardez d'abord votre propre comportement

Votre enfant prend-il modèle sur vous ? Si vous avez plaisir à vous asseoir tous les matins devant un petit déjeuner appétissant pris dans le calme, qui réunit l'ensemble de la famille avant que chacun parte à ses occupations, votre enfant y participera certainement lui aussi. Si malgré tout votre enfant n'a pas faim, ne vous battez pas avec lui et essayez ces petits conseils.

Emmenez-le avec vous au supermarché

Un jour où vous faites les courses ensemble, demandez-lui de choisir lui-même ce qu'il aimerait manger au petit déjeuner. Amenez-le devant le rayon des céréales, des laitages, de la boulangerie, et laissez-le choisir.

Faites du petit déjeuner un plaisir et non une obligation

Assiette et bol à son nom ou décoré d'un joli lapin, petites fleurs sur la table, ambiance familiale détendue, musique de fond, etc. Mieux vaut réveiller votre enfant un peu plus tôt et lui laisser le temps de déjeuner tranquillement plutôt que de le réveiller au dernier moment et de le presser ensuite.

Offrez-lui une grande variété de nourriture

S'il refuse le bol de chocolat et les tartines, pourquoi ne pas essayer la charcuterie, le lait à la fraise, les céréales, les yaourts, le fromage, les œufs, les fruits frais ou secs, les compotes, etc. ? J'ai connu un enfant qui déjeunait, pour son plus grand plaisir, d'un croque-monsieur et d'un verre de lait…

Pour manger, votre enfant a besoin de compagnie

S'il est impossible, pour des raisons d'horaires, qu'il déjeune en même temps que quelqu'un, au moins restez dans la pièce en sa présence et asseyez sa poupée ou son ours en peluche en face de lui.

Il ne prend pas de petit déjeuner

Achetez des produits en petits conditionnements

Ainsi votre enfant pourra faire son choix chaque matin. Les enfants adorent les conditionnements individuels et les petites quantités conçues rien que pour eux. Vous trouverez à acheter sous cette forme compotes, yaourts aux mueslis, céréales, mini-viennoiseries, etc.

Autre solution, plus économique : achetez un paquet des céréales qu'il aime et répartissez-le vous-même dans de petits sacs plastiques (ou de petits pots individuels). Dans chaque sac, cachez un autocollant qu'il aura le droit d'ajouter dans son album s'il mange le contenu du sac…

Pour la diététique, attendez un peu

Quand votre enfant aura repris l'habitude et le goût de prendre un petit déjeuner, vous pourrez insister davantage sur le côté diététique et vous assurer qu'il consomme chaque matin au moins un laitage, un fruit (ou un jus de fruit) et des céréales (ou du pain).

POUR FINIR, UNE RECETTE DE MUESLI…

Voici une recette, rapide à préparer et facile à manger, que les enfants adorent.

Mélangez dans une assiette à soupe ou dans un bol : deux poignées de céréales de son choix, une demi-banane coupée en petits morceaux (et/ou, au choix, tout autre fruit, pomme, fraise, pêche…), une petite poignée de raisins secs (et/ou, au choix, d'autres fruits secs, pruneaux, abricots, noisettes, amandes…). Versez par-dessus un verre de lait froid (ou un yaourt nature, un yaourt parfumé ou du fromage blanc, selon la nature des céréales). Mélangez. C'est délicieux.

La place dans la fratrie

Selon que l'enfant est l'aîné, le second, le troisième ou le dernier de la fratrie, la place qu'il occupe dans la constellation familiale n'est pas la même. Croire que l'on élève ses enfants de la même façon est un mythe. Dans les apparences, peut-être, mais certainement pas dans ce que l'on projette sur eux.

CHAQUE ENFANT A DES PARENTS DIFFÉRENTS

Il est amusant de constater que des frères et sœurs, adultes, parlant de leurs parents, semblent parfois ne pas avoir eu les mêmes, tant la position qu'ils occupaient (entre autres) leur a fait voir les choses sous un jour différent…

Il ne peut être que faux de dire que tous les aînés sont comme ceci et tous les cadets comme cela. Mais on retrouve trop souvent, dans la pratique professionnelle, certains traits, ou certaines souffrances, liés à une place dans la fratrie, pour ne pas mettre les parents en garde contre certaines attitudes.

L'AÎNÉ

En tant que premier enfant, il « essuie les plâtres » de l'inexpérience de ses parents. On est toujours, à son sujet, plus anxieux et plus exigeant qu'avec les suivants. Porteur des espoirs et des attentes parentaux, on compte souvent sur lui pour « réparer » ou compenser les échecs du passé. C'est lourd, très lourd à porter. L'aîné est, par définition, le seul à avoir été enfant unique, unique objet de toute l'attention et de tout l'amour maternels. Devoir descendre de cette position privilégiée et devoir désormais partager sa mère est une grande blessure dont on se remet difficilement.

Ne pas trop le responsabiliser…

Certains parents se servent de l'enfant aîné comme d'un appui, notamment en lui confiant la responsabilité des plus jeunes, ce qui est injuste. Lui demander de toujours montrer l'exemple aux plus jeunes, également. S'occuper des petits et les éduquer est la tâche des parents, pas des enfants. Mais, à l'inverse, l'empêcher de s'occuper du bébé sous le prétexte qu'il pourrait lui faire du mal est tout aussi injuste et dommageable pour leur future relation.

… Ni le faire grandir trop vite

Les parents font souvent grandir l'aîné trop vite. Lui aussi a le droit d'être « le petit bébé de maman », même s'il y en a déjà deux derrière qui réclament la même chose. Des phrases comme : « Non, pas toi, tu es trop grand », répétées souvent, peuvent devenir blessantes.

L'ENFANT DU MILIEU

Une place difficile

Le côté enviable de cette position est que l'on peut faire alliance tantôt avec l'aîné, tantôt avec le benjamin. Mais souvent cela se résume à : « Les deux grands, vous mettez la table », puis : « Les deux petits, vous allez au lit. »

Caricatural, peut-être. Pourtant, il est manifeste qu'il s'agit là d'une position difficile, et les parents doivent être attentifs à donner une vraie place à cet enfant et à lui permettre d'affirmer lui aussi sa personnalité.

De grands besoins d'attention

Beaucoup d'études ont montré que l'enfant du milieu est celui auquel les parents consacrent le moins de temps et d'attention, et celui que l'on félicite le moins. Il n'a ni les privilèges de l'aîné ni ceux du petit dernier.

Si l'on n'y prend pas garde, l'enfant du milieu se sent facilement le moins aimé et le moins intéressant. Il se renferme sur lui-même, réprime ses sentiments, ou bien trouve un autre moyen d'attirer l'attention : énurésie, somatisation, insomnies, etc.

Un bon médiateur

Il y a pourtant beaucoup de positif dans cette situation. Être l'objet de moins d'attention de ses parents signifie aussi subir moins de pression. L'enfant du milieu peut devenir celui qui a de bonnes relations avec chacun et intervient en tant que médiateur, ou élément d'apaisement, dans les conflits quotidiens.

LE PLUS JEUNE

Il reste le « petit dernier »

Les parents ont tendance à l'appeler « mon bébé » jusqu'à un âge avancé. Il reste le « petit » dernier à l'âge où les autres étaient déjà « mon grand ». Ceci est d'autant plus fort que les parents ont décidé de n'avoir pas d'autre enfant après lui. Le benjamin est alors ressenti comme celui qui clôt la période « fécondatrice » de sa mère. Comme ce deuil n'est pas toujours facile à faire, le dernier enfant va prendre la place de tous les bébés qui ne naîtront pas. S'il reste un peu « bébé », c'est aussi pour consoler sa mère de ne plus en avoir.

L'aider à grandir

Les aînés vont souvent jouer un rôle protecteur avec lui et le gâter, surtout s'il existe un écart d'âge important. Dans le cas contraire, le dernier suscite souvent la jalousie des aînés (« Lui, tu ne le grondes jamais », « Moi, à son âge, je n'avais pas le droit de regarder la télévision », etc.).

Aux parents, alors, de faire en sorte que l'enfant dernier-né ne soit pas trop marqué par cette place à part. Pour cela, il faut s'efforcer de le laisser, voire de l'inciter, à grandir, comme on l'a fait pour les précédents. Cela signifie ne pas devancer tous ses désirs et ses besoins, ne pas le servir, avoir les mêmes exigences que pour les autres et lui confier les responsabilités qui conviennent à son âge.

LES JUMEAUX

À chacun sa personnalité

Être deux à avoir le même âge n'est pas non plus toujours facile à assumer, même si c'est avant tout une grande richesse. Les occasions de partage en font une expérience unique, à condition que chacun des enfants puisse trouver sa place et se sente reconnu.

L'attitude la plus simple que l'on peut conseiller aux parents est de traiter les jumeaux, vrais ou faux, comme des frères et sœurs, ni plus ni moins. Cela signifie que chaque enfant doit pouvoir développer sa propre personnalité indépendamment de l'autre.

Il ne s'agit pas de séparer de force des enfants qui souhaitent être ensemble, mais de leur permettre de pouvoir se passer l'un de l'autre, de se faire leurs propres amis et de trouver chacun sa voie.

Les élever comme des frères et sœurs

Comme de simples frères et sœurs, les jumeaux doivent être traités séparément selon leur tempérament.

Ce sont souvent les parents qui, parfois à leur insu, renforcent le désir de ressemblance entre leurs enfants. Surtout s'il s'agit de vrais jumeaux, donc de même sexe et avec une grande ressemblance physique. Les parents, jouant de l'aspect étonnant de cette gémellité, les habillent de même et hésitent à les séparer.

Or, à leur âge, tous deux (ou plus !) ont besoin de savoir qu'ils existent par eux-mêmes et que leur seul intérêt ne réside pas dans cette gémellité.

Prendre en compte leur individualité

Voici quelques manières d'y parvenir :

- Évitez de les appeler « les jumeaux » et employez leurs prénoms.

- Montrez quotidiennement à chacun qu'il est unique pour vous. Toutes les occasions sont bonnes : « Toi qui connais bien les plantes, va me cueillir du persil dans le jardin », ou « Sensible comme tu es, tu as dû te sentir blessé par cette réflexion », « Toi qui aimes nager, tu iras une semaine chez ta tante au bord de la mer ; ta sœur, qui préfère les animaux, ira chez grand-mère à la ferme », etc.

- N'essayez pas à tout prix d'être juste en offrant à chacun la même chemise, le même temps et la même part de gâteau. Au contraire, efforcez-vous d'offrir à chacun selon ce qu'il est, car c'est alors que vos jumeaux se sentiront vraiment aimés.

IL N'Y A PAS DE « MEILLEURE » PLACE

Aucune position n'est défavorable a priori. Dans toute famille de trois enfants et plus, il faut bien que toutes les places soient occupées. Si les parents sont attentifs à donner à chacun de leurs enfants le temps, l'amour et l'attention dont il a besoin, ils verront se confirmer le pari qu'ils ont fait : une grande famille est une source de joies, d'expériences et de richesses immenses.

Il part seul pour la première fois

Que l'occasion soit une classe de nature, un séjour en gîte d'enfants ou un séjour en colonie de vacances, il est fréquent que l'enfant de cinq ou six ans se voie proposer de partir pour quelques jours au loin, à la campagne ou à la mer, sans ses parents. Est-ce le bon âge pour s'éloigner ?

LES PRÉCAUTIONS

À cet âge, il n'y a aucune urgence à ce que l'enfant parte seul. La décision dépend de l'enfant lui-même et de son tempérament. Certains sont déjà plus autonomes que d'autres. Partir plusieurs jours suppose que l'enfant soit capable de se séparer de ses parents, de se coucher le soir sans les embrasser, de se laver seul, etc. Tous n'y sont pas encore prêts. Certains enfants, à âge égal, ont encore besoin de marques de tendresse quotidiennes données par les parents eux-mêmes. Ce serait pour eux une véritable inquiétude de s'éloigner seul du foyer.

Une expérience des séparations

Si l'enfant est déjà allé, seul, dormir chez un petit copain, et que tout s'est bien passé, c'est déjà un bon indice. Si, de plus, il est déjà parti, seul de la famille, plusieurs jours en vacances chez ses grands-parents ou chez ses oncles et tantes, il y a de grandes chances pour qu'il soit prêt à franchir le pas.

Un temps court

À cet âge, pour un premier séjour, partir une semaine est le maximum que l'on puisse demander à l'enfant. Les petits n'ont pas la même notion du temps que les adultes et sept jours peuvent déjà lui sembler bien longs à passer.

Une distance raisonnable

Pour une première fois, choisissez un centre qui ne soit pas trop loin de chez vous. Ainsi, si les difficultés d'adaptation sont vraiment trop importantes, vous pourrez aller récupérer votre enfant. Mais attention à ne pas le lui dire avant (« Si tu te sens trop malheureux, maman viendra te chercher »). Il y a de grandes chances qu'il se sente « trop malheureux », juste pour vérifier si vous avez dit vrai.

Il est toujours gênant que le séjour entamé n'aille pas à son terme, car cela crée un précédent, mais il n'est pas question non plus de laisser un enfant dans une trop grande détresse affective.

Des parents non prêts

Il y a des enfants qui ne sont pas prêts à la séparation, mais il y a des parents qui ne le sont pas non plus. C'est leur droit le plus strict. S'il s'agit de faire partir son petit bonhomme la mort dans l'âme et le cœur serré, à quoi bon ? Lui-même aura l'impression de faire de la peine à ses parents en partant. Il absorbera leur anxiété sans comprendre ce qu'il risque, mais sera craintif à son tour. Il ne s'agit pas non plus d'attendre qu'il ait quinze ans pour partir de son côté : il y a un moment où chacun est prêt. S'il faut attendre encore un an ou deux, pourquoi pas ?

Lorsqu'il s'agit d'un mini-séjour organisé par l'école maternelle, il est certes difficile de refuser, sous peine de passer pour des parents particulièrement surprotecteurs. Dans ce cas, il est important d'en parler et de bien se renseigner.

Un séjour bien organisé

Les réunions de préparation à destination des parents sont indispensables. C'est à cette occasion que ces derniers peuvent poser toutes les questions relatives à l'organisation du séjour. Il est important de s'assurer que les animateurs qui encadrent les enfants sont spécialisés dans les enfants les plus jeunes et qu'ils sauront faire face à leurs besoins spécifiques en maternage et tendresse. La qualité de l'encadrement est une des conditions essentielles de la réussite de ces séjours.

Il est nécessaire de se renseigner sur le projet pédagogique du séjour, sur les expériences des années précédentes, sur l'emploi du temps, etc.

QUELQUES CONSEILS POUR SE PRÉPARER

Un effort d'adaptation

L'enfant qui se retrouve dans un centre de vacances va devoir s'adapter à un milieu différent, à des adultes et à des enfants différents, et à des horaires et des rythmes différents, une autre alimentation, un autre lit, etc. Tout cela va lui demander un effort d'adaptation considérable.

L'attitude parentale la plus favorable est celle qui consiste à expliquer à l'enfant le plus clairement possible ce qui va se passer pour lui au fil des journées. Les parents doivent faire l'effort de taire leurs propres inquiétudes et de gérer leur angoisse de séparation, afin de ne pas aviver celle de leur enfant. Reste à mettre en avant tout ce que ce séjour va avoir de positif : les nouveaux copains, les découvertes, l'aventure, etc.

La préparation de la valise

C'est un point important, qui va avoir une incidence sur le confort de l'enfant. En ce qui concerne le trousseau, le mieux est de se fier aux instructions des organisateurs qui fournissent souvent une liste indicative. Si, en plus, votre enfant veut absolument emmener son short bleu ou sa jupe rose, c'est d'accord. Attention : ne sous-estimez pas le temps qu'il faut pour marquer chaque pièce de vêtement au nom de l'enfant !

Au chapitre de l'indispensable, n'oubliez surtout pas de glisser dans la valise ou dans le petit sac de voyage la peluche préférée et le doudou adoré, tous deux soigneusement marqués également. Mais quelques petits « plus » peuvent faire toute la différence :

- Une lettre de vous qu'il trouvera à l'arrivée et qu'un animateur lui lira.
- Un sachet de ses friandises préférées.
- Un paquet de bonbons à partager avec ses copains.
- Une photo de la famille réunie, dans un petit cadre, à poser à côté de son lit.

PENDANT LE SÉJOUR

Le conduire, si possible

Si vous le pouvez (c'est le cas dans les gîtes d'enfants et la plupart des colonies), emmenez votre enfant jusqu'à son lieu de vacances. De votre côté, vous serez content d'avoir connaissance de l'endroit où il se trouve. De son côté, il sera rassuré que vous l'accompagniez jusqu'à sa chambre, que vous l'aidiez à installer ses affaires, que vous discutiez avec les animateurs, etc.

Le point délicat est celui du départ. Attention à bien le gérer. Pour cela, mieux vaut ne pas rester trop longtemps et simplifier au maximum le moment des adieux. Si l'enfant pleure, veillez à le rassurer et laissez-le en de bonnes mains sans montrer votre propre inquiétude.

Si l'enfant part en classe de nature ou de mer avec sa classe, il est moins important d'accompagner l'enfant sur son lieu de séjour. Le fait de partir avec des enfants et des adultes qu'il connaît très bien suffit le plus souvent à le rassurer.

Écrire

Si le temps de séjour est trop court pour que vos courriers arrivent à temps, vous pouvez écrire quelques petites cartes, autant que de jours d'absence, et les confier à un adulte de référence le jour du départ, afin qu'il les donne à votre enfant chaque jour du séjour.

Il est très important pour l'enfant de recevoir des « signes » de la maison : petite carte, petit journal, friandise, toute marque qui lui montre qu'il n'est pas abandonné et que vous pensez bien à lui.

Téléphoner

Téléphoner à son enfant est généralement déconseillé par les animateurs. L'enfant, qui s'amusait bien avec ses copains, est d'abord tout heureux d'entendre la voix de maman. Mais cette voix lui rappelle justement que maman n'est pas là, ce qui va activer la tristesse de la séparation. Le téléphone raccroché, l'enfant va se trouver tout triste et difficile à consoler. La maman, qui n'a entendu que des sanglots, est convaincue que son enfant va mal, ce qui n'est généralement pas le cas. Elle va s'angoisser sans raison.

Le mieux est de téléphoner directement aux organisateurs qui vous donneront des nouvelles de votre enfant, vous parleront de ses activités, et lui feront part d'un petit message à son intention.

Bien sûr, il faut prévenir l'enfant que vous ne lui téléphonerez pas, mais que vous penserez à lui très fort. Tous les soirs, au moment où il se couchera, vous lui enverrez des petites pensées d'amour qu'il entendra directement dans son cœur.

S'il a un problème, il faut qu'il sache que l'animateur est là pour l'écouter et l'aider à le résoudre.

Dans les centres de vacances actuels, il est fréquent qu'une messagerie consultable sur Minitel soit mise en place, qui permet d'avoir chaque jour des informations sur le séjour et, parfois, de laisser des messages à destination de son enfant.

LE RETOUR

Ne vous attendez pas à retrouver votre enfant transformé et devenu miraculeusement autonome. Mais il aura grandi car toute expérience, surtout loin de papa et maman, permet à l'enfant d'avancer et de se construire.

Il aura vécu des choses fortes, mais il se peut qu'il ne raconte pas grand-chose, ce qui peut être frustrant pour les parents. L'enfant était dans un autre monde, il a vécu des expériences nouvelles : tout cela fait désormais partie de son monde. Peu à peu, au fil des jours, il racontera telle ou telle anecdote. Il sera heureux de rentrer : montrez-lui votre joie de le retrouver et mettez-le au courant de ce qui s'est éventuellement passé à la maison en son absence.

Assez malade
pour manquer l'école ?

Huit heures du matin. C'est l'heure de pointe. La radio annonce des embouteillages, la cafetière embaume, il y a la queue à la salle de bains, vous avez déjà dit : « Dépêche-toi » un nombre respectable de fois. C'est alors qu'une voix plaintive remet toute l'organisation matinale en question : « Maman, j'ai mal au ventre… » (ou à la gorge, ou à la tête, c'est au choix). L'angoisse point : et s'il devait manquer l'école ? Comment faire pour le garder ici ?

« MAMAN, J'AI MAL AU VENTRE… »

Avant tout, il faut être sûr que votre enfant est assez malade pour rester à la maison. En début comme en fin de maladie, ou pour un simple malaise, ce n'est pas facile à déterminer. Cela dépend comment se sent l'enfant, s'il est contagieux et, admettons, dans quelle mesure il vous est possible de le garder à la maison.

MALADIE OU BESOIN D'AMOUR ?

Cela dépend aussi du tempérament de votre enfant, s'il est douillet, comédien et s'il vous a déjà fait la même chose la semaine précédente ou, au contraire, s'il ne se plaint jamais qu'à bon escient.

Ainsi Sandra, cinq ans et demi, qui a fait téléphoner à sa maman depuis l'école, après que celle-ci a décidé de l'y envoyer quand même, alors qu'elle se plaignait, régulièrement et depuis plusieurs heures, d'avoir mal au ventre. Presque aux larmes. En pleine épidémie de gastro-entérite, la mère, culpabilisée, revient en urgence récupérer Sandra pour l'emmener chez le médecin. Mais Sandra va déjà beaucoup mieux et montre l'origine de la douleur : une très légère griffure à la hanche qu'elle s'est faite ce matin en se levant. Sandra n'a plus mal, mais elle est rassurée : sa mère l'aime assez pour abandonner son travail en pleine journée si elle a besoin d'elle… La prochaine fois que Sandra se plaindra à huit heures du matin de se sentir mal, sa mère pourra légitimement se demander si sa fille est malade ou si elle a besoin d'un surcroît d'attention.

Des symptômes douteux, d'autres réels

Les symptômes douteux sont le plus souvent isolés (mal à la tête sans fièvre, mal au ventre sans diarrhée) et vagues (question : « Dans quelle partie du ventre as-tu mal ? », réponse : « Partout », avec un grand geste circulaire de la main).

Mais d'autres symptômes sont bien réels et nécessitent un maintien de l'enfant à la maison. Voilà les plus fréquents et la manière la plus simple de les évaluer, selon le docteur Sears (professeur de pédiatrie).

LA DIARRHÉE

Elle peut être à la fois douloureuse et contagieuse. Deux raisons pour ne pas envoyer l'enfant à l'école. Une diarrhée importante ou accompagnée d'autres symptômes nécessite de plus une consultation médicale. Le régime ? Boire beaucoup d'eau (le cola a de bons effets également, il est très apprécié sous forme de glaces faites maison) pour éviter la déshydratation, manger des bananes, du riz, de la compote de pommes et du pain grillé sans beurre. Dans le cas d'un symptôme isolé, l'enfant peut retourner à l'école dès que la diarrhée a disparu et qu'il n'a plus mal au ventre.

RHUMES ET NEZ QUI COULE

Si l'enfant n'a pas de fièvre et que son infection virale ressemble à « un petit coup de froid », il peut aller à l'école. Des études ont montré que refuser les enfants enrhumés à l'école ne diminuait pas les risques de contagion, pas plus que les accepter n'augmentait le nombre de « petits malades ». En effet, le rhume est contagieux un jour ou deux avant qu'il ne se manifeste.

Envoyer son enfant à l'école avec un petit rhume est une façon de lui apprendre à ne pas trop s'écouter. On bourre ses poches de paquets de mouchoirs en papier et on lui apprend à se détourner des autres quand il éternue ou se mouche.

En effet, c'est de cette façon que l'on attrape un rhume : lorsqu'on est en contact avec une microscopique particule en suspension dans l'air, transmise par quelqu'un déjà porteur de ce virus. Pas en se plaçant dans les courants d'air, en oubliant son bonnet ou parce qu'on a les pieds mouillés.

Une infection qui se généralise

Il arrive que certains rhumes nécessitent que l'enfant reste à la maison. C'est le cas lorsqu'une infection s'est développée dans la sphère O.R.L. Tant que l'enfant se mouche clair comme de l'eau, qu'il n'a pas de fièvre, qu'il est actif et tonique, il n'y a pas de raisons de s'alarmer. Mais si ses sécrétions nasales tournent au jaune ou au vert, si l'enfant a de la fièvre, mal à la tête et semble « mal fichu », c'est le moment de faire intervenir le corps médical et de garder l'enfant au chaud.

Toujours dans le cadre des « rhumes » en général, trois points particuliers doivent être abordés.

Les yeux qui coulent

S'il s'agit seulement d'une conséquence du rhume (les sécrétions des sinus pénètrent dans les yeux également), ceci n'est pas contagieux. Mais il arrive que les yeux qui coulent traduisent une conjonctivite, qui, elle, est une infection très contagieuse. Ce cas, où les yeux sont un peu rouges, se traite facilement par des gouttes ou une pommade ophtalmique antibiotique.

La toux

Certains rhumes guérissent tout seuls, d'autres enchaînent sur une toux. Une toux sèche, hachée, qui n'empêche pas l'enfant de dormir et ne s'accompagne d'aucune fièvre, douleur ou difficulté respiratoire, n'impose pas de dispense scolaire. Certaines de ces toux peuvent traîner un certain temps. Elles ne sont généralement pas contagieuses, mais gênantes pour l'enfant et ceux qui l'entourent. Mais si votre enfant semble malade, fiévreux, que sa toux est grasse et l'empêche de dormir, il faut bien sûr le garder à la maison et consulter un médecin.

Les allergies

Bien souvent on croit enrhumé l'enfant qui renifle et qui tousse, alors qu'il s'agit d'une réaction allergique, non contagieuse, seulement dérangeante pour l'enfant lui-même. Dans ce cas, le nez coule beaucoup, très clair, mais l'enfant ne se sent pas malade.

Vous pouvez soupçonner l'allergie si d'autres dans votre famille en sont atteints, si votre enfant a déjà réagi ainsi ou… si c'est la saison des foins ! Votre médecin vous aidera à faire la différence entre un rhume et une éventuelle allergie.

LES MAUX DE GORGE

Si l'enfant annonce : « J'ai mal à la gorge », mais ne présente aucun signe associé comme la fièvre, la difficulté à avaler, des vomissements, une éruption, ou un vrai sentiment d'être malade, vous pouvez l'envoyer à l'école. Mais soyez très attentif à l'évolution : certaines infections virales ou bactériennes (comme l'angine) qui se traduisent par des maux de gorge (parfois sans signes associés) deviennent vite douloureuses et extrêmement contagieuses. Il faudra alors s'en occuper et garder l'enfant à la maison.

LES DÉMANGEAISONS

Le problème, avec les démangeaisons causées par des éruptions cutanées, est que l'enseignant va s'en apercevoir et risque de prendre peur. Pourtant, toutes les éruptions ne sont pas contagieuses ou tellement inconfortables qu'elles nécessitent que l'enfant soit dispensé d'école.

Certaines sont contagieuses, d'autres non

Dans le cas d'un léger impétigo, par exemple, vous n'avez pas, une fois que vous avez commencé à appliquer la crème antibiotique, à isoler votre enfant comme un lépreux. D'autres démangeaisons causées par des champignons sont encore moins contagieuses. En revanche, la varicelle est l'une des plus contagieuses des maladies infantiles et demande absolument que l'enfant reste à la maison (même s'il a déjà infecté ses copains avant tout signe d'éruption).

Au début d'une éruption, il est parfois difficile de poser un diagnostic. Les premiers boutons de la varicelle peuvent ressembler à des piqûres de moustiques pendant une journée. Aussi, si toute éruption ou démangeaison ne justifie pas un repos à la maison, elle justifie pleinement, en revanche, une consultation médicale et un traitement approprié.

Assez malade pour manquer l'école ?

Se débarrasser des poux

Des démangeaisons localisées sur le crâne et la nuque doivent faire immédiatement soupçonner la présence de poux. Cela ne remet pas en cause votre hygiène personnelle, rassurez-vous. Aujourd'hui, pas une école n'est exempte de poux, pas un enfant n'y échappe à un moment ou l'autre de l'année.

Si les poux sont difficiles à voir sur le crâne de l'enfant, il est plus facile de repérer les lentes, qui sont les œufs. Blanches, de la taille des pellicules, elles sont accrochées aux cheveux, à un ou deux centimètres du crâne. Si vous en repérez, ou si un mot de l'école vous avertit d'une épidémie, inutile de déranger votre médecin. Un shampooing anti-poux, un peigne spécial anti-lentes et une lotion préventive devraient, avec un peu de patience (il y a beaucoup de récidives), venir à bout du problème. Pensez aussi à désinsectiser peignes, brosses, serre-tête, bonnets, taies d'oreiller, etc., à l'aide d'une poudre spéciale ou d'un lavage à haute température.

Les poux ne sont généralement pas une raison pour manquer l'école, ce que l'on peut parfois regretter pour certains. En effet, si tous les enfants ne sont pas traités à la même période ou dès l'apparition des poux, l'invasion recommence…

LE BESOIN DE SE FAIRE DORLOTER

Passer une journée ou deux avec son enfant à la maison n'est pas forcément désagréable. Ni pour le parent qui prend plaisir à dorloter et soigner, ni pour l'enfant qui profite de ce temps où il a l'un de ses parents tout à lui.

Parfois la plainte de l'enfant ne justifie pas, sur le plan médical, qu'il reste à la maison. Se plaindre du ventre est pour lui une façon de se plaindre d'autre chose : du manque de temps que vous lui consacrez, du peu d'intimité avec vous, du peu de temps pour jouer, du fait que le petit frère, lui, reste à la maison, etc.

Ces douleurs-là sont difficiles à évaluer mais elles ne méritent pas d'être nommées « comédie ». Elles doivent être prises en compte et nécessitent, parfois, qu'on les considère comme assez graves pour justifier une journée à la maison. En revanche, si votre enfant essaie fréquemment d'éviter l'école en invoquant des problèmes de santé, il est important d'essayer de comprendre pourquoi. Soit il a une bonne raison de vouloir rester à la maison, soit il en a une de refuser l'école. Dans les deux cas, cela mérite qu'on s'en occupe.

Les activités parascolaires

Depuis quelques années, un phénomène a pris des proportions parfois alarmantes : il s'agit de la multiplication, pour un même enfant, des activités parascolaires, c'est-à-dire des multiples cours auxquels il est astreint en dehors de l'école. Au nom de l'éveil et de la course à l'excellence, de nombreuses mamans transforment la journée du mercredi de leur enfant, dès l'âge de trois ans, en un véritable parcours du combattant : violon, danse, tennis, judo, anglais s'enchaînent à un rythme étourdissant. Les mères qui travaillent tentent, elles, pour que leur enfant ne soit pas en reste, de glisser malgré tout la poterie le lundi soir, le poney le samedi après-midi (après le supermarché) et la piscine le dimanche matin. Ouf !

SEUL L'EXCÈS EST NUISIBLE

Entendons-nous bien. Tout ceci part d'un bon sentiment et aucune de ces activités n'est évidemment nuisible à l'enfant. Je n'ai rien ni contre la musique, ni contre l'artisanat, ni contre le sport. Au contraire, je crois que ces matières, sous-enseignées à l'école, sont nécessaires au développement harmonieux de l'enfant. J'ajouterai que l'enfant est mieux à la gymnastique ou au solfège qu'immobile des heures, enfoncé dans un canapé, devant la télévision. Mais tout est une question de mesure. L'accumulation de ces activités extra-scolaires appelle quelques réflexions.

UN BESOIN DE REPOS ET D'ENNUI

L'école maternelle, et encore plus le Cours Préparatoire, fatiguent l'enfant. Les journées de celui-ci sont déjà longues, surtout s'il mange à la cantine et reste à l'accueil. La vie en collectivité d'enfants est bruyante, agitée, épuisante. Aussi le temps hors école doit-il être avant tout un temps de repos. L'école impose à la fois le groupe et la contrainte. Rentré chez lui, l'enfant a besoin d'un temps pour ne rien faire, ou pour jouer librement, seul dans sa chambre, à des jeux dont il invente les règles. La découverte de son autonomie est à cette condition.

UN PLANNING « RAISONNABLE »

Oui à l'éveil parascolaire…

Sauf exception, il faut généralement attendre l'âge de six ou sept ans pour que l'enfant choisisse réellement ce qu'il aime faire. Avant, ces activités répondent moins à son désir propre qu'à l'image que ses parents se font de lui.

Cela ne signifie pas qu'il s'y rende forcément à contrecœur, mais davantage pour le plaisir d'autrui que pour le sien propre.

Alors oui, bien sûr, il est bon d'ouvrir la curiosité de l'enfant à l'art, à l'anglais ou au sport. Ce n'est que s'il essaie plusieurs disciplines qu'il pourra ensuite choisir, en connaissance de cause, celle qu'il souhaite approfondir. S'engager pour un an à aller au cours de peinture tous les mardis soir apprend aussi, dans une certaine mesure, la persévérance.

… Mais il faut respecter quelques règles

- Pas plus d'un cours par semaine en dessous de cinq ans, pas plus de deux par semaine ensuite.
- Il faut respecter le plus possible le choix de l'enfant, même si ses arguments vous semblent douteux (il veut être avec Luc au foot, par exemple). Il s'agit de ses loisirs et non des vôtres. Dites-vous que les contraintes qu'il subit sont déjà très lourdes par ailleurs. Si vous avez un doute, il est presque toujours possible de demander que l'enfant suive un ou deux cours avant de s'engager pour l'année.
- On peut inciter l'enfant à continuer lorsqu'il ne veut plus aller à son cours, mais certainement pas l'y contraindre, au risque de l'en dégoûter totalement.
- Ces activités ne doivent pas empiéter sur le temps de partage ou d'activités en famille, et elles doivent laisser à l'enfant le temps de s'ennuyer ou de ne rien faire, ce qui est indispensable à son bon développement.

En conclusion, oui à l'éveil, mais non absolument au forcing, à l'emploi du temps de ministre et aux larmes coulant sur les touches du piano…

Des problèmes avec l'enseignant ?

Votre enfant, qui allait à l'école maternelle sans problème depuis deux ans, se met soudain à déclarer qu'il déteste l'école et ne veut plus y aller. Le matin, il met un temps fou à se préparer, tentant de reculer le moment fatal. Il se plaint du ventre ou de la tête, essayant de vous convaincre qu'il est trop malade pour aller en classe. Arrivé à la porte de l'école, il commence à pleurer et à s'accrocher à vous.

IL N'AIME PAS SA MAÎTRESSE

Que se passe-t-il ? Il a changé de maîtresse et ne s'entend pas avec celle-là. L'an dernier, tout allait bien, il trouvait sa maîtresse belle, douce, gentille… Cette année, il dit qu'elle crie trop, ou qu'elle ne l'aime pas, ou qu'elle n'est pas gentille. Que comprendre et que faire ?

Dans une situation comme celle-ci, la plupart des parents pensent que l'enfant exagère et qu'il faut juste un peu de temps pour s'habituer au nouveau style d'enseignante. Même si celle-ci est un peu « rude », apprendre à s'adapter fait partie de la vie.

D'autres parents vont immédiatement prendre le parti de l'enfant, s'inquiéter et aller se plaindre de l'enseignant auprès de la directrice ou du directeur de l'école, au risque de passer pour hyperprotecteurs.

PRENDRE LE TEMPS DE LA RÉFLEXION…

Mieux vaut prendre d'abord le temps de la réflexion. Si votre enfant dit que la maîtresse ne l'aime pas simplement parce que ce n'est pas lui qui a été désigné pour effacer le tableau ou parce qu'elle lui a fait remarquer qu'il avait encore oublié son ours dans la cour de récréation, cela ne mérite pas que vous interveniez.

Écouter et soutenir

L'enfant a besoin de vous sentir « derrière lui », mais pas que vous « démarriez au quart de tour » pour prendre sa défense. Un incident qui vient de survenir peut sembler dur sur le moment, puis être oublié deux jours plus tard.

Parfois, compatir à la déception ou à la colère de l'enfant suffit à lui faire dépasser l'incident. Cela suppose un bon dialogue avec son enfant et le temps, le soir, d'échanger avec lui sur ce qu'il a fait à l'école. Les problèmes pris tôt sont plus facilement identifiés et résolus que ceux qui traînent.

L'entraîner à de nouvelles compétences

Une enseignante qui fait remarquer à votre enfant, devant tous les élèves de la classe, qu'il est le seul à ne pas savoir lacer ses chaussures ou à ne pas savoir mettre sa fermeture à glissière, manque certes singulièrement de pédagogie. Mais une façon d'intervenir consiste à prendre le temps d'enseigner à votre enfant la façon de s'habiller lui-même, ce que vous n'avez peut-être jamais fait.

Être sûr de comprendre avant de réagir

Un autre enfant peut être bouleversé parce que sa maîtresse s'est moquée de son accent ou de son défaut de prononciation. Avant d'injurier la maîtresse, soyez sûr qu'il s'agit bien de cela. Un enfant gêné par un problème de langage, par exemple, peut être d'une susceptibilité telle qu'une réflexion banale sera prise pour une moquerie.

Si l'enfant semble affecté durablement par la réflexion de l'enseignant, il faut aller voir ce dernier. Le plus souvent, il n'aura aucune idée de ce qu'il a fait et s'excusera gentiment auprès de l'enfant.

… PUIS DÉCIDER D'UNE CONDUITE À TENIR

D'une manière générale, lorsque votre enfant semble avoir une difficulté durable avec son enseignant, voici la façon la plus raisonnable de procéder :

- Demandez aux autres parents des enfants de la classe s'ils ont des incidents similaires à rapporter et quels rapports leur enfant entretient avec cet enseignant.

- Demandez à l'enfant s'il veut que l'on intervienne et ne le faites que dans ce cas.

- Contactez toujours l'enseignant avant le directeur. D'une manière générale, ne passez jamais « par-dessus » la personne avec qui votre enfant a une difficulté sans l'avoir rencontrée d'abord.

- Ne pensez pas que l'enseignant est forcément au courant des difficultés de votre enfant, qui a pu n'en rien laisser paraître.

- N'abordez pas l'enseignant de façon accusatrice ou moralisatrice. N'oubliez pas que votre but est d'en faire un allié, même s'il ne vous est, a priori, que moyennement sympathique.

- Rassurez votre enfant et montrez-lui bien que vous prenez son problème en compte.

- Si cela n'a rien donné, allez voir le directeur de l'établissement.

EN DERNIER LIEU, LES GRANDS MOYENS

Dans la plupart des cas, le dialogue suffit à apaiser les choses.

Il arrive, bien qu'assez rarement, qu'il faille aller jusqu'à changer l'enfant de classe ou d'école. Cette décision ne se prend pas à la légère. Mais elle vaut parfois mieux que de laisser l'enfant dans une vraie détresse face à un enseignant incapable de s'en faire apprécier ou respecter.

Les antipathies réciproques et exprimées existent. Si vous estimez, après avoir pris conseil autour de vous, que votre enfant est réellement malheureux dans cette classe et que cela est dû à l'attitude de l'enseignant, agissez en conséquence. Votre enfant saura qu'il peut compter sur vous et vous lui éviterez ce qui aurait pu devenir un rejet durable de l'école en général.

Se préparer à l'école primaire

Sauf exceptions, c'est en septembre de l'année de ses six ans que l'enfant entre au Cours Préparatoire de l'école primaire. Certains enfants, nés en début d'année, ont donc déjà six ans et neuf mois, quand d'autres, nés en fin d'année, n'ont encore que cinq ans et demi.

UNE RENTRÉE BIEN PRÉPARÉE

Depuis la réforme des cycles, le passage de l'école maternelle au primaire s'est beaucoup facilité. La grande section de maternelle et le Cours Préparatoire font partie du même cycle et sont donc en continuité directe l'un avec l'autre. De plus, les institutrices des deux niveaux créent de nombreux liens tout au long du dernier trimestre, si bien que les enfants sont très bien préparés scolairement à leur changement d'école.

UNE GRANDE IMPORTANCE SYMBOLIQUE

Il n'en reste pas moins que cette rentrée est importante pour l'enfant et pour ses parents sur le plan symbolique : il quitte le monde de l'école « maternelle » pour rejoindre les « grands ». L'école devient obligatoire et les apprentissages sérieux vont commencer.

Concrètement, des changements vont intervenir :
- l'enfant va devoir emmener et ramener un cartable,
- il aura des devoirs à faire, il devra rester assis à sa table pendant une heure ou deux d'affilée et prêter attention à ce qui est dit,
- il devra être davantage autonome et prendre soin de ses affaires,
- peut-être aura-t-il classe obligatoire le samedi matin, etc.

Pour tout cela, vous pouvez l'aider à se préparer dans les mois qui précèdent. Mais surtout, ne faites pas de l'école un épouvantail, avec des phrases comme : « Si tu parles comme ça, tu vas voir la maîtresse !... », « À la grande école, tu seras bien obligé de rester tranquille ! », « Au C.P., plus de pouce dans la bouche ni de petite voiture dans la poche ! »

UN SOUTIEN POUR ALLER DE L'AVANT

La meilleure façon de préparer votre enfant est de l'encourager à faire des choses par lui-même à la maison : mettre ses sous-vêtements au linge sale et en prendre de propres chaque matin dans le tiroir, mettre la table et aider à la débarrasser, écouter attentivement et respecter les consignes des jeux, etc. Devenir autonome et responsable à la maison l'aidera à faire de même à l'école.

Les parents doivent néanmoins s'attendre à ce que l'enfant soit un peu tendu les premiers jours et peu disert sur ce qui se passe à l'école. Cela s'arrange le plus souvent en une semaine.

Il est fréquent que les parents, plus anxieux que leur enfant, contribuent à remplacer son simple trac par une vraie peur, alors que lui se sentirait plutôt plein d'une légitime fierté. C'est donc aux parents, en premier lieu, de se préparer à l'entrée de leur enfant au C.P. et à accepter, profondément, de le voir grandir.

Pour que tout se passe bien et pour vivre au plus près la scolarité de l'enfant, je vous conseille deux choses :

- Rester en étroit contact, au moins hebdomadaire, avec l'instituteur.

- Adhérer à une association de parents d'élèves afin de participer à la vie de l'école.

Index

Table des matières

Table des matières

Achevé d'imprimer sur les presses
de Mame Imprimeurs à Tours (n° 02032198)
Flashage numérique CTP
Dépôt légal : 21445 - Avril 2002
ISBN : 2501037286
40-09-3405-4/01